武林外史 下

古龙 著

河南文艺出版社
·郑州·

古 龙

1938—1985

作为华语小说界一代宗师，“古龙”二字本身已成为一个文化符号。

古龙以惊人的才华，创作出《小李飞刀》《陆小凤》《楚留香》等七十多部精彩绝伦的经典。这些作品中涌动着永恒的热血、自由和生命力，不仅征服了一代代读者，更引发了巨大的文化浪潮，被无数次改编为影视、游戏、动漫，风靡整个中文世界，半个世纪风行不衰。

古龙为人，像他笔下的英雄们一样，豪气干云、放浪形骸、嗜酒如命、风流倜傥。其传奇一生的尽头，在医生下达严禁饮酒的告诫之后，豪饮三天三夜，大醉归西。

古龙是孤独的，一颗滚烫狂放的自由灵魂，与冷漠的现实世界显得那么格格不入；古龙又是幸运的，无数读者通过他的作品与他成为了知己。

中文世界如果没有古龙，将多么寂寞！没有读过古龙的人生，将多么寂寞！

目 录

第二十八章

别有洞天

朱七七醒来时，身子仍是软软的，没有半分气力。

这迷药，好厉害的迷药。

她蒙蒙眬眬地瞧见一盏灯，灯光正照着她的眼睛，她张开眼，又闭起，心头突然一阵悚栗，颤抖着伸出手，往下面一探——

幸好，她衣裳还是好好穿在身上，她最害怕的事并没有发生，她最宝贵的东西竟还没有失去。

王怜花，这恶贼，虽然可恶，虽然可恨，但毕竟还算有些傲气，不肯在别人晕迷时欺负人。

其实，真正的色狼，都是这样的，都知道女子若在晕迷时，纵能征服她的身子，也没什么乐趣。

朱七七总算松了口气，但这口气还未透过来，就又想起了别的人，就又好像被人扼住了脖子。

“该死，该死，我朱七七真该死，明明上了那么多当，还要如此粗心大意，不但害了自己，也害了……”

想到这里，她拼命一骨碌翻身而起，大呼道：“沈浪……沈浪……”

她没有瞧见沈浪，却瞧见了熊猫儿。

这是间没有窗子，也没有门的屋子。

熊猫儿就像只猫似的，蜷曲在角落里，还不能动，还没有醒。

朱七七挣扎着爬过去，去摇熊猫儿的肩头。

熊猫儿的嘴动了起来，却像是在嚼着什么东西，喃喃道：“好吃……好吃……”

朱七七又急又气，咬牙道：“死人，你在吃狗屎么，醒醒呀……”

她捏住熊猫儿的嘴，但熊猫儿的嘴却还在动，朱七七忍不住给了他两个耳刮子，熊猫儿两只眼睛突然张开。

朱七七恨声道：“你还吃，人都快吃死了……”

熊猫儿瞪着眼睛，瞪了半晌，人终于清醒，一翻身坐起，头疼得像是要裂了开来，他捧着头，道：“这是什么地方？咱们怎会来到这里？”

朱七七恨声道：“我先晕过去的，我怎么知道？”

熊猫儿道：“沈浪呢？沈浪在哪里？”

朱七七嘶声道：“我正想问你，沈浪呢？你们……”

熊猫儿大声道：“我倒下去的时候，沈浪还是站着的，但……但王怜花——王怜花。”他声音愈来愈小，到后来简直像用鼻子在“哼”了。

朱七七惶声道：“你们瞧见王怜花了？”

熊猫儿垂着头道：“嗯，但——但我们瞧见他时，我已连路都走不动了。”

朱七七赶紧问道：“沈浪呢，他难道也——”

熊猫儿长长叹了口气，道：“他也不行了。”

朱七七像是突然被重重打了一巴掌，打得她整个人都不会动了，直着眼睛怔了半晌，颤声道：“这样说来，我们现在难道真的是也落入王怜花手中？”

熊猫儿苦着脸道：“看来只怕是如此。”

朱七七道：“但沈浪——沈浪不在这里，他只怕已逃了。”

熊猫儿立刻点头道：“不错，在那种情况下，别人谁也逃不了，但沈浪——他总是有法子的，他的法子可真是比任何人都多。”

朱七七道：“他也一定有法子来救咱们的。”

熊猫儿道：“当然当然，他马上就会来救咱们了，王怜花别人都不怕，但一瞧见他，就像是老鼠见着猫似的，哈哈——哈哈——”

他口中虽在大笑，但笑声中可没半分开心的味道。

朱七七突然扑过去，抓住他的衣襟，嘶声道：“你——你在骗我，你明知沈浪也是逃不了的。”

熊猫儿强笑道：“他逃得了的，否则怎会不在这里？”

朱七七道："他不在这里，只因他——他——他——"

突然放声痛哭起来，手捶着胸膛，放声痛哭道："只因他已被王怜花害死了。"

熊猫儿道："不——不——不会的——"

朱七七道："会的，会的。王怜花将他恨之入骨，他落入王怜花手中，王怜花又怎会再放过他——是么？你说是么？"

她抓住熊猫儿，拼命地摇他的身子。

熊猫儿就像是木头人似的，被她摇着，也不挣扎，也不说话，但眼泪，却已沿着面颊流下。

沈浪，此刻只怕是必定已遭了毒手的了。

王怜花的确是不会放过他的。

朱七七嘶声痛哭着道："苍天呀苍天，你为何要这样对我……我千辛万苦，刚刚得到了他，你却又要将他夺走，却叫我如何忍受……如何忍受……"

熊猫儿突然缓缓道："这怪不得苍天，也怪不得别人。"

这语声虽缓慢而沉重，但在朱七七听来，却尖锐得有如刀子一般，尖锐地刺入了她的心。

她身子一阵颤抖，缓缓放松了手，缓缓止住了哭声，她眼睛空洞地望着远方，一字字道："不错，这不能怪别人，这只能怪我……只能怪我。"

熊猫儿凝注着她，并没有说话。

朱七七道："是我害了他……是我害了他……"

她仿佛痴了似的，不断重复地说着这句话，也不知说了几次、几十次……甚至几百次。

说到后来，熊猫儿惶然道："七七，你……你怎样了？"

朱七七道："是我害了他……是我害了他……"

她连瞧也不瞧熊猫儿一眼，缓缓站起身子。

灯光下，只见她面上已露出痴迷疯狂之态，手里不知从哪里摸出一把匕首，口中却咯咯地笑了起来道："是我害了他……是我害了他……"竟一刀向她自己肩上刺下。

熊猫儿大骇道："七七……你……你……住手！"

朱七七有如未闻，咯咯地笑着，拔出匕首，鲜血流出，染红了她的衣裳，她也不觉疼痛，还是笑着道："是我害了他……"竟又是一刀刺下。

熊猫儿吓得心胆皆裂，要想拦住她，怎奈他酒喝得最多，中毒也最深，直到此刻竟还站不起来。

他只有眼瞧着朱七七拔出刀，又刺下……

他只有嘶声狂吼，道："七七……住手……求求你住手！求求你……"

突然，他身后的墙壁裂开，现出了道门户，一条人影掠出，闪电般抓住了朱七七的手。

只见这人发髻光洁，笑容风流，一身粉红色的锦缎长衫，在灯光下闪闪地发着微光……

熊猫儿面色惨变，失声惊呼："王怜花！"

"当"地，匕首落地，朱七七却痴了般动也不动，任凭王怜花捉住她的手，也不反抗，也不挣扎。

王怜花瞧着熊猫儿，嘻嘻笑道："阁下睡得可舒服么？"

熊猫儿嘶声道："你……你这恶贼，放开她，放开她，我不许你碰她一根手指。"

王怜花笑道："是，遵命，在下绝不碰她一根手指……在下只碰她十根手指。"竟将朱七七整个人都抱了起来。

熊猫儿眼睁睁地瞧着，目眦尽裂。

但他又有什么办法？王怜花笑道："你莫要这样瞧着我，你本不该恨我的。"

他摸了摸朱七七的脸，接着笑道："你也不该恨我的……你们本该恨沈浪才对，你们如此为他着急，可知他并没有为你们着急么？"

熊猫儿失声道："他……他没有死？"

王怜花笑道："自然没有死。"

熊猫儿道："他……他在哪里？"

王怜花大笑道："他虽没有死，但你们瞧见他此刻的模样，却只怕要气死。”

熊猫儿怒道：“放屁，你莫要……”

王怜花道：“我知道你们不会相信的，唉！我只有带你们去瞧瞧……”

拍了拍手，呼道：“人来！将这位熊大侠扶起。”

两个艳装少女，巧笑着应声而入，扶起了熊猫儿，一人笑道：“唷，好重。”

另一少女娇笑道：“这样才像是好汉子。”

王怜花大笑道：“你若是喜欢这条汉子，只管亲他就是……嗯，重重地亲也无妨……哈哈，不过，但你可也莫要咬掉他的鼻子。”

熊猫儿被两个又笑、又摸、又亲、又咬的女孩子，架出了地窖，面上已沾满红红的胭脂。

他又急又怒，又是哭笑不得，但为了要瞧沈浪，他只有忍住了气——沈浪呀沈浪，你此刻究竟在做什么？

朱七七被王怜花扶着，更是老实得很，脸上居然也是笑眯眯的，但这种笑容，却教人瞧得心里直冒寒气。

她听到沈浪的消息，脸上就带着这样的笑容，就连王怜花，都不敢多瞧她这种笑容一眼。

走过一段长长的地道，又有间小小的屋子。

这屋子里没有桌子，没有凳子，也没有床，简直什么都没有，只是墙上铺着一排四个小木偶。

王怜花笑道：“你们可瞧见这四个木头人么？将这木头娃娃们搬开，你们就可瞧见四个小洞，从这小洞里，你们就能瞧见沈浪了，哈哈……沈浪。”

他笑的声音很轻，但熊猫儿却听得直刺耳朵。

王怜花又已笑道：“你们只管放心地瞧，沈浪他不会发觉你们的，只因这四个小洞外面，画着的壁画是人，这小洞正是画上人的眼珠子……哈哈，那些画可画得妙透了，简直妙不可言，只可惜你们瞧不见。”

熊猫儿忍不住冷笑道：“春宫我瞧得多了。”

王怜花大笑道："熊兄果然也是聪明人，一猜就猜出墙上画的是春宫，但沈浪在这画满春宫的屋子里做什么？熊兄可猜得出？"

朱七七身子已颤抖起来，突然冲了过去，但是却被王怜花一把抓住，朱七七咬着嘴唇，颤声道："你……你不是要我瞧么？"

王怜花笑道："瞧自然是要瞧的，但也莫要着急。"

熊猫儿道："还等什么？"

王怜花笑道："沈兄此刻正舒服得很，但两位却不免要惊扰他，在下为沈兄着想，就只好得罪两位了。"

突然出手如风，点了朱七七与熊猫儿的哑穴。

熊猫儿气得眼珠子都要凸出来了，王怜花却再也不瞧他一眼，将那木偶的头一扳，墙上果然露出了四个小洞。

王怜花轻笑道："这可是你们自己要瞧的，你们若是气死，可莫要怪我。"

他微笑着闪开了身子，道："请。"

"请"字出口，熊猫儿与朱七七的眼睛已凑上了小洞。

他们果然瞧见了沈浪。

外面的屋子，虽无珠光宝气，但却布置得舒服已极，没有一样东西不摆在令人瞧着最顺眼的位置。

而沈浪，此刻就坐在最舒服的位置上。

他穿着件柔软的丝袍，斜倚着柔软的皮垫。

他手里拿着金杯，身旁正有个身披轻纱的绝色少女，正带着最甜蜜的笑容，在为他斟酒。

琥珀色的美酒。

但在熊猫儿的眼中看来，却像是血一样。

熊猫儿与朱七七对望一眼，朱七七咬着嘴唇，熊猫儿咬着牙，朱七七嘴唇已咬得出血，熊猫儿牙咬得吱吱作响。

他们的嘴虽能动，却说不出话。

他们若能说话，必定会同时怒喝："沈浪，你这可恶的沈浪，我们为你急得要死要活，快要发疯，谁知你却在这里享福。"

沈浪的确像是在享福，那少女为他斟酒，他就喝光，那少女将水果送到他嘴里，他就吃下去。

熊猫儿与朱七七又对望一眼，两人眼里都已要冒出火来，但这时，两人要说的话却不同了。

朱七七想说的是："沈浪呀沈浪，原来你也是个色鬼，色狼，瞧你这副色迷迷的笑，你……你为什么不死，你死了多好。"

熊猫儿却想说："沈浪呀沈浪，原来你也是个酒鬼，到现在你还喝得下酒，但……你这小子虽可恶，酒量却真不错。"

两人心里想的虽不同，但恼怒却一样。

两人竟未怀疑，竟忘了去问："王怜花为何没有杀沈浪？"

"王怜花为何非但不杀沈浪，反而让他享福？"

这，岂非是怪事一件。

那少女倒酒倒得手都酸了，但沈浪面上却毫无醉意，她倒得虽快，但沈浪喝得却比她倒得还快。

那少女终于叹了口气，道："你酒量可真不错。"

沈浪笑道："哦？"

那少女道："我真不知道你这酒量是怎么练成的。"

沈浪笑道："因为常常有人想灌醉我，所以我酒量就练出来了。"

那少女咯咯笑道："一个生得漂亮的女孩子，才会有人常常想灌醉她，你……你总归不是女的，谁想灌醉你？"

沈浪大笑道："生得漂亮的女孩子，虽然常常有会被男人灌醉的危险，但她们若是灌起男人的酒来，却也厉害得很。"

那少女娇笑道："这话倒不错，男人在漂亮的女孩子面前，总是不能拒绝喝酒的。"

沈浪微微笑道："所以我现在正是酒到杯干，来者不拒。"

那少女媚眼带着笑，带笑地瞅着他，腻声道："只可惜要灌醉你实在太不容易。"

沈浪道："要灌醉你可容易么？"

那少女眼珠子一转，咬着嘴唇笑道："有些女孩子虽然醉了，但也和没醉一样，谁也别想动她，有些女孩子虽然不喝酒，但却也和醉了一样。"

沈浪笑道："妙极妙极，女孩子对女孩子的事，到底是了解得多些，但……但你却又属于哪一种呢？"

那少女眼睛瞅着沈浪，似乎要滴出水来，一字字轻轻道："我……那就要看对方那男子是谁了，有时我醉了也不醉，有时我虽未喝酒，却已醉了，就像……就像今天……"

朱七七愈听愈气，简直要气疯了。

那少女在咬着嘴唇，她也在咬着嘴唇，但两人咬嘴唇的模样，却真是天差地别，大不相同。

女孩子在男人面前咬嘴唇时，不是恨得要死，就是爱得要死，不是想打他的耳光，就是想亲他的脸。

那少女眼睛似乎要滴出水来，朱七七眼睛也似要滴出水来，朱七七眼睛里的水，是眼泪。

而那少女……她眼里的水是什么意思？这问题男人想必大多知道的，只是在自己妻子面前却万万不要承认。

朱七七真恨不得冲进去，将那少女眼珠子挖出来。

那少女软绵的身子，直往沈浪怀里靠。

朱七七又恨不得冲进去，一把揪住她的头发，将她拉开，将她整个人抓起来，塞进阴沟里去。

但现在真像在阴沟里的人，却是朱七七，她全身发冷，她只有眼看着那少女倒入沈浪怀里。

而沈浪……这可恨的坏蛋，这没良心的人。

他居然还在笑。

幸好，就在这时——

朱七七正想闭起眼睛，又不甘心闭起眼睛，正恨得要死，气得要发疯时，她的救星却来了。

只听得一阵清脆而悦耳的环佩叮当声传了过来，接着，是一阵银铃般的笑声，比环佩声更清脆，更悦耳。

单听这声音，便已知道来的必定又是个绝色美女，何况还有那似兰似麝，醉人魂魄的香气。

朱七七甚至能从那小洞里嗅得这香气。

她虽然更着急，一个少女，已够她受的，又来一个，那如何是好，沈浪岂非要被这些狐狸精迷死。

但无论如何，有别人来了，这生着一双鬼眼睛的少女，总该不会再赖在沈浪的怀里了吧。

那少女果然自沈浪怀中跳了起来，就像是只受了惊的兔子似的，脸上的媚笑，也早已不见。

只见一个人……简直可说是个仙子走了进来。

她穿着的是什么？她戴的是什么？她身后跟着有几个人？这些人又长的是什么模样？

朱七七全瞧不见，熊猫儿更瞧不见。

只因他们的眼睛，已全被此人本身所吸引，她身上似乎散发着一种光芒，足以照花所有人的眼。

这艳光四射的仙子，赫然竟是王怜花的母亲。

沈浪抖了抖衣衫，只是含笑抱拳道："王夫人……"

那王夫人也含笑道："沈公子……"

两人就像是许多年没见面的朋友，如今总算见着了，但却又像是初次相识，彼此客客气气，两人面对面坐了下来。

朱七七终于松了口气——他们坐得很远。

那少女又拿起酒壶，规规矩矩，为沈浪倒了杯酒。

沈浪笑道："不敢当，不敢当。"

王夫人笑道："沈公子对染香又何必如此客气。"

沈浪道："染香……好名字，好名字，已入芝兰之室，能日常接近王夫人这样的人间仙子，自然也要被染上一身香气了。"

王夫人笑道："沈公子当真是口才便捷，人所难比。"

她的笑容虽妩媚，神态却庄重，她的笑容虽令人魂牵梦萦，一心想去亲近，她的神态又令人不敢亲近。

她带着颇含深意的微笑，忽道："但染香这丫头，却也可人……沈公子，你说是么？"

沈浪笑道："彩凤身旁，焉有乌鸦，只不过她提起酒壶来时，在下却当真有些害怕。"

王夫人道："染香，你方才可是在灌沈公子酒么？"

染香垂下头，去弄衣角，却不说话。

王夫人双眉微微皱起，轻叱道："你明知我要和沈公子商议大事，怎敢还要灌沈公子的酒？沈公子若是真的醉了，怎好说话？"

染香虽未答话，沈浪却已笑道："明明是夫人要她灌在下酒的，夫人为何还要骂她？"

王夫人神色不动，微笑道："是么？"

沈浪笑道："在下喝醉了酒，岂非更好说话。"

王夫人道："为什么？"

沈浪大笑道："好酒香醇，美人如玉，这些却是最能使男人意志软弱之物，在下意志若是软弱了，夫人要在下听命，岂不更是容易？"

王夫人嫣然笑道："沈公子果然是聪明人，谁也莫想瞒得过你，但沈公子若非如此聪明，我又怎会千方百计地想邀沈公子到此说话。"

沈浪笑道："王夫人心事被在下说破，居然毫不否认，正也足见王夫人之高明……但王夫人若非如此高明，在下此刻又怎会坐在这里？"

王夫人开始笑得更甜，道："怜花邀沈公子来时，多有得罪，我该代他向沈公子道歉才是。"

沈浪笑道："在下早已想再见夫人一面，怎奈云路凄迷，仙子难寻，若非王公子，在下又怎能再见夫人？在下本该请夫人代向王公子道谢才是。"

王夫人飘然笑道："无论如何，沈公子总是受惊了。"

沈浪微笑道："在下已明知此来必能得见仙子玉容，在下已明知王公子万万不致杀我，在下何惊之有？"

王夫人银铃般笑道："怜花做事素来鲁莽，沈公子又怎知他不会杀你？"

沈浪笑道："只因在下还有些用，夫人欲成大事，怎肯先杀有用之人？"

于是两人同时大笑，王夫人固是笑得妩媚，风情万种，沈浪的笑也足以令少女心醉。

熊猫儿听得这笑声，又不禁暗叹忖道："这两人当真是针锋相对，谁也不输给谁半分。"

除了沈浪外，还有谁能招架王夫人的言词、王夫人的媚笑？若是换了熊猫儿，只怕连话都说不出了。

朱七七却在暗中咬牙，忖道："这老狐狸是什么意思？为何这样对沈浪笑？难道她也看上了沈浪吗？"

沈浪终于顿住笑声，目光凝注着王夫人那双可令天下男人都不敢正视的眼睛，缓缓道："夫人与在下既已彼此了解，夫人有何吩咐，此刻总可说出了吧。"

王夫人道："吩咐两字可不敢当，只是我确有一事相求公子。"

沈浪道："夫人可是要用在下去对付一个人？"

王夫人笑道："公子的确已看透我心了……不错，我正是要借公子之力，去对付一个人，那人便是……"

沈浪微笑截口道："快活王？"

王夫人道："除了他还有谁……除了他之外，还有谁值得劳动公子？"

沈浪道："但……令郎已是天下之奇才，已非在下能及，何况还有夫人？夫人还要用在下么？在下能做的事，令郎也能做的。"

王夫人笑道："怜花虽有些小聪明，但又怎能比得上相公万一？何况这件事，他更是万万不能做，万万做不了的。"

沈浪道："什么事？"

王夫人道："快活王此人之能，公子想必知道。"

沈浪道："略知一二。"

王夫人叹道："此人非但有狐狸之奸狡，豺狼之狠毒，更确是还有狮虎之武勇，对付这样的人，既不能智取，也不能力敌。"

沈浪道："既是如此，夫人却叫在下怎样？"

王夫人笑道："但天下人谁都难免有一弱点，快活王好歹也是个人，也不能例外，你我若想胜他，只有针对他的弱点行事。"

沈浪笑道："他居然也有弱点，难得难得……"

王夫人道："此人的弱点，说得好听些，是'爱才如命'，说得难听点，便是喜欢被人阿谀奉承，只要是才智之士前去投靠于他，绝不会被他拒于门外。"

沈浪笑道："千穿万穿，马屁不穿，快活王想来的确是喜欢被人拍马屁的，否则他手下也不会有那许多食客了。"

王夫人笑道："正是如此……但他手下的食客虽多，却没有一个真正杰出之士……一个像公子你这样的人。"

沈浪道："夫人莫非是想要在下去做他的食客？"

王夫人媚笑道："这样做，虽然委屈了公子，但你我欲成大事，为了达到目的，便不能择取手段了是么？"

沈浪笑道："原来夫人是要我在快活王身旁做奸细，但这样的事，令郎自己去做，岂非要比在下强得多。"

王夫人道："此事怜花不能做的。"

沈浪道："哦？"

王夫人道："只因为……只因为……"

沈浪大笑道："只因此事危险太大，是么？"

王夫人叹了口气，道："公子如此说，就是误会我一番苦心了，我……我又怎会叫公子涉险？在我心中，与其令怜花涉险，也不愿让公子涉险的。"

沈浪道："哦？"

王夫人道："此事怜花本来的确是可以做的，他的机智虽比不上公子，但也勉强够了，但他却有个最大的缺点……"

沈浪笑道："什么缺点？"

王夫人道："只因为快活王认得他。"

这句说出来，沈浪亦不禁动容，道："认得他？怎会认得他？"

王夫人道："这原因你可以不问么？"

沈浪沉吟半晌，又道："但王公子易容之术，天下无双……"

王夫人含笑截口道："怜花的易容术虽然不错，但我请问公子，怜花易容后，若是终日和公子在一起，公子瞧不瞧得破？"

沈浪笑道："不错，在下若能瞧破，快活王更能瞧破了。"

王夫人道："正是如此……而怜花虽笨，但要找个能代替他做这件事的，却也不多了……除了公子你，世上只怕再无他人。"

沈浪道："但快活王门下也有认得在下之人。"

王夫人道："谁？"

沈浪道："无望……"

王夫人笑道："他与你交情深厚，怎会揭破你？"

沈浪叹道："原来夫人什么事都知道了，但……"

王夫人道："但还有与你交情不深的人，是么？"

沈浪道："正是，还有'酒使'韩伶，还有那'色使'江左司徒。"

王夫人嫣然一笑，道："这两人永远也不会再见着快活王的面了。"

沈浪动容道："他们也和在下一样，落入了夫人的手中？"

王夫人笑道："但公子是我的座上客，他们却是阶下囚。"

沈浪默然半晌，忽又笑道："但在下还有一事不解。"

王夫人笑道："有什么事能令公子不解？"

沈浪道："夫人明知快活王亦是在下的敌人，在下亦早欲得此人而甘心，夫人纵然不说，在下也是要去对付他的。"

王夫人道："不错，这个我是知道。"

沈浪道："既是如此，夫人又何必再花费这许多心力，定要使在下听从夫人的吩咐？这岂非多此一举。"

王夫人笑道："只因你们对付快活王的方法，与我不同。"

沈浪道："哦？"

王夫人道："我若不将公子请来这里，与公子定下盟约，公子你若有机会，必定要将快活王置之于死地，是么？"

沈浪道："自然如此，夫人你难道……"

王夫人道："我却不要他死。"

她面上妩媚的笑容，突然消失不见，那一双妩媚的眼波，也变得冷得有如青霜白刃一般。

她目光遥注远方，一字字缓缓道："我要他活着，我要他眼看所有的事业，一件件失败，我要他活着来受一次又一次的打击。"

她"砰"地一拍桌子，厉声接道："我要他求生不得，求死不能，他若死了，岂非便宜了他。"

她笑容消失，屋子里也立刻像是冷了起来。

仇恨，这是多么深的仇恨，这是多么怕人的仇恨。

沈浪瞧着她，竟仿佛呆了。

这王夫人怎会与快活王有这么深的仇恨？

那究竟是怎么样的仇恨……

也不知过了多久，王夫人终于又自嫣然一笑，这笑容正像是春天的花朵，使天下恢复了芬芳，温暖。

她嫣笑道："如今沈公子什么事都明白了吧？"

沈浪笑道："再不明白，便是呆子了。"

王夫人道："我若有沈公子你这样的人在快活王身侧，快活王的所有一举一动，都再也休想逃过我的眼底……"

沈浪接着道："这样，无论他要做什么，夫人都可迎头予以痛击，他纵有通天的手段，也休想做得成一件事了。"

王夫人轻轻拍掌，轻轻笑道："正是如此。"

沈浪笑道："他有了王夫人这样的仇敌，可算是上辈子倒了霉了。"

王夫人笑道："但这也要公子你答应我才行呀。"

她妩媚动人的眼波，凝注沈浪，柔声道："不知公子你可愿答应么？"

沈浪笑道："在下可以不答应么？"

王夫人眼波一转笑道："只怕是不可以的。"

沈浪大笑道："既然不可以不答应，在下当然只有答应了。"

王夫人嫣然举杯，笑道："多谢公子，且容贱妾先敬公子一杯，预祝咱们的成功。"

两人相视而笑，王夫人固是笑得更甜，沈浪也笑得甚是开心；而熊猫儿，却听得几乎气破了肚子。

他暗中咬牙，暗道："想不到沈浪这小子，竟如此没有骨气，为什么不可以不答应，难道还怕她吃了你？"

若是换了熊猫儿，他当真是死也不肯答应的，谁也休想强迫他做一件事，无论那是什么事。

但沈浪，他却是要先瞧那是什么事。

朱七七比熊猫儿更气，更恨："这老狐狸，竟连称呼都改了，这么大年纪，居然还自称'贱妾'，居然还和沈浪'咱们……咱们'地说话，真不害臊。难怪王怜花的脸皮这样厚，原来他妈妈的脸皮比他更厚十倍。”

王夫人说要敬沈浪一杯酒，其实却敬了三杯。这三杯酒不但染红了她的娇面，也将春色染上了她的眉梢。

熊猫儿瞧着瞧着，忽然不气了。

他忽然想到：“沈浪这样做，莫非是计？等到王夫人放了他，他到了关外，还有谁能管他，他答应了，岂非也等于不答应？”

想到这里，他几乎要笑了出来，他觉得这王夫人实在并不如他想象中那么聪明，实在很笨。

只听王夫人笑道：“贱妾虽不胜酒力，但今日也要和公子痛饮一番……痛及三日，三日后，贱妾再置酒为公子送行。”

沈浪道：“送行？”

王夫人道：“嗯！眼见三日后公子便要远去关外，做一番惊天动地的事业，所以这三天……贱妾自当分外珍惜。”

她眼波中的春意委实比酒更能醉人，沈浪虽凝注着她的眼波，却似并不懂她眼波中的含义。

他只是微微笑道：“在下就这样去么？”

王夫人道：“自然不是这样去，贱妾早有打算，如何为公子一壮行色。”

沈浪道：“在下根本不知快活王的行踪……”

王夫人笑着截口道：“这个公子用不着担心，贱妾自然会使公子见着快活王的。”

沈浪道：“见着他又如何？”

王夫人咯咯笑道：“公子莫非是在装傻么？”

沈浪笑道：“在下装聪明还来不及，怎会装傻？”

王夫人道：“以公子这样的人物，又是江湖中的陌生面孔，快活王见到你，还会不视为异宝，还会让公子走？”

沈浪笑道：“莫非快活王还会拉拢于我不成？”

王夫人笑道：“自然会的，要成大事的人，谁会放过公子……快活王若是会放过公子，这样的人物，他就不成快活王了。”

沈浪眨了眨眼睛，道："以后呢？"

王夫人道："以后，公子自然变成了快活王的心腹。"

沈浪笑道："那也不见得，他若不信任我，又当如何？"

王夫人嫣然笑道："像公子这样的人，还会不知道该如何取他之信任么？放一把锥子到布袋里，那锥子还会不扎破布袋？"

沈浪大笑道："原来夫人是要在下毛遂自荐。"

王夫人嫣然笑道："只是毛遂又怎比得上公子。"

沈浪道："好了，夫人现在只剩下最后一件事没有说了。"

王夫人眼波流转，媚笑道："什么事？"

沈浪笑道："夫人怎会就这样放在下走？夫人必定还有个法子，而且确信这法子能使在下纵然到了关外，也不敢违背夫人的。"

王夫人笑道："你猜猜那是什么法子？"

沈浪道："在下虽不擅使毒，却知道世上有种毒药，其毒性发作极缓，而且擅于使毒之人，甚至可以将毒性发作之时日先行定好，到了那日，中毒之人若无他独门解药，必死无疑，这正和苗疆女子擅使之蛊有些相似。"

他一笑接着道："这种毒药此刻说不定已在我肚里。"

王夫人道："公子乃为当今国士，贱妾怎会以这种手段来对付公子，贱妾若这样做，非但看轻了公子，也实在看轻了自己。"

沈浪笑道："正是正是，世上焉有鸩人之仙子？在下谢过。"

王夫人笑道："你再说说看。"

沈浪沉吟道："夫人自己虽不会随在下远赴关外，但却可令人随在下同去，从旁监视，甚至寸步不离……"

王夫人以一阵银铃般的娇笑，打断了沈浪的话，娇笑着道："姑不论这法子的好坏，但世上又有谁能监视得住我们的沈公子？何况，贱妾虽笨，也不至于会使这么笨的法子。"

沈浪道："莫非夫人要在下立下重誓……"

王夫人又娇笑着打断了他的话，道："世上最不可信的，就是男人对女人发的誓，若有哪个女孩子笨得会相信男人发誓，她一定要伤心一辈子。"

沈浪抚掌大笑道："夫人莫非是过来人？"

王夫人眼波轻瞟着他，微微笑道："你看我现在可有伤心的模样？"

沈浪笑道："不错，时常令别人伤心的人，自己便不会伤心了。"

于是两人又相视而笑，笑得果然都没有半分伤心的样子。

熊猫儿听到这笑声，又气得肚子疼。

"沈浪这小子，此刻居然还有心情来和她说笑，沈浪呀沈浪，你自命聪明，却连人家要使什么法子对付你，你都不知道。"

其实，他更想不出这王夫人，究竟要用什么法子。

朱七七肚子虽不疼，心却在疼。

"时常令别人伤心，自己便不伤心了……好，好，沈浪，你原来是这样的人，你居然说得出这种话来，我总算认识你了。"

其实，沈浪究竟是怎么样的人，她也不知道。

酒意更浓。

夫人咯咯笑道："除了这些笨法子外，公子难道认为贱妾就没有别的法子了么？"

沈浪道："夫人妙计千万，在下委实猜不出。"

王夫人媚笑道："贱妾难道只会强迫公子、监视公子？贱妾难道不会让公子自己从心里就愿意做这件事，那么，又何用贱妾强迫、监视。"

沈浪拍掌道："呀……这个我倒忘了。"

王夫人笑得更媚，道："公子并没有忘，只不过故意装作忘了而已。"

沈浪笑道："但夫人也莫要忘记，令在下心里服从，这可不容易。"

王夫人的笑，已媚入骨里。

她以纤纤玉手，轻拢着鬓发，那纤手……那柔发……那绝代的风姿，都使人猜不出她年纪，使人根本忘了她的年纪。

她笑着道："这自然不容易，贱妾自然也知道的，但愈不容易得到的，愈是珍贵，尤其对女人来说更是如此。"

沈浪笑道："这是句老话。"

王夫人道："老话通常总是对的，是么？"

沈浪道："这也是句老话。"

王夫人娇笑道："珍贵的东西，必须要珍贵的东西才换得到，是么？"

沈浪笑道："这还是句老话。"

他一连说了三次，面不改色，王夫人一连听了三次，也若无其事，外面的熊猫儿却火了，真想骂出来。

"老话，老个屁。"

只听王夫人笑道："江湖中最不容易得到之物，也是最珍贵的东西，一共有三件，你可知道是些什么？"

沈浪笑道："这大约不是老话了，在下没听过。"

王夫人道："你想想看……这话也不算太老。"

沈浪沉吟半晌，道："少林寺，藏经阁所藏之达摩神经，是否其中之一？"

王夫人道："少林派虽号称武林第一门派，但少林僧人之武功，最多也不过占得'平实'两字，从未出过天下第一高手，由此可见，有关那少林神经的种种传言，也许只不过是少林僧人故神其说，世间是否真有此经，已成问题，经中是否当真载有无上武功心法，更不可知，所以它算不得的。"

沈浪道："连少林神经都算不得？"

王夫人断然道："算不得。"

沈浪笑道："那么别的武功秘籍更算不得了。"

王夫人道："武功秘籍乃是死的，试问世上究竟有几人的武功真是自这些秘籍上学得的？智慧、毅力、经验，再加上时机，才是练成绝艺的真正要素，只不过世人无知，常会被这些武功秘籍的种种传说迷惑而已。尤其那无敌和尚的武功秘籍，更是所有秘籍中最害人的。"

她这番话虽然几乎将武林中传统的故事全部推翻，但说的却当真是切中时弊，就连沈浪都不禁大为赞服。

沈浪叹道："夫人能言人之所不能言，敢言人之所不敢言，当真令在下顿开茅塞，昔年天下英雄，若是知道这道理，衡山之役，也不会死那么多人了，今日之武林便也不会成此局面，可见夫人之智，确为人所不及。"

王夫人嫣然笑道："贱妾平生，最恨别人恭维，但今天听了公子的话，却比什么都要开心，公子你再猜。"

沈浪又自沉吟半晌，忽然笑道："对了，云梦仙子之云梦令，神令所至，武林群雄莫不低头，那总该可算作其中之一了吧。"

王夫人笑道："公子又要来奉承贱妾了，就算贱妾真的就是昔日之云梦仙子，听了这句也不会开心的，想那云梦令只是吓人的东西，怎能算是宝物？"

沈浪笑道："也算不得？"

王夫人道："区区顽铁，算不得的。"

沈浪缓缓道："那么……昔年'铁剑先生'展大侠留下的古铁剑，总该不是顽铁了吧，是否可算其中之一？"

王夫人笑道："剑也是死的，纵是天下第一神兵利器，若是落在凡夫俗子手中，还不是和顽铁没有两样。"

她指了指染香，接着笑道："试问染香手里纵然拿着干将莫邪，可胜得了你？"

沈浪颔首道："不错，那也的确算不得。"

王夫人笑道："贱妾所说的这三件宝物，纵然落在凡夫俗子手中，也是有用的，所以，那才可算是真正的宝物。"

沈浪道："夫人所说的宝物，莫非是活的？"

王夫人眼波一转，笑道："一件死的，两件活的。"

沈浪笑道："在下需要喝杯酒，寻些灵感。"

于是染香娇笑着斟酒，王夫人娇笑着劝饮。

沈浪一杯喝下，突然拍掌道："对了，昔年高姓世家所留下的亿万财富，纵然凡夫俗子得了，也可啸傲王侯，富贵终生，这总可算是其中之一了吧。"

王夫人嫣然笑道："总算被公子想出了一件……不错，高姓世家留下的财富，正是天下江湖中梦寐所求之物，但还有两件活的呢？"

沈浪喃喃道："活的……活的……莫非是'长白山王'的宝马？"

王夫人道："不是。"

沈浪道："莫非是'神捕'邱南的灵犬？"

王夫人道："也不是。"

沈浪道："莫非是'百兽山庄'中的猛虎……莫非是'赛果老'的乌驴……莫非是'天山狄家庄'的神鹰？"

王夫人笑道："不是……不是……都不是。"

沈浪道："莫非是云南'五毒教'中的……"

王夫人以手掩鼻，笑道："哎唷，别说了，那些东西，教人听了都恶心，怎算得宝物？"

沈浪叹道："在下委实猜不出了，江湖中的名禽异兽，在下已全都说了出来，若还不是，在下委实不知道还有什么？"

王夫人微笑道："世上难道只有禽兽是活的？"

沈浪道："还……还有什么？"

王夫人咯咯笑道："还有人呀，人难道不是活的？"

沈浪怔了怔，失笑道："人……不错，还有人。"

王夫人道："现在总可以猜出了吧。"

沈浪苦笑道："在下更猜不出了，世上的奇才异能之士，何止千百，何况……"

王夫人截口笑道："好，我告诉你，除了高姓世家的财富外，那第二件珍贵之物，就是昔年的沈天君……沈天君的手。"

沈浪动容道："手……沈天君的手？"

王夫人道："不错，沈天君的手谈笑间可散尽万金，但叱咤间又可重聚……沈天君的手可将活生生的人置之于死，但也可使垂死的人复生，沈天君的手可使山崩屋塌，可毁灭一切，但也可制造出许许多多千灵百巧，不可思议之物，只要沈天君的手动一动，江湖中无论什么事，都会改变。"

沈浪似乎听得呆了，动也不动，口中喃喃道："沈天君……手……唉，好手。"

举起酒杯，一饮而尽。

王夫人道："那第三件东西，正是最珍贵的东西。"

她突然也举起酒杯，一饮而尽，妩媚的眼波，瞧着沈浪，媚笑道："到了此刻，你还猜不出？"

她喝下三杯酒时，已红了脸，眯起了眼睛，此刻喝下了三十杯，还是红着脸，眯着眼睛。

那简直完全和喝三杯时没什么两样。

沈浪也瞧着她，忽然笑道：“莫非便是夫人自己？”

王夫人银铃般笑道：“这次你又猜对了。”

染香的眼波，本已是风骚入骨，媚人魂魄，但和她此刻的眼波一比，那却像是变成了死鱼的眼睛。

染香的眼波，本已令朱七七气得恨不能挖出来，此刻她的眼波，却令朱七七连气都气不出了。

朱七七虽是女人，但瞧了她的眼波，不知怎地，竟也觉得心旌摇摇，难以自主，几乎连站都站不住了。

王夫人就以这样的眼波瞧着沈浪，道：“公子你可知道，江湖中有多少男人，为了要亲近我而死，但他们虽然死了，也是心甘情愿的。”

她语声很慢，很慢，像是已甜得发腻。

她慢慢地说，轻轻地笑。

她轻笑着说道：“只因我不是普通的女人，我武功上的技巧，虽已可说是登峰造极，但我在某一方面的技巧，却更胜武功十倍。”

沈浪舔了舔嘴唇，举杯喝干了。

王夫人轻轻接道：“只要我愿意，只要我肯合作，我可令任何一个男人欲仙欲死，我可使他享受到他梦想不到的乐趣。”

染香的脸已红了，垂着头，吃吃地笑。

王夫人道：“你笑什么，这是一种艺术，至高无上的艺术，我本是个孤苦伶仃的女孩子，但就为了这原因，我成就了绝顶的武功，成就了今日之一切，无论是谁，只要一接触我的身子，就永远也不会再忘记。”

沈浪长长叹了口气，想说什么，却没有说。

他似已说不出话。

王夫人道：“也不知道有多少男人，多少成名的男人，为了想再登仙境，不惜奉献出一切，不惜跪着、爬着来求我，现在……”

她嫣然一笑，道：“现在，我就以我这珍贵的身子，来交换你的心，我想，这大概可说是一场公平的交易。”

沈浪整个人都呆住了，动也不能动。

他也见着不少淫娃荡妇，但却没有一个像王夫人这样的。

她口中虽然在说着最淫荡的话，但神情却仍似那么圣洁，她提出的虽是最荒谬的交易，但态度看来却像是在谈最平常的买卖。

她是荡妇中的圣女，也是圣女中的荡妇。

王夫人道："你怎么不说话，难道你不信？"

就在说这句话时，她的手突然抬起，将身上的衣裳一件件脱了下来，纵然是在脱衣，她风姿也是那么优美。

普天之下，脱衣时还能保持风姿优美的女人又有几个？又有谁还懂得，脱衣时的风姿，才最令男子动心。

于是，她身子已完全呈现在沈浪面前。

那滑润的香肩，那丰满而玲珑的胸，那盈盈一握的腰，那晶莹、修长、曲线柔和的腿，那精致的足踝……

那简直已非人的躯体。

那是仙女与荡妇的混合。

她身子虽是赤裸的，但神情却和穿着最华丽的衣衫时没什么两样，普天之下赤裸时还能保持风姿优美的女人，又有几个？

沈浪道："我……我……你……"

王夫人嫣然笑道："我不但要将这身子交给你，还要永远给你，我也要你将你的心永远交给我，我保证你从此可享受世上所有男子都享受不到的幸福。"

她语声微顿，一字字缓缓道："我嫁给你。"

熊猫儿在心底嘶声大呼："不行，不行，万万不行。"

朱七七的身子有如风中秋叶般，不停地颤抖。

王怜花的母亲竟要嫁给沈浪，这真是谁也梦想不到的事，非但熊猫儿与朱七七，就连王怜花都已变了颜色。

"不行，不行，万万不行。"

只听王夫人道："沈公子，你答应么？"

人人俱都瞪大了眼睛，静等着沈浪的回答。

第二十九章

荡妇圣女

沈浪正凝注着王夫人，嘴角渐渐又泛起了他那懒散、潇洒，而略带冷讽的微笑，他微笑着道："你真的要嫁给我？"

王夫人道："自然是真的，你……"

沈浪道："好。"

这"好"字当真有如半空中击下的霹雳，打得熊猫儿、朱七七、王怜花头也晕了，身子也软了。

王夫人竟也不禁怔了怔，道："你真的答应我？"

沈浪笑道："自然是真的，婚姻大事，岂能儿戏。"

王夫人也凝注着沈浪，嘴角也渐渐泛起了她那娇美、动人，而略带媚荡的微笑，她微笑着道："我要再问你一句话。"

沈浪笑道："现在你对我做什么都可以，何况问一句话。"

王夫人道："我虽明知你会答应，却想不到你答应得这么快……你……这是为了什么？你可以告诉我么？"

沈浪举起筷子，夹了个虾球，笑道："我就是为了要王怜花做我的儿子，我也会答应的，更何况，你……"带着笑瞧着王夫人，手却突然一动——

筷子夹着虾球，便流星般飞了出去，飞向王怜花眼睛凑在上面的小洞，自洞中穿了出去。

王怜花本已呆了，更再也想不到有此一招，哪里还闪避得及？虾球整个打在他脸上，打得他成了三花脸。

沈浪大笑道："王怜花，你看够了么，如今我已是你的爹爹，你还不出来？"

王夫人笑道："我知道这是瞒不过你的。"

沈浪笑道："你根本就是要我知道他们在偷听、偷看……我知道有人在一旁偷听，说话自然得更慎重些，答应你的话自然更不能更改。"

王夫人媚笑道："你可知道，我就是要你在那位朱姑娘面前说出这些话，那么，她从此以后就可以对你完全死心了。"

她披起了衣衫，又笑道："只是便宜了那猫儿的那双眼睛。"

沈浪大笑道："你若肯转个身子，他的便宜就更大了。"

王夫人娇笑道："反正我已将他当作我的儿子，就让他瞧瞧母亲的背，也没什么关系，何况，我还是坐着的。"

沈浪道："现在，可以让他们出来了么？"

王夫人柔声道："你说的话，谁敢不答应。"

她的脚在地上轻轻一踩，那面墙壁，就突然自中间分开，往两旁缩了回去，竟没有发出丝毫声音。

于是，沈浪便瞧见了熊猫儿与朱七七。

满面怒容的熊猫儿，满面痛泪的朱七七。

自然，还有王怜花。

他正以丝巾擦着脸，他脸上那种尴尬狼狈的神情，若肯让恨他的人瞧瞧，那些人当裤子来瞧都是愿意的。

朱七七身子摇摇晃晃，一步步向沈浪走了过来，她嘴里虽不能说话，但那悲愤、怨恨的目光，却胜过千言万语。

熊猫儿身子也摇摇晃晃，也一步步向沈浪走了过来，他露着牙齿，似乎恨不得将沈浪一口吃下去。

王夫人手掌轻轻一抬，笑道："两位请坐。"

朱七七与熊猫儿只觉腰畔似是麻了麻，竟身不由主地坐了下去，竟再也不能站起，但眼睛还是瞪着沈浪的。

沈浪笑道："怜花兄也请过来坐下如何？"

王夫人笑道："嗯……现在是什么时候了，你还叫他怜花兄？"

沈浪道："我该叫他什么？"

王夫人眼波一转，娇笑道："花儿，过来拜见叔叔。"

沈浪喃喃笑道："叔叔……暂时做叔叔也可以……"

只见王怜花一步一挨地走了过来，他脸上是什么模样，那是不用说出来别人也可以想象得到的。

沈浪笑道："暂时还不必磕头，躬身一礼也就可以了。"

王怜花站在那里，就像恨不得钻进桌子下面去，熊猫儿若不是满心怒火，早已忍不住要放声大笑出来。

王夫人却板起脸，道："沈叔叔的话，你听见没有？"

王怜花道："我……我……"

终于躬身行了一礼，那样子哪里像是在行礼，倒像是被人拦腰在肚子上狠狠打了一拳似的。

沈浪瞧着他，微微笑道："贤侄此刻心里必定后悔得很，后悔为何不早些杀了我，是么？"

王怜花涨红了脸，道："我……我……"

王夫人娇笑道："他还是个孩子，你何苦跟他一般见识，饶了他吧……"

沈浪哈哈大笑道："前一日我还请求他饶我，今日却已有人求我饶他，我若不娶你这样的太太，怎能如此？"

王怜花突也笑了起来，微微笑道："沈叔叔，你这样可是故意在令小侄生气，以便在暗中破坏这婚事……"

他一笑又道："沈叔叔，你错了，小侄是不会生气的，小侄今日唤你沈叔叔，固是心甘情愿，他日唤你爹爹，也是欢欢喜喜……家母能嫁给沈叔叔这样的人才，小侄正欢喜都来不及，是万万不会生气的。"

王夫人咯咯笑道："好孩子，这才是好孩子。"

沈浪亦自大笑道："果然是好孩子，有这样的母亲，再加上这样的孩子，若不将江湖搞得人仰马翻那才是怪事。"

他面上笑得虽和王夫人一样开心，暗中却不禁叹息："王怜花，好个王怜花呀，你果然真的有两下子……"

现在，房子里又只剩下沈浪、王夫人与王怜花——王夫人只悄悄使了个眼色，就有人将朱七七与熊猫儿架走。

他两人虽然不能说话，但那无声的愤怒，却比世上任何人的怒吼都可怕，那无声的悲哀，也比世上任何人的哭泣都令人心碎，何况，还有那无声的怨恨，那怨毒的目光，若被这目光瞧上一眼，包管永生都难忘记。

但沈浪，却只是静静地瞧着他们被人架走，竟丝毫无动于衷，他嘴角纵无笑容，却也无怒容。

王夫人嫣然笑道："你不生气、不难受？"

沈浪道："我生什么气，难什么受？"

王夫人道："他们……"

沈浪一笑道："我知道你会好好待他们的，为何要生气？他们既没有死，也不是就要死了，我为何要难受？"

王夫人轻轻叹了口气，道："我本来生怕你会生气的……"

沈浪道："哦？"

王夫人媚笑道："谁知道你头脑竟如此冷静，想得竟如此清楚，能和你这样的人做……做事，可真叫人舒服。"

沈浪微微笑道："在别人面前，你千万莫要如此称赞于我。"

王夫人银铃般娇笑着，为沈浪斟了杯酒，又道："现在，他们都走了。"

沈浪道："嗯。"

王夫人道："就连染香她们也走了。"

沈浪道："嗯。"

王夫人道："你可知道我为什么要将人都差走？"

沈浪笑道："想来自是因为要和我商量件重要的事。"

王夫人眼波一转，媚笑道："你可知道现在什么事最重要？"

沈浪摇着头道："不知道。"

王夫人娇笑道："你……你装傻。"

沈浪眨了眨眼睛，道："莫非是你和我的……"

王夫人娇笑着垂下了头。

王怜花却笑道："小侄也正在想问，什么时候才可改个称呼。"

沈浪笑道："叫我叔叔，我已十分满意了。"

王怜花道："但小侄却想叫你爹爹，而且愈快愈好。"

他居然能说出这种话来，居然面不改色——他的心若不是已黑如煤炭，脸皮又怎会有如此之厚。

沈浪听了，居然也还能面带笑容，道："不错，愈快愈好……你说哪一天？"

王怜花道："择日不如撞日，就是今夜如何？"

沈浪笑道："今夜……哪有这么急的。"

王怜花道："那么……明天。"

沈浪笑道："你母亲和我都不急，你急什么？"

王怜花大笑道："这就叫皇帝不急，反急死了太监……依小侄看来，明天最好，后天……虽然迟些，也马马虎虎。"

沈浪道："明天既不好，后天也不马马虎虎。"

王怜花道："都不好？"

沈浪道："嗯。"

王夫人本还故意垂着头，装成没有听见的模样，但此刻却终于忍不住抬起头来，柔声笑道："你三天后就要走了，我虽然不急，但总得在这三天之中将这事办妥，我……我才能放心。"

沈浪道："这三天不行。"

王夫人虽已有些变了颜色，但仍然带着笑容道："那么，在什么时候？"

沈浪微笑着，一字字缓缓道："等你丈夫死了的时候。"

这次，王夫人真的变了颜色，道："我丈夫？"

沈浪笑道："不错……我虽然不知做人'姨太太'的滋味如何，但想来定必不佳，所以，我也不想做'姨丈夫'。"

她居然又笑了，而且笑得花枝乱颤。

笑，有时的确是掩饰不安的最好法子。

她咯咯笑道："姨丈夫，真亏你想得出这名词，一个男人既可以娶两个太太，一个女子想必也可以嫁两个丈夫，只可惜我……我哪儿来的丈夫？"

沈浪道："你没有丈夫？"

王夫人道："没有。"

沈浪含笑瞧了王怜花一眼，悠悠道："那么他……"

王夫人眼波一转，道："纵有丈夫，也死了许久，久得我已忘记他了。"

她媚笑着，瞧着沈浪，接道："你这样聪明的人，本该知道，寡妇不但比少女温柔得多，比少女体贴得多，比少女懂得的多，而且服侍男人，也比少女好得多，所以，聪明的男人都宁愿娶寡妇，你难道不愿意？”

沈浪笑道：“我当然愿意，只可惜……你还不是寡妇。”

王夫人道：“你说我丈夫还没死……哎哟，想不到你对我丈夫的事，知道得比我自己还清楚，难道你见过他？”

沈浪笑道：“我虽未见过这位‘老前辈’，却知道他。”

王夫人道：“那么，他是谁？你先说来听听。”

沈浪道：“他以前名字叫柴玉关，现在的名字叫‘快活王’。”

这句话说出来，屋子里的人除了沈浪外，好像是被人迎头打了一棍子，有一盏茶的工夫，屋子里没半点声音。

然后，王夫人突又银铃般娇笑起来，道：“你说柴玉关是我丈夫，哎哟，别笑死我了。”

沈浪道：“你放心，笑不死的。”

王夫人道：“这念头你是从哪儿来的？告诉我。”

沈浪缓缓道：“一个人要诈死之时，他自然要另外找个人做他的替身，他自然要此人的面目全都毁坏，使人不能辨认。”

王夫人道：“不错，我若要诈死，也是用这法子的。”

沈浪道：“柴玉关使的也是这个法子，他也找了个人，做他的替身，他不但将那人面目全毁了，甚至连那人的身子也毁了。”

王夫人道：“但……这和我又有何关系？”

沈浪微笑道：“本来的确没什么关系，但他毁那替身时，却用的是‘天云五花绵’，到目前为止，江湖中还有许多人认为柴玉关早已死了，而且是死在‘天云五花绵’手上，这——难道也和你没关系？”

王夫人眨了眨眼睛，道：“什么关系？”

沈浪道：“天云五花绵乃是‘云梦仙子’的独门暗器，而你，正是名闻天下的云梦仙子。”他根本不给王夫人反辩的机会，便接着道：“普天之下，除了你之外，非但再也没有一个人知道‘天云五花绵’的使法、制法，简直就没有人见过它。”

王夫人道：“哦——”

沈浪缓缓道：“因为见过‘天云五花绵’的人，除了你和柴玉关，已全都死了。”

王夫人媚笑道：“你想瞧瞧么？”

沈浪笑道：“我哪有这眼福。”

王夫人咯咯笑道：“那也没什么，你若想瞧，我立刻就可以拿出来让你瞧。”她竟然承认她就是“天云五花绵”的主人——云梦仙子。

因为她知道在沈浪面前，纵不承认也没有用的。

沈浪大笑道：“在下无福消受。”

王夫人道：“好，就算你说对了，我是‘天云五花绵’的主人，我是云梦仙子，但云梦仙子并不是柴玉关的妻子，这也是江湖中人人知道的。”

沈浪微微笑道：“这自然是件秘密，柴玉关既然已在江湖中博得‘万家生佛’的美名，他自然便不能承认已娶了江湖中第一女魔头‘云梦仙子’为妻。”

王夫人笑道：“由此可见，你实在孤陋寡闻得很……你若瞧过‘欢喜佛’的像，你就该知道，菩萨总是配魔女的。”

沈浪也笑道：“纵然如此，但那假菩萨柴玉关却不承认，而你……一个女孩子，明明已嫁给别人做妻子，却还要偷偷摸摸，见不得人，你自然不愿意，自然满心委屈，这实在也本是天下女孩子不能忍受的事。”

王夫人娇笑道：“难怪女孩子喜欢你，原来你对女孩子的心事竟了解得如此之深……但我若真的不愿意，又怎会嫁给他？”

沈浪笑道：“你虽不愿意，也没法子，只因你那时对柴玉关实是百依百顺。”

王夫人道：“我像是百依百顺的人么？”

沈浪道：“再倔强的女孩子，也有对男人百依百顺的时候，她纵然将天下的男人都不瞧在眼里，但对那一个却是死心塌地。”

王夫人道：“看来你已将天下的女孩子都瞧成朱七七了。”

沈浪道：“你知道若想柴玉关承认你是他的妻子，只有使他成为天下武林第一高手，那时，江湖中既已无人敢违抗于他，什么事就都没关系了。”

王夫人道：“然后呢？”

沈浪道："于是你夫妻两人便订下那密计，先将天下武林高手，都诱至衡山，一网打尽，然后，再使柴玉关将这些高手的独门秘技都骗到手里。"

王夫人笑道："你想的倒真妙。"

沈浪说道："但要学会这些武功绝技，却也非旦夕之功，所以，柴玉关只有诈死，然后你两人再寻个秘密之处苦练十年，将这些绝代武林高手的武功精粹俱都集于一身，那时天下还有谁是你们的敌手？"

王夫人娇笑道："既然如此，现在我为什么要杀他？"

沈浪叹了口气，道："只因柴玉关那厮实是人面兽心，竟不愿有人与他共享成果，他事成之后竟想连你也杀死。因为你那时武功已强胜于他，苦练十年后，这天下第一高手就是你了，还是轮不到他。"

王夫人道："哦……"

沈浪道："幸好那时他武功还不是你敌手，所以虽然将你暗算重伤，却还杀不死你，这十余年来，'云梦仙子'在江湖中销声灭迹，正也是为了此故。"

王夫人面上笑容也瞧不见了，默然半晌，道："然后呢？"

沈浪又叹了口气，道："他杀你不死，自然只有仓皇而逃，一躲就是十多年，这十多年来，你自然是天天在恨他，夜夜在恨他……"

王夫人目光凝注着远处角落，喃喃道："恨他……我不恨他……"

沈浪道："这委实已不是'恨'之一字所能形容。"

他语声微顿，又道："所以，'快活王'出现之后，第一个想到'快活王'便是柴玉关的，自然是你，你积十年的怨毒在心，一刀杀了他，自然还不足以消你心里之恨，所以你要慢慢地折磨他，让他慢慢地死。"

王夫人没有说话，但摆在她膝上的一双纤纤玉手，指尖却已微微颤抖——她的嘴虽没有说话，手指却已经在说话了。

沈浪瞧着她的手指，缓缓道："但今日之'快活王'，已非昔日之柴玉关可比，你要他死，已是不容易，何况要他慢慢地死，所以……"

他微微一笑，接道："所以自从'快活王'出现之后，你便在暗中布置一切，你不但需要人力，还需要极大的财力，所以在那古墓之中……"

王夫人突然叱道："够了，不用再说了。"

沈浪道："我还有一句话……只有一句话……"他目光移向王怜花，接道："这些事，我本还不能十分确定，直到你不愿让他去，你说'快活王'会认识他，想那'快活王'已隐迹十多年，又怎会认识这最多也只有二十二三岁的少年，除非这少年就是他的儿子。"

王怜花瞪着他，目光已将冒出火来。

沈浪微微笑道："除了'快活王'这样的父亲，又有谁能生出这样的儿子，父为枭雄，子也不差，这父子……"

王怜花突然一拍桌子，道："谁是他的儿子？"

沈浪道："你不愿意认他为父？"

王怜花冷冷道："我没有这样的父亲。"

沈浪大笑道："好，很好，父既不认子，子也不认父，这是天公地道之事，既有心肠如此冷酷的父亲，便该有心肠如此冷酷的儿子。"

王怜花厉声道："你还要说？"

沈浪道："够了，我本已无话可说。"

王夫人凝注着他，良久良久，突然又笑了。

她银铃般笑道："很好，你什么事都知道了，这些事，我本来就想告诉你的。"

沈浪笑道："哦……"

王夫人道："你不信？"

沈浪笑道："你还没说，我已信了，既有你这样说话的人，就该有我这样听话的人，这也是天经地义的事。"

王夫人咯咯笑道："很好，那么……你还愿意去么？"

沈浪仰天笑道："自然愿意的，我若不助你除了他，又怎能娶你？我若不能娶你，又哪还能找得到你这样的女子？"

王夫人瞧着他，也不知是喜是怒，终于叹了口气，幽幽道："说来说去，你说的意思就是要在事后才能和我成亲，是么？"

沈浪道："看来也只有如此了，是么？"

王夫人道："这样，我又怎能对你放心？"

沈浪微微笑道："你莫要忘记，我也是个男人……世上还有对你不动心的男人么？我既已动心，你就该放心？"

王夫人又瞧了半晌，她那双有时明媚善睐，有时却又锐利逼人的目光，似乎一直要瞧进沈浪的心。

沈浪就如同恨不能将心掏出来，赤裸裸地让她瞧。

终于，王夫人嫣然一笑，道："好，我等你回来。"

沈浪笑道："我必定尽快回来的，我……你以为我不着急？"

王夫人笑道："你自然会尽快回来的，这里不但有我等着你，还有你的好朋友，你回来的那天，我们一定和你痛饮一场，为你接风。"

沈浪目光转了转，道："我的好朋友……他们也要在这里等么？"

王夫人道："他们要在这里等的。"

沈浪道："他们……能等得那么久？"

王夫人笑道："你放心，我一定会好好地看着他们。"

王怜花也笑道："你若不回来，他们一定会急死的。"

沈浪一笑道："急死……这'死'字用得妙。"

王怜花冷冷道："对了，你若不回来，他们'急'虽未必，'死'却必然。"

沈浪纵声大笑道："好，好。"

突然顿住笑声，沉声道："快活王在哪里？我如何去找他？"

王夫人道："你急什么，三天后。"

沈浪道："既已如此，又何必再等三日？"

王夫人道："你……你这就要去？"

沈浪微笑道："早去早回不好？"

王夫人沉吟着，嫣然笑道："那么……明天。"

沈浪道："就是明晨。"

王夫人道："好……怜花，还不快去为你沈叔叔置理行装，以壮行色。"

王怜花笑道："只要给我一个时辰，我就可使沈叔叔之行装不逊王侯。"霍然立身而起，向沈浪含笑一揖，头也不回地走了。

沈浪道："行装不逊王侯？"

王夫人笑道："你要去见的人是'快活王'，你自然也就不能寒酸，对寒酸的人，他是连睬都不睬的。"

沈浪道："但到了关外，这行装岂不累赘？"

王夫人道："你或许不必出关。"

沈浪道："不必出关，难道他不在关外？"

王夫人眼波一转，缓缓地道："你可知道兰州城外百余里，有座兴龙山？"

沈浪道："可是号称'西北青城'的兴龙山？"

王夫人笑道："不错，兰州附近的山，全都寸草不生，就像是一个个土馒头，只有这兴龙山林木茂密，溪泉环绕，可算是西北第一名山。"

沈浪道："兴龙山又与'快活王'何干？"

王夫人道："你可知兴龙山岭有个三元泉？"

沈浪道："我知道有个兴龙山已不错了。"

王夫人娇笑道："那么我现在就告诉你，你就又多知道一件事了……这三元泉的泉水，自石缝中流出，一左一右。"

沈浪道："一左一右，只有两道，该叫'二元'才是，怎地叫作'三元'？"

王夫人飞给他个媚眼，故意娇嗔道："你瞧，我话还没说完哩。"

她接着道："这两重泉水由石槽流入水柜，水柜却有三个小孔，泉水再自小孔中流入个半月形的水池，然后再自个青石龙头口中吐入另一个石槽，这石槽又有个小孔，泉水就自这小孔中注入殿前的深潭。"

沈浪笑着叹息道："倒真麻烦。"

王夫人道："虽然麻烦，但是经过这几次过滤，再注入潭，潭中的水，当真是清冽如镜，而且芳香甘美，可说是西北第一名泉。"

沈浪道："这泉水又与'快活王'何干？"

王夫人道："江湖中人只知他嗜酒，却不知他另有一嗜。"

沈浪道："嗜茶？"

王夫人道："不错，昔年他还和我在一起时，每年都要到金山去，收取那天下第一泉的泉水烹茶，他晚上喝酒，早上便以茶解酒，常常一住就是半个多月，在这半个多月里，无论什么事，他都可抛下不管。"

回忆往事，本该伤感，但这些伤感的往事，自她口中说来，却是冰冰冷冷，她甚至连神情都没有一丝变化。

沈浪道："如今他自然无法再至金山品茶了。"

王夫人道："所以，他只有退而求其次，我已得到确切的消息，知道他每年春夏之交，都要悄悄入关，到那兴龙山去，汲泉烹茶，只因春夏之交，泉水味最甘美，而且泉水离山不能太远，否则水味便会变质。"

沈浪笑道："不想他倒还是个风雅之士。"

王夫人似乎没有听到他这句话，接着道："我知道这消息后，立刻就找了两个人赶到兴龙山去，你可猜得出这两人是谁么？"

沈浪笑道："我虽猜不出这两人是谁，却可猜出这两人其中一个长于烹茶，另一个么，想来必定长于制酒。"

王夫人嫣然笑道："你真是玲珑心肝，一点就透。"

她含笑接着道："这两人一个名叫李登龙，他本是个世家公子，只是如今已落魄。"

沈浪笑道："我知道，天下的世家公子，像是没有一个不精于茶道的。"

王夫人大笑道："这次你却错了，他虽长于品茶，却不精于烹茶。"

沈浪诧异道："哦，那么……"

王夫人道："但他却有个姬妾，名叫春娇，乃是茶道名家，要知道烹茶除了要茶精水妙外，那烹茶的火候、功夫也是丝毫差异不得的……甚至连那烹茶所用的炉子、柴火、瓦壶也无一样没有不考究的。"

沈浪笑道："夫人想来也是此中妙手。"

王夫人柔声笑道："等你回来，我定陪你到金山去，将一切俗事都抛开，好好享几天清福，那时，你就可知道我会不会烹茶了。"

沈浪正色道："金山？那地方我可不愿意去。"

王夫人道："为什么？"

沈浪道："那地方你已陪别人去过。"

王夫人咯咯娇笑道："哎哟！你……你吃醋？"

沈浪大笑道："未喝美茶，先喝些醋也是好的。"

屋子里已没有别人，不知何时，王夫人也轻轻依偎在沈浪怀里，佳肴、美酒、朦胧的灯火，绝世的美人……

沈浪似乎已有些醉了。

王夫人方才若是圣女与荡妇的混合，那么，此刻她圣女的那一半便已不知走到哪里去了。她春笋般的纤纤玉手，轻弄着沈浪的鬓角，她柔声道：“还有个人叫楚鸣琴，不但长于制酒，还长于调酒，他能将许多不同的酒调制在一起，调成一种绝顶的妙味，那成色、分量，也是丝毫差错不得的，几种普通的酒给他一调，滋味就立刻不同了。”

沈浪笑道：“想来此人也是位雅士。”

王夫人道：“我以重金聘来了这二人，要他们到兴龙山麓，去开了家‘快活林’，这‘快活林’中不但有佳茗美酒，园林之胜，还有自江南选去的二十多个绝色美女，以清歌侑酒，妙舞迎春，自然，必要的时候，还可做别的事。”

沈浪大笑道：“妙极妙极，单只这‘快活林’三个字，已足以将‘快活王’诱去，何况那其中的佳茗、美酒、少女，也无一不是投其所好。”

王夫人微微笑道：“所以他去年秋天，就等不及似的入关了一次，在‘快活林’中一住半月，几乎连走都舍不得走了。”

沈浪笑道：“我若去了那里，只怕也舍不得走了。”

王夫人媚笑道：“你不会的，那里没有我。”

于是，屋子里面有盏茶时分都没有说话的声音。

然后，王夫人轻轻道：“再有十天，你就能见着他了。”

沈浪道：“十天……十天……这十天必定长得很。”

王夫人道：“你要记住，‘欢喜王’‘快乐王’‘快活王’这些，都是别人替他取的名字，你见着他时，切莫要如此称呼他。”

沈浪道：“我该如何称呼他，叫他‘老前辈’不成……哎哟。”

“哎哟”一声，是为了什么，会心人都明白的。

又过了盏茶时分，王夫人轻笑道：“我现在才知道，你并不是我以前想的那种好人，我……我得要染香看着你才行。”

沈浪笑道：“你不怕染香‘监守自盗’，哎哟。”

又是“哎哟”一声。

沈浪呀沈浪，你究竟是怎么样一个人？谁能了解你，你难道对天下任何事都不在乎不成。

于是，又过了盏茶时分。

王夫人缓缓抬起手，白玉的手，碧玉的酒杯。

酒杯举到沈浪唇边，王夫人幽幽道："劝君更进一杯酒，西出阳关无故人……"

其实，兴龙山还在关内。

自西北的名城到兴龙山的这一百多里路，放眼望去，俱是荒山穷谷，虽是春天，也没有一丝春色。

但过了山城榆中，将抵兴龙山麓，忽然天地一新，苍翠满目，原来造物竟将春色全都聚集到此处。

但这里还不是兴龙。

兴龙山之西，还有座高山名栖云，两山间一条小河，天然地形成一道鸿沟，两山间吊桥横贯，其名曰"云龙"，其势亦如"云龙"。

栖云山挺秀拔萃，超然不群，曲折盘旋，殿宇栉比，但岩洞太多，庙寺也太多，反而夺去了山色。

这正如农村少女，身穿锦衣，虽美，却嫌俗。

而东山兴龙，那雄浑的山势，却如气概轩昂的英雄男儿，顶天立地，足以愧杀天下的庸俗脂粉。

快活林，便在两山之山麓。

那是一座依着山势而建的园林，被笼罩在一片青碧的光影中，小溪穿过园林，绿杨夹道，幽静绝俗。

骤眼望去，除了青碧的山色外，似乎便再也瞧不见别的，但你若在夹道的绿杨间缓步而行，你便可以瞧见有小桥曲栏，红栏绿波——你便可瞧见三五玲珑小巧的亭台楼阁，掩映在山色中。

这是少女鬓边的鲜花，也是英雄巾上的珍珠。

黄昏。

夕阳中山歌婉约。

两个垂髫少女，面上带着笑容，口里唱着山歌，脚下踏着夕阳，自蜿蜒曲折的山道上，漫步而下。

她们手中提着小巧而古雅的瓦壶，壶中装满了新汲的山泉，她们的心中都装满了春天的快乐。

她们穿着嫣红的衣裳，她们的笑靥也嫣红，嫣红的少女漫步在碧绿的山色中，是诗，也是图画。

她们的眼中发着光，像是正因为什么特别的事而兴奋着，左面的少女眼波如春水，右面的少女眼瞳如明珠。

“春水”忽然停住了歌声，咬着嘴唇，微笑着，眼波像是在瞧着夕阳山色，其实却什么也没有瞧见。

“明珠”瞟了她一眼，突然娇笑道：“小鬼，我知道你在想什么。”

春水道：“哦……你难道是我肚子里的蛔虫？”

明珠笑着拧她，春水笑着讨饶。

明珠的手，突然伸进了春水宽大的袖子里，春水便笑得直不起腰，喘息着道：“好姐姐，饶了我吧。”

明珠也在喘息着，道：“要我饶你也行，只要你老实说，是不是在想他？”

春水眨了眨眼，道：“他……他是谁？”

明珠的手又在春水袖子里动了，道：“小鬼，你装不知道。你敢？……”

春水大叫道：“我不敢了，我不敢了……我们明珠姐姐嘴里的‘他’，就是那……那位今天早上才到的公子。”

明珠道：“再说，你是不是在想他？”

春水道：“是……是，你……你的手……”

明珠道：“既然说了老实话，好，我饶了你吧。”

春水喘息着，面靥更红得有如夕阳。

她放下瓦壶，坐在道旁，娇喘吁吁，媚眼如丝，全身上下像是已全都软了，软得没有一点力气。

明珠瞟着她，轻笑道：“小鬼，瞧你这模样，莫不是动了春心吧？”

春水咬着嘴唇，道：“还不是你，你……你那只死鬼的手……”

明珠咯咯笑道：“我的手又有什么，要是他的手……”

说着说着，脸也突然飞红了起来——春天，唉，春天。

春水轻轻道："那位公子……唉，有哪个女孩子不该想他，只要瞧过他一眼，有哪个女孩子能忘得了他……"

她的语声如呻吟，她睁着眼睛，却像是在做梦。

她梦呓般接着道："尤其是他的笑……明珠姐，你注意到他的笑了么？真要命，他为什么会那样笑，我只要一想到他的笑，我……我就连饭也吃不下了。"

明珠道："他的笑……我可没留意。"

春水道："你骗人，你骗人，你骗人，你替他倒茶的时候，他瞧着你笑了笑，你连茶壶都拿不稳，都溅了一身，你以为我没瞧见。"

明珠的脸更红，颤声道："小鬼，你……你……"

春水道："你又何必害臊？像他那样的男人，莫说咱们，就连咱们的春娇阿姨，她见过的男人总有不少了吧，但一见他，还不是要着迷。"

明珠终于"扑哧"一笑，道："我看她简直恨不得……恨不得一口将他吞了下去似的，害得咱们的李大叔的脸都青了。"

春水喃喃道："我没见着他时，真不相信世上会有这么可爱的男人，他那笑，他那眼睛，他那懒洋洋，什么事都不在乎的神情……唉，简直要人的命。"

明珠长长叹息了一声，道："只可惜人家已是名花有主了。"

春水道："你是说那个叫什么'香'的姑娘？"

明珠道："嗯，染香。"

春水撇了撇嘴，道："哼，她怎么配得上他，你瞧她那张嘴，一早到晚都翘着，像是觉得自己很美似的，其实，我一见就恶心。"

明珠道："但她的确很媚……"

春水道："媚什么，左右不过是个骚狐狸……"

突然站起身，扭着腰，道："咱们姐妹哪点不比她强，尤其是你，你……你那两条腿，保险他一瞧就要着迷，就要发晕。"

明珠红着脸啐道："小鬼，你几时瞧过我的腿了？"

春水咯咯娇笑道："那天，你正在洗澡的时候，我……我在外面偷偷地瞧，瞧见你正在……正在……哎哟，那样子可真迷人，我眼福可真不错。"

明珠“嘤咛”一声，扑了过去，春水提起那瓦壶就逃，两人一追一逃，跑得都不慢，壶里的水，却未溅出一滴。

这时，山坡下密林中，正有一男一女两人在窃窃私语，两人说话的声音都很小，像是生怕被人听到。

这男的乃是个四十出头的中年汉子，打扮得却像是个少年，宝蓝的长衫，宝蓝的头巾，头巾上缀着块碧绿的翡翠，腰畔系着条碧绿的丝绦，丝绦上系着个碧绿的鼻烟壶，长长的身材，配着长长的脸，两只眼睛半合半闭，嘴里不断地打呵欠，像是终年都没有睡醒。

那女的徐娘已半老，风韵却仍撩人，眉梢眼角，总是带着那种专门做给男人看的荡意。

夕阳下，她看来的确很美，但这种美却像是她专门培养出来对付男人的武器，她纵然是花，也是人造的。

她眼波四转，正在窥探四下可有别人。

他却只是不断地在打呵欠，懒懒道：“人家正在想打个盹歇息歇息，你却巴巴地将我拉到这里，咱们老夫老妻，难道也要官盐当作私盐，在这儿来上一手不成。”

那妇人脸虽未红，却装出娇羞之态，啐道：“你一天到晚除了尽想这种事，还知道什么别的？”

那男的斜着眼笑道：“这种事有什么不好的，你不总是要么？昨天晚上，我已累得连腰都直不起来了，你还要……”

那妇人跺着脚道：“我的好大爷，人家都急死了，你还有心思开玩笑。”

那男的皱眉道：“你有什么好急的？”

那妇人道：“你要明白，你现在已经是饭来张口、钱来伸手的大少爷，你现在吃的、喝的、穿的，都要仗着别人。”

那男的笑道：“但咱们过得也不错呀。”

那妇人道：“就是因为过得不错，所以我才着急，你难道不想想，那姓沈的来这儿是干什么的？他不远千里而来，难道是为了来玩玩么？”

那男的又打了个呵欠，道：“来玩玩为什么不可以？”

那妇人道："唉！你真是个天生的糊涂少爷命。"

那男的嘻嘻笑道："我要是不糊涂，也不会娶你了。"

妇人跺脚道："你要是不糊涂，那万贯家财也不会被你糟蹋光了，你难道还瞧不出，那姓沈的此番前来，正是王夫人要他来接管这'快活林'的，所以，咱们一问他来干什么，他总是支支吾吾，敷衍过去。"

那男的怔了怔，摇头笑道："不至于，不至于……"

妇人恨声道："咱们过的那几年苦日子，你难道忘了……我可忘不了，我也不想再过了，他既然要来砸我们的饭碗，咱们好歹也得对付对付他。"

那男的笑道："不会的，不会的，我瞧那姓沈的，决不是这样的人。"

妇人道："你会看人？你会看人以前就不会被人家骗了，你若不想法子对付他，我……我可要想法子了。"

那男的打了个呵欠，鼻涕眼泪都像是要流了出来，一面摸出鼻烟壶，一面笑道："好！我的玉皇大帝，你要想法子对付他，你就去想吧，无论什么法子都没关系，只要不让我戴绿帽子就成。"

妇人伸出根尖尖玉指在他的头上轻轻一戳，娇笑道："你呀！你本来就是个活王八。"

那男的一撮鼻烟吸下去，精神就像是来了，突然一把搂过那妇人的细腰，咬着她的脸道："我这么厉害，你还有让我当王八的力气，我要是喂不饱你这骚狐狸，我还是风流李大少么。"

他抱着那妇人就往地下按，那妇人荡笑着轻轻地推，颤声道："不要在这里……不要在这里……不……"

嘴里说不要，一只手却已由推变成了抱。

突然，一阵银铃般的笑声传了过来。

那妇人这才真推了，道："明珠和春水来了，还不放手。"

那李大少喘着气道："那两个小浪蹄子来了又有什么关系？她们反正也不是没瞧过，来……来快一点……"

那妇人却蛇一般，自他怀里溜了出去。

春水和明珠也瞧见他们了，追的不再追，逃的也不再逃，那妇人拢着头发从树林里走出来，轻声叱道："疯丫头，叫你们提水，你们疯到哪里去了，到现在才回来。”

春水咬着嘴唇笑道：“春娇阿姨，是明珠姐欺负我。”

明珠叫道：“哎呀！小鬼，还说我欺负她，她老是说疯话，还说……”

李大少已负着手走出来，寒着脸道：“说什么？”

明珠悄悄一吐舌头，垂首道：“没什么。”

李大少道：“没什么还不快去烹茶。”

春水眨了眨眼睛，道：“我知道大爷为什么生气，只因为咱们扰乱了大爷和阿姨的……”

话未说完，娇笑着撒腿就跑。她再不跑，就要吃李大少的“毛栗子”了。

过了这树林，通过一道小桥，便是三间明轩，绿板的墙，紫竹的窗帘，帘里已隐隐透出了灯光。

门是关着的，门里也没有声音。

明珠和春水跑到这里，脚步又放缓了。

春水咬着嘴唇，盯着那扇门，悄声道：“你瞧，晚饭都还没吃，就把门关上了，你说他们在干什么？”

明珠红着脸道：“骚狐狸，真是骚狐狸。”

春水轻笑道：“你也莫要骂她，若换了是你陪着沈公子，只怕你门关得更早……若换了是我，三天三夜不开门也没关系。”

明珠咯咯笑道：“小鬼，你连饭都不吃了么？”

春水道：“吃饭？吃饭有什么意思。”

她蹑着脚尖，轻轻走过去。

明珠道：“小鬼，你……你想干吗？你想偷看？”

春水用手指封着嘴，悄声道：“嘘！别出声，你也来瞧瞧吧。”

明珠脸更飞红，道：“我不，我才不哩。”

她嘴里说了两个“不”，脚却往窗子走了五步。

突然，门开了。

一个轻衫薄履、微微含笑的少年走了出来，笑道：“我还当是野猫呢，原来是两位姑娘。”

春水和明珠整个人都呆了，身子呆了，眼睛也呆了，身子木头似的停在那里，眼睛直直地瞧着他。

那少年笑道："水提累了么，可要我帮忙？"

明珠道："多……多谢沈公子，不……不用了。"

那沈公子道："晚饭好了，还得烦姑娘来说一声。"

明珠道："是……"

突然转过身子，飞也似的跑了。

春水自然跟着她，两人又跑出十多丈，春水道："你……你跑什么？"

明珠道："我受不了啦，他……他那样瞧着我，我若再瞧他一眼，就要晕过去了。"

春水叹道："你在他面前好歹还能说话，我却连话都说不出了，你快要晕过去，我……我简直早已晕过去了。"

沈公子，自然就是沈浪。

沈浪微微笑着目送她们远去，微笑着关起了门，于是屋子里又只剩下他和斜倚在绣榻上的染香。

染香已打扮得更美了。

那华而不俗的打扮，她那柔软而舒服的衣衫，她那懒散的神态，就像是个天生的千金小姐，富家少奶奶，无论是谁，做梦也不会想到她竟是别人的丫头，就连她自己，似乎都已将这点忘了。

此刻，那纤巧的、染着玫瑰花汁的脚趾，正在逗弄着一只蜷曲在床角，长着满身白毛的小猫。

她的眼睛正像猫也似的瞪着沈浪，故意轻叹道："你瞧那两个小丫头，已经快要为你发疯了，你还是今天早上才来，若是再过两天，那还得了？"

沈浪道："哦！"

染香瞧着他那懒散的、满不在乎的微笑，突又长叹道："其实，我也快为你发疯了，你可知道？"

沈浪道："哦！为什么？"

染香道："只因为你……你实在是个奇怪的男人。"

沈浪笑道："我自己却觉得我正常得很，哪有什么奇怪之处？"

染香道："你若不奇怪，世上就没有奇怪的人了。"

沈浪道："我怪在哪里？我的鼻子生得怪么？我的眼睛长得怪么？我的眉毛难道生到眼睛下面去？我……"

染香道："你的鼻子眼睛都不怪，但你的心……"

沈浪道："我的心又有何怪？"

染香道："人心都是肉做的，只有你的心是铁做的。"

沈浪笑道："我莫非吞下了秤锤？"

染香道："我问你，你的心若不是铁做的，为什么走的时候，连招呼都未和朱姑娘打一个，这简直连我都要为她伤心。"

沈浪道："既是非走不可，打个招呼又有何用，这招呼留着等我回去时再打，岂非要好得多么？"

染香眨了眨眼睛，笑道："算你说得有理，但……但这一路上，你竟能始终坐在车子里，连瞧都不往窗外瞧一眼，你若不是铁心人，怎忍得住。"

沈浪道："我若往窗外瞧一眼，若是瞧见了什么与我有关的人，只怕就已来不了此地，所以我只好不瞧了。"

染香道："好，算你会说，但……但这一路上，我睡在你身旁，你……你……你竟连动都不动，你的心不是铁做的是什么？"

沈浪大笑道："我不动你，你动我岂非也是一样？"

染香红着脸，咬着樱唇道："我动你有什么用，你……你简直像是个死人，你……你……你简直连这只猫都不如……"

她脚尖轻轻一踢，那只猫果然"喵呜"一声，蹿进她怀里，染香道："你为什么不学这只猫？"

沈浪笑道："学不得，这只猫是雌的。"

染香一翻身坐起来，大眼睛狠狠盯着沈浪。

她盯了半晌，却长长叹息了一声，道："沈浪呀沈浪，你究竟是怎么样的一个人，我真不懂。"

沈浪笑道："连我自己都不懂，你自然更不懂了。"

染香叹道："像你这样的人，我真不知道夫人怎会对你放心。"

沈浪大笑道："她不放心的，该是你。"

染香恨声道："你莫要说这样的话，你会真的爱她？哼，我不信，你一定在骗她，总有一天，我要揭穿你。"

沈浪道："她若骗了我，你可愿揭穿么？"

染香道："她骗了你什么？"

沈浪道："快活王门下那个不男不女的使者，明明已带着白飞飞一起逃了，她为何还要说是仍被她囚于阶下？难道她故意要这人在快活王面前揭穿我的秘密，难道她本意只不过是要我和快活王拼个死活？"

染香面上居然未变颜色，悠悠道："你想得倒真妙，但却想错了。"

沈浪笑道："错在哪里？"

染香道："你不是很聪明的么？"

沈浪道："聪明的人有时也会很笨的。"

染香道："那阴阳人虽然逃了，但夫人可没有骗你，她说那阴阳人已永远见不着快活王的面，就是见不着了。"

沈浪道："既已逃出，怎会见不着？"

染香缓缓道："逃出来的人，也是会死的。"

第三十章

关外雅士

沈浪抚掌道："哦，我明白了，那阴阳人早已中毒，只怕一见着快活王的面，就立刻死了，这正和那些一入仁义庄就死的人一样。"

染香道："哦？……嗯……"

沈浪道："她如此做法，只是要将白飞飞送入快活王手里。"

染香道："你现在已完全懂了？"

沈浪叹道："我还是不懂，她为何要将白飞飞送入快活王之手，难道是要效法勾践将西施送给夫差的故事？"

染香道："也许是。"

沈浪又叹道："只可怜白飞飞，她本是个纯洁的女孩子。"

染香的眼睛突然圆了，道："你喜欢她？"

沈浪道："我不能喜欢她？"

染香道："能……能……能……"

突然银铃般的娇笑起来，笑得像是已喘不过气来。

沈浪微微笑道："我知道，你们是什么人都不信任的，就连楚鸣琴与李登龙夫妇，他们虽然在为你们做事，但却还是将一切事都瞒着他，他们非但不知道我是为什么来的，甚至连他们自己是怎么来的都不知道。"

染香道："他若是知道了，又有谁能担保他们不将这秘密泄露给快活王，尤其是那春娇……哼！那样的女人，谁信任她，谁就要倒霉了。"

沈浪道："你呢？"

染香嫣然笑道："你猜猜看。"

沈浪笑道："我相信你……"

突然一个翻身掠到门口，一手拉开了门。

那徐娘半老的春娇果然已站在门外了。

晚饭是丰富的，酒，更是出名的甜美。

楚鸣琴调着酒，他调酒时的神情，就像是名医试脉般谨慎严肃，像是已将全副精神都贯注在酒杯里。

他衣裳穿得很随便，头发也是蓬乱着站在李大少身旁，谁都要以为他是李大少的佣人。

但他的那张脸，那张冰冰冷冷，全无笑容的脸，却满是傲气，若是只看脸，李大少就像是他的佣人了。

沈浪瞧着他，笑道："我未见足下之前，委实未想到足下是这样的人，我也有个朋友乃是酒徒，他委实和足下大不相同。"

楚鸣琴冷冷道："在下却非酒徒。"

沈浪扬起了眉毛，道："哦？"

李大少却已笑道："楚兄虽善于调酒，但除了尝试酒味时，自己却是滴酒不饮的。"

沈浪失笑道："楚兄既不喝酒，为何要调酒？"

楚鸣琴冷冷道："喝酒与调酒是两回事，喝酒只不过是游戏，调酒却是艺术，能将几种劣酒调为圣品，便是我一大快事，这正如画家调色为画一般，阁下几时见过画家将自己画成的画吃下去的？"

沈浪倒也不禁被他说得怔了一怔，抚掌大笑道："妙论，确是妙论。"

春娇咯咯娇笑道："他本来就是个妙人。"

喝酒时李大少的精神当真好得很，左一杯，右一杯，喝个不停，全未瞧见春娇的脚已在桌下伸入这"妙人"腿缝里。

但沈浪却瞧见了。

李大少喝得虽快，倒下得也不慢，自然更瞧不见春娇的手已在桌下伸入沈浪的衣袖里。

但染香却瞧见了。

她突然轻哼一声，道："真可惜。"

春娇忍不住问道："可惜什么？"

染香道："一个人只生着两只手，两只脚，这实在太少了……比如说春娇姑娘你……你若是有四只手，四只脚那有多好。"

春娇的脸皮再厚，也不由得飞红了起来。

染香冷笑道："春娇姑娘，你的脸为什么如此红，莫非是醉了……嗯，一定是醉了，咱们正也该走了。"

一把拉起沈浪的衣袖，竟真的拉着沈浪走了出去。

沈浪摇头轻笑道："你……你为何……"

染香道："你莫忘了，现在我是在扮你的老婆……大老婆也好，小老婆也好，都是要这样子的，否则就不像了。"

沈浪苦笑道："幸好我未真个娶你。"

沈浪与染香前脚一走，春水后面就骂上了。

"骚狐狸，又等不及了么？"

春娇飞红的脸已变为铁青，叱道："要你多什么话？还不快扶你家大爷回房去。"

春水眨了眨眼睛，笑道："大爷今天晚上是不会醒的了，阿姨你只管放心吧。"拉着明珠，扶起李大少，一溜烟去了。

春娇咬牙道："小鬼……小鬼。"

她第一声的小鬼还骂得不怎么样，第二声小鬼却骂得又媚又娇，她第一声小鬼是骂春水，第二声却已是在骂楚鸣琴。

她嘴里骂着小鬼，人已躺入楚鸣琴怀里。

楚鸣琴却只是冷冷地瞧着她，像是瞧着个陌生人似的。

春娇媚笑道："瞧什么？没瞧过？"

楚鸣琴道："的确没瞧过。"

春娇道："哎哟，你这没良心的，我身上什么地方没有被你瞧过几百次了。"

楚鸣琴冷笑道："但直到今日，我才认清楚你。"

春娇道："你今天可是吃了冰，怎地说话老是带着冰碴子？"

楚鸣琴道："我问你，只要是男人，你就对他有兴趣么？"

春娇"扑哧"一笑，道："原来你是不喜欢喝酒，倒喜欢吃醋，你这小笨蛋，难道还不明白，我和那小子勾勾搭搭，还不是为了你。"

楚鸣琴道："为我？哼！"

春娇道："咱们三个人，在这里本来过得很舒服，现在那小子来了，若是将咱们轰走，你……你难道不着急？"

楚鸣琴道："你要替人戴帽子时，理由总有不少。"

春娇咯咯笑道："但你只管放心，姓沈的已被染香那骚丫头缠得紧紧的，我就算是想要下手，可也没法子……"

楚鸣琴冷冷道："所以你失望得很。"

春娇笑道："幸好我一计不成，还有二计。"

楚鸣琴道："难道你还能强奸他不成？"

春娇道："我却可以杀了他。"

楚鸣琴动容道："杀了他，你敢？若是被王夫人知道，你……"

春娇笑道："我自不会自己动手。"

楚鸣琴道："你……你也休想要我动手。"

春娇道："你……我做梦都未想到你会杀人。"

楚鸣琴道："你想到要谁杀人？"

春娇缓缓道："你莫非忘了明天谁要来么？"

楚鸣琴动容道："你是说……快活王？"

春娇道："嗯，除了快活王，还有谁能随随便便地杀人，姓沈的若是被快活王杀了，又有谁敢为他出头。"

楚鸣琴道："快……快活王又怎会杀他。"

春娇柔声道："我自然有法子的，你只管放心……你什么都不要管，只要抱着我……紧紧地抱着我，愈紧愈好……嗯，这样才是好孩子。"

染香一直拉着沈浪，直到开门时才松手，但等她开了门，再回头，沈浪却已不见了。

她恨得牙痒痒的，也只有咬着牙等着，月色从树梢漏下了，洒满窗户，就像是一片碎银子。

窗子突然开了，满窗月色将沈浪送了进来。

染香咬牙道："我现在才知道，做老婆的在家里等丈夫，那滋味真不好受。"

沈浪微笑道："做丈夫的更不好受，一不小心，绿帽子就上了头，尤其他若是时常喝醉，那绿帽子更来得多。"

染香娇笑道："这么说，你就该劝劝熊猫儿莫要娶老婆才是，那醉猫儿若是娶了老婆，绿帽子岂非要堆成山了。"

沈浪道："非但不能娶老婆，简直连女人都莫要接近最好。"

染香道："为什么？女人又不是毒蛇。"

沈浪吃吃道："女人虽不是毒蛇，但却都是怪物。"

染香道："怪物？女人有什么奇怪之处？"

沈浪道："一个普通的女人，平时也许温柔得很，但当她一旦认为有人侵犯她的利益时，她立刻就会变得比豺狼还狠，比毒蛇还毒。"

染香啐道："你方才撞了鬼么，回来说这些鬼话。"

沈浪微笑道："我方才虽未撞见鬼，却听见一段有趣的鬼话。"

染香突然坐了起来，脸也发红了，娇笑着问道："呀！原来你偷听去了，你……听见了什么？"

沈浪道："女人……唉，女人为什么总是对这种事情兴趣浓厚，可惜，我听见的却不是你所想听的……"

他淡淡一笑，接道："我只不过听见有人想杀我。"

染香失声道："春娇？这婆娘疯了。"

沈浪笑道："其实这也不能怪她，咱们的来意不明，自然难怪别人多心……女人若是不多心，这世界还成什么世界。"

染香咬着嘴唇喃喃道："好，我倒要看看她有什么法子杀你。"

沈浪道："她自然不会自己下手。"

染香道："谁下手都没关系，反正……"

沈浪微微笑道："快活王下手又如何？"

染香失声道："快活王？"

沈浪道："快活王明天就要来了。"

染香变色道："这……这怎么办？我早知不该将你的名字告诉她的，沈浪……唉，快活王若是听见'沈浪'这名字，什么事都砸了。"

她突然跳下了床，掩起衣襟往外走。

沈浪道："你要去哪里？"

染香道："去哪里？自然是先去宰了她。"

沈浪笑道："我说的不错吧，女人只要知道有人对她不利，立刻就会变得又狠又毒，春娇如此，你也一样。"

染香恨声道："不杀她，难道还等她破坏咱们的大事？"

沈浪道："她什么事也破坏不了的。"

染香道："为什么？"

沈浪道："她有法子，难道我没法子？"

染香道："你有什么法子？"

沈浪笑道："我正想不知该如何才能接近快活王，此番正要将计就计……"突然顿住语声，倒在床上，拉过了被，竟要睡了。

染香跺脚道："说呀，接着说呀。"

沈浪道："不能说了，天机不可泄漏。"

染香再问他，他竟已睡着了，而且像是真的睡着了，染香推也推不醒，摇也摇不醒，简直睡得像石头。

结过婚的男人想必都知道，装睡，有时却是对付女人的无上妙着，再狠的女人遇到这一招，也没戏唱了。

染香的手推着，脚踢着，嘴里骂着……但她毕竟也有累的时候，她毕竟也还是不能不睡觉。

等她醒来时，沈浪又不见了。

清晨，山林里朝霞清冷，鸟语啁啾。

沈浪负手在林间踱着步，像是又悠闲，又开心——他心里纵有千百件心事，世上也没有一个人瞧得出。

突然，一阵急骤的马蹄声穿林而来。

沈浪微微一笑，喃喃道："来得倒真早。"

他身子一闪，就掠上树枝，自枝叶间望下去，只见两匹快马，急驰而来，马上的骑士披着绣着金花的藏青斗篷，迎风撒了开来，肩头露出半截剑柄，剑柄的红绸，也迎风飞舞，从上面瞧下去，当真是幅绝美的图画。

这两人既精骑术，又像是轻车熟路，自林中长驱而入，笔直驰向李登龙夫妻所住的小楼。

春娇居然已回去，正挥着丝巾，在楼头招手。

沈浪远远瞧见骑士下马，春娇下楼，三个人说着，笑着，也不知说了什么，突然骑士们的神情变了。

其中一人仿佛厉声道："真的么？"

春娇不住地点头，两个骑士霍然转身而出，所去的方向，正是沈浪的居所，沈浪正是在这条路上等着。

他此刻已知道这两个骑士必定是"快活王"属下的"急风三十六骑"中人，这两人果然俱是骑术精绝，少年英俊，瞧他们的步履身法，也可看出他们的武功都不弱，但沈浪却仍未猜出春娇究竟对他们说了什么。

只见这两人愈走愈近，沈浪直等他们两人走到树下，突然笑道："两位要找人吗？"

那两人一惊之下，齐地退步，扶剑，仰首，两人不但动作一致，不差分毫，就连喝声也是同时出口。

两人齐声喝道："什么人？"

喝声出口，自然就已瞧见斜斜坐在树枝上的沈浪。

柔软的树枝在晨风中摇来摇去，沈浪的身子也随着树枝摇来摇去，时时刻刻都像是要跌下来，却又总是跌不下来。

快活王属下自然识货，自然知道这是什么样的轻功，两人面上虽然微微变色，却并未露出十分惊慌之态。

沈浪也不禁暗中赞好："强将手下，果然无弱兵。"

只见这两人俱是二十三四岁年纪，都是高鼻梁，大眼睛，两人的装束打扮，更是一模一样，洒金斗篷，织锦劲装，胸前各有一面紫铜护心镜，唯有镜上刻的字不同，左面一人镜上刻着的是"七"字，右面一人却刻的是"八"，这急风三十六骑，原来竟有着编号。

沈浪笑道："急风骑士，果然英俊。"

那第七骑士厉声道："你是谁？"

沈浪道："两位若要找人，想必就是找我。"

两人交换了个眼色，扶剑的手，已经握住剑柄。

急风第八骑士厉声道："你就是要找我家王爷的人？"

沈浪暗笑忖道："我还当春娇向他们说了什么，原来竟是说我要找快活王的麻烦，唉，这虽是最简单的挑拨嫁祸，借刀杀人之计，但却当真也是最有用的，奇怪……女人们为何总是能找出最简单又最有用的法子……但她只怕却连自己都不会想到，她的信口胡言，竟真说中了我的来意，女人难道真的都有灵感不成？”

沈浪心里哭笑不得，口中却大笑道：“我若说‘不是’，两位未必相信，我若说‘是’，两位也未必相信，所以是与不是，不如让两位自己猜吧。”

那两人又交换了个眼色，齐声道：“好，很好。”

竟转过身子走了。

这一招倒是出了沈浪意料之外，沈浪也不禁怔了怔，哪知就在这时，突听“哧、哧”两响。

两支短箭，自绣金斗篷里飞了出去，直取沈浪咽喉。

这两支箭来势倒也不弱，但沈浪……沈浪虽觉意外，也不过只是轻轻一招手，两支箭便到了他手里。

他微微一笑，道：“如此厚赐，担当不起。”

手一扬，两支短箭已飞了回去，去势比来势更急，急风骑士拧身退步，“锵啷”，长剑出鞘。

两支箭竟似算准了他们长剑出鞘的位置，“叮”地，恰巧击中了剑尖，两柄剑就像是弹琶琶般抖了起来，龙吟之声久久不息。

龙吟声中，两道剑光突然冲天而起，一柄剑直划沈浪的腿，另一柄剑却砍向沈浪坐着的树枝。

沈浪笑道：“急风十三式，果然有些门道。”

他说完这句话，树枝已断了，但他的腿却未断，他已安安稳稳坐到另一根树枝上，瞧着急风骑士微微地笑。

急风骑士却再也笑不出来，两人面色已发青，心里已知道坐在树上这小子，武功实在自己之上。

但快活王门下的“急风三十六骑”从来有进无退，何况他们那战无不胜的“急风十三式”也不过只使出一招而已。

两人脚尖沾地，再次腾身而起，剑光如惊鸿剪尾，一左一右，闪电般划向沈浪的前胸后背。

沈浪的身子却突然向下一沉，竟恰巧自两道剑光间落下去，两只手也未闲着，竟往他两人脚底轻轻一托。

等到沈浪落在地下，急风骑士却已被沈浪托上树梢。

只听“哗啦啦”一阵响，一大片树枝都被他俩压断了，两人惊慌之中，心神居然还未乱。

两道青蓝色的剑光，竟又自木叶中直刺而下，自上而下，剑光的来势更急，更快，更狠，更准。

但沈浪却又自剑光间冲天飞起，等到剑光落地，他又已坐到方才那根树枝上，微微笑道：“下次再上来时，要留心身上的新斗篷，莫要被树枝扎坏了。”

急风骑士怒吼一声，再次挥剑而起。

这样上上下下七八次，沈浪连衣服都未皱一点，但急风骑士的斗篷却果然已被扎得不成模样。

两人头上已流满了豆大的汗珠，眼睛已发红，头巾里已塞满树叶，靴子竟也被沈浪乘势脱掉。

但两人咬紧牙关，还要拼命。

沈浪点头笑道：“好小子，倒真有种。”

这一次他不等两人跃起，突然飞身而下。

急风骑士一惊击剑，两柄剑仍然中规中矩，丝毫不乱，一前一后，一左一右，毒蛇出穴般回旋刺出。

这两剑才是他们的真功夫，只见剑法变幻闪动，竟摸不清他们要刺的究竟是什么部位方向。

但沈浪却根本不需摸清他们的方向。

沈浪两掌一拍，竟将两柄剑夹住了，只听“咔嚓”两声，两柄精钢剑竟被他一夹折成四段。

沈浪手掌一翻，夹在他掌心的两截剑尖突然飞出，又是“哧哧”两声，两截剑尖竟插入他两人的头巾里。

这两人就算再狠，此刻可也不敢动手了。

两人手里拿着两段断剑，瞧着沈浪直发愣，他们实在想不透，这最多和自己同样年纪的小伙子，哪儿来的这一身神出鬼没的功夫。

沈浪也瞧着他们，微微笑道：“还要再打么？”

急风骑士对望一眼，突然齐声道：“不打了。”

沈浪笑道：“既然不打，就回去吧。”

急风骑士道：“我们回去了。”

突然一齐翻转断剑，向自己胸膛刺下。

沈浪却似早已料到他们有此一招，身形一闪，出掌如风，“当”地，两柄断剑已俱都落在地上。

急风骑士嘶声道：“你，你为何出手拦阻？”

沈浪道：“不胜则死，快活王门下果然傲骨如钢。”

急风骑士厉声道：“剑在人在，剑折人亡，此乃本门规矩。”

沈浪微微一笑，接道：“但两位不妨回去上复你家王爷，就说今日乃是败在一个叫‘沈浪’的人手下，你家王爷便必不会怪你们的。”

急风骑士再次对望一眼，大声道：“好，沈浪。”

齐地翻身掠出，急奔而去。

沈浪望着他们的背影，微笑道：“一个人若能不死时，就必然不会再去求死的，这道理无论用在什么人身上，想必都是一样。”

朝阳，斜斜地从窗子里照进去，照在染香那成熟、丰满，而又充满了原始欲望的胴体上。

她身子几乎是完全赤裸的，她紧紧地拥抱着被，蜷曲在床上，似是恨不得将那床被揉碎，也恨不得将自己揉碎。

沈浪进来了，瞧着她，瞧着她这雪白的、赤裸的、饥渴的胴体，却像是瞧着块木头似的，只是微微笑道：“你还不起来？”

染香媚眼如丝，腻声道：“我正在等着你，你难道瞧不出？一个男人，对这样的邀请若还要拒绝，他一定是个死人。”

沈浪笑道：“这么多天来，你还不知道我本是死人？”

染香突然跳起来，将锦被抛在地上，拼命用脚踩，拼命咬牙道：“死人……死人……”

沈浪坐下来，静静地含笑望着她。

染香恨声道：“你简直连死人都不是，你……根本不是人。”

沈浪笑道：“你也莫要恨我，还是好好打扮打扮吧，快活王就要来了，听说他对于美女的邀请，是从来不拒绝的。”

染香一震，道：“他，他真的要来了？”

沈浪道：“来得只怕比预期中还要快。”

染香道：“你怎知道？”

沈浪道："他门下的急风骑士，我方才已见过了。"

染香大声道："呀……春娇那骚狐狸有没有在他们面前说你的坏话？"

沈浪笑道："你想她说了没有？"

染香眼睛也睁大了，道："她怎么说的？"

沈浪沉吟道："你若想要快活王杀我，你会在他面前说什么话？"

染香眨眨眼睛，立刻道："我就会告诉他，你这次来是想找他麻烦的，我甚至会告诉他，你已存心想杀他，他自然就会先杀你。"

沈浪抚掌笑道："这就是了，你是女人，她也是女人，你们想的自然一样，女人想的主意，永远最简单，最有用，也最毒辣。"

染香道："她竟真的这样说了？"

沈浪点头笑道："不说也是白不说。"

染香跺脚道："这恶婆娘……快活王门下听了这话，怎会放过你。"

沈浪道："他们自然不会放过我，只可惜他们却非放过我不可，我已打发他们回去，叫他们告诉快活王……"

染香大声道："你……你怎能如此做，快活王若知道你是沈浪，又怎会放过你，他……他只怕一来就要杀你。"

沈浪笑道："他为何要杀我？"

染香道："你这呆子，你难道不知道自己的名声已有多么大，快活王耳目那么多，难道没有听见过你的名字？"

沈浪道："听见了又怎样？"

染香道："沈浪和快活王作对，天下谁不知道？"

沈浪道："我正是要他知道。"

染香道："你……你疯了。"

沈浪笑道："他既知道我和他作对，便必定也知道沈浪是个角色，像他这样的人，对好角色是必定先要加以收买，若买不到时才会动手的。"

染香道："但你……他却绝不会收买你的。"

沈浪道："为什么？"

染香道："他必定知道你是买不动的。"

沈浪大笑道："我为何是买不动的，难道我是那么好的人么……当今江湖中，还有谁挨骂比我挨得多，就算你……你可能断定我究竟是好人，还是坏人？"

染香怔了一怔，道："你……这……"

沈浪笑道："这就是了，连你都不能断定，快活王又怎能断定？他自然要试一试……他一试自然就成功了。"

染香怔了半晌，终于还是摇头道："不行，这样做太冒险。"

沈浪道："对付这样的人，不冒险行么？"

染香道："我也知道对付非常之人，要用非常的手段，但是你……"

沈浪笑道："你不必为我担心，我死不了的。"

染香突又跺脚恨声道："我替你担心？那才是见鬼，你……你死了最好，你被人五马分尸，我都不会掉一滴眼泪。"

沈浪大笑道："能被美女如此怀恨，倒真是件值得开心得意之事，只可惜世上大多男人，都享受不到这滋味……"

他突然蹿过去，一把拉开了门。

春娇竟果然又站在门外。

沈浪大笑道："这次你又是来找我们吃饭的么？现在就吃饭，未免太早了吧。"

春娇僵在那里，一张脸已红得跟红布差不了多少……这小子的耳朵怎么这么灵，难道是猫投胎的。

沈浪却又笑道："在下自己有时也不免奇怪自己耳朵怎会如此灵……唉，耳朵太灵了，也是件痛苦的事，连睡觉时也总是被人惊醒。"

春娇脸更红了，讷讷道："我……我只是来瞧瞧……"

沈浪道："瞧什么？是否瞧我死了没有？"

春娇道："沈……沈公子说笑了。"

沈浪大笑道："不错，在下就是太喜欢说笑了，所以有许多人，都恨不得我死了最好，只可惜我老是死不了。"

春娇道："咳咳……沈公子……香姑娘昨夜睡得好么？"

染香皮笑肉不笑，冷冷道：“我们自然睡得好的，只怕春娇姑娘你昨夜没有睡好吧，你瞧你，连眼睛圈都黑了，唉！太累了也不好，有时还是得好好睡觉的。”

春娇本不是肯在话上吃亏的女人，但此刻却连一个字也说不出了，竟恨不得找条地缝钻下去。

沈浪笑道：“客人们想必都要来了，春娇姑娘也该去别处张罗张罗才是，莫要总是陪着我们，倒叫在下心里不安。”

春娇赶紧道：“是是是，我真该走了……”

沈浪道：“不知可否请你将春水姑娘叫来，我想要她陪着去四处逛逛。”

春娇道：“好，好，没问题。”

她头也不敢回，扭腰走了。

染香大笑道：“春娇姑娘，小心些走，莫将腰扭断了……你腰若扭断了，心疼的男人可不止一个哩。”

春水的心，“扑通，扑通”地直跳。

她自从听到沈公子找她，心就跳了起来，一直跳到现在——沈公子竟要她陪着逛逛，这莫非是在做梦。

只恨这个“骚狐狸”竟也偏偏跟在沈公子身旁——她为什么不肚子疼？……春水不由恨得直咬牙。

林木青葱，风景如画，清凉的风吹过绿色的大地，阳光的碎影在地上跳跃。鸟语，更似是音乐。

春水的心迷迷糊糊的，沈浪问一句，她就答一句，她真宁愿忘记还有第三个人也和他们在这醉人的天地里。

突然间，林外车声大起。

一行车马，自山坡下走了过去。

那马车漆黑得发亮，就像是黑玉做的，车身虽然并没有什么装饰，但气派一看就是那么大，那么豪华。

拉车的马，细耳长腿，神采奕奕，脚步跨得又轻又大，又平稳，一看也就知道是大草原上的名种。

赶车的穿宝蓝色的丝衣，轻轻拉着马缰，悠闲地坐在车座上，像是根本没有赶马，但马车却走得又稳又快，显见也是千中选一的驯马好手。

车子前后，还有八匹护马，自然也是八匹好马，马上的八条蓝衣大汉，也是雄赳赳，气昂昂，显然有两下子。

沈浪自山坡望下去，不禁吃惊道："此人好大的气派。"

染香失声道："莫非是快活王来了？"

春水冷笑道："快活王？哼，快活王来的时候，天都要坍，地都要翻，哪会有这么太平，香姑娘也未免太小瞧快活王了。"

染香道："他不是快活王是谁？"

春水道："说出来香姑娘也不会认得。"

沈浪笑道："你不妨说来听听。"

春水立刻笑了，嫣然笑道："这人姓郑，别人都叫他郑兰州。"

染香暗骂道："好个骚丫头，我叫你说你偏不说，沈浪要你说，你就赶紧说了，看我以后不收拾你。"

沈浪已又笑道："哦！郑兰州……震兰州，此人是何身份？如此大的口气。"

春水道："听说是郑州的世家公子，兰州附近的果园有一大半是他们家里的，可说有千万家财，富可敌国。"

沈浪道："哦……"

车马走过去还没多久，道上又有尘土大起。

这一行车马来势看来比郑兰州还要威风得多，两架大车，十六匹马，黄金的车子，闪闪地发着耀眼的光。

这行车马身涂着黄金，就连马镫、车轮、辔头，车夫手里的皮鞭柄……也似乎都是黄金所铸。

皮鞭飞扬，抽得"叭叭"直响，穿着织金锦衣的大汉，挺胸凸肚，神气活现，一路不断大声吆喝。

沈浪忍不住笑道："看来他凡是能用金子的地方，都用上金子了，只可惜脸上还没有涂上黄金，否则就全像庙里的神兵鬼将了。"

春水"扑哧"一笑，道："他家的金子，的确是太多了。"

沈浪道："此人又是何身份？"

春水道："此人听说是个赶驴子的，后来不知怎的，竟被他发现了好几座金矿，金子一车车地往家里拉，他的名字立刻由周快脚改成周天富，意思就是说天赐给他的富贵，别人挡也挡不住。”

沈浪失笑道：“果然是个暴发户。”

染香皱着眉道：“难怪我远远就闻着铜臭气了。”

沈浪笑道：“暴发户的气派，平时看倒也不小，但和真正的世家一比，就像是猴子穿龙袍，望之也不似人君。”

春水咯咯笑道：“但他可不像猴子，倒像个猩猩。”

这一群猩猩转眼间也过去了。

沈浪道：“看来只怕还有人来。”

春水道：“今天中午起码有六七起人要来。”

沈浪道：“哦？还有什么人？”

春水道：“自然不是豪门，就是巨富，譬如说……”

话未说完，突听得远处又有蹄声传来。

这马来得好快，蹄声一响，人马已到，七匹马，马上大汉一色青布包头，竟穿得出奇的朴素。

染香道：“这也算豪门巨富么？”

春水冷笑道：“当然啰，他们衣服穿得虽不好，可是来头却不小，若是‘只认衣冠不认人’，可就大大地错了。”

沈浪根本没听他们的话，他眼睛一直在盯着一个人瞧。

这人衣服和其余六人穿得丝毫没有什么不同，但气概却大是不同，他就算是站在六百个衣服打扮和他完全一模一样的人中间，别人还是一眼就能瞧出他来，他那天生的气势，一万人中也不会再找出第二个。

沈浪耸容道：“好一条汉子，这气概真有几分和猫儿相似了。”

春水笑道：“猫儿，他可不是猫儿，他是龙。”

沈浪道：“龙？”

春水笑道：“他姓龙，叫龙四海，但可没有人敢叫他的名字，无论什么人，见着他的面，都要叫他一声龙老大。”

沈浪道：“哦，此人又是何身份？”

春水道：“黄河上游水运，只能通皮筏子，而河上所有的皮筏子，全都是属龙老大管的，没有龙老大的话，谁也休想在河上走一步。”

沈浪道：“黄河水急，在河上操皮筏的朋友，十个中有九个是玩命的角色，而且人人都有两下子，要想管辖这些人物，当真不是易事。”

染香道：“我瞧他连衣服也和手下的弟兄穿得一模一样，就知道他不是等闲角色了，且不说他武功如何，就只这一手，已足够收服人心，若是只给自己吃肉，却让别人啃骨头，这种人还能做老大么？”

沈浪道：“有些人天生就是做‘老大’的人物，这龙老大就是其中之一，还有，那熊猫儿也可算得一个。”

染香笑道：“熊猫儿，熊猫儿，你老是记着熊猫儿，可是他……他会记着你么？现在，说不定他已和你那朱七七勾搭上了。”

沈浪突然沉下面色，冷冷道：“你以为天下的人都和你一样不要脸？”

染香不由自主后退了两步，她从来没想到满面笑容的沈浪也会板起脸，更未想到他板起脸竟有如此可怕。

春水在一旁瞧得清楚，几乎忍不住要拍起手来。

幸好这时远处已有人来了，几十个人，前呼后拥，拥着一顶绿呢大轿，大笑呼啸而来。

这几十个人有男有女，穿的衣服有红有绿，但年龄几乎没有一个在二十五岁以上的，大多是十七八的少年。

这些男女少年一个个勾肩搭背，嘻嘻哈哈，有的嘴里还在吃着东西，将果皮纸屑随手就抛在地上。

那顶大轿中，也不断有果皮纸屑抛出来，轿子里也是嘻嘻笑笑，有男有女，一顶轿子里，竟仿佛挤着五六个人似的。

一瞧见这批人，春水就皱起眉头，道：“这些小祖宗们今天怎地也来了？”

沈浪笑道：“这些却是什么人？”

春水叹着气道：“这些全都是有钱人家生出来的活宝，一天到晚在兰州城里胡作非为，大纰漏虽没有，小毛病却不断，不折不扣可算是一批小流氓。”

沈浪道：“但这顶绿呢大轿，看来却似有功名的人才能坐的，轿子里坐的莫非是官府中人？却又怎会和这些惨绿少年混在一起。”

春水笑道：“这轿子里坐的更是活宝中的活宝，他爹爹活着时，他就一天到晚和这些小流氓吃喝嫖赌，到处鬼混，他爹爹一死，他不但承受了万贯家财，还世袭了个指挥使之类的官衔，这下子可就更飞起来了。”

沈浪笑道：“原来是个败家子。”

春水道：“但兰州城里的人，却被这败家子害得不浅，害得大姑娘小媳妇都不敢在街上走道了，无论是谁，一听到‘小霸王’时铭，全都要头大如斗。”

沈浪道：“如此看来，这附近的豪门巨富，今日只怕已全都来了，这些人来得怎会如此凑巧？莫非是约好了的？”

春水道：“这些人全是被快活王约来的。”

沈浪扬眉道：“哦！这些人和快活王有何关系？”

春水道：“屁关系也没有，快活王约他们来，不过是为了赌钱，快活王每来一次，这里就少不了有些豪赌。”

沈浪失笑道：“不错，我也已久闻快活王嗜赌成性，除了这些人外，又有谁还能陪他作一掷千金之豪赌？”

春水笑道：“但快活王赌得却规矩得很，所以别人也愿意陪他赌……沈公子，不知你可也有兴趣参加一份？”

沈浪目光闪动，微微笑道：“看来，我是少不得也要参加一份的。”

吃过了中饭，沈浪就在屋子里等。

他并没有等多久，就听得外面嘈杂声大起，人语声、说笑声、马嘶声、车轮声、搬箱子声。

许许多多种各式各样的声音，直乱了几乎有半个时辰，听来就宛如十万大军要驻扎在此地似的。

染香面色早已改变，终于忍不住道：“快活王来了。”

沈浪笑道：“不错，此人一来，果然吵得天翻地覆。”

染香道：“咱……咱们怎么办？”

沈浪道：“等着吧。”

染香道：“等着，就……这样等着？”

沈浪微微笑道：“你还怕他不来找我。”

他竟靠在椅子上，闭目养起神来。

染香却不断在屋子里转来转去，急得真像是热锅上的蚂蚁，但她只怕已转了几百个圈子，快活王还是没消息。

她忍不住转到沈浪面前，跺脚道：“你别像死人似的坐着不动好不好？”

沈浪笑道：“养足了精神，才能去对付快活王。”

染香失色道：“你……你要和他……”

沈浪笑道：“不错，我要和他动手，但却不是动手打架，只不过动手赌钱而已，王夫人交下的金银今天只怕要用上了……”

染香道：“但……但你现在……”

沈浪道：“所以我现在更是要养足精神，你可知道，赌钱可是比打架还费气力，一场豪赌，正无异一场生死相拼的恶斗，而赌桌上的勾心斗角，变化莫测，更委实比战场上还要惊险刺激得多。”

染香眨眨眼睛，道：“你莫非要故意输给他？拍他的马屁，以作晋身之阶?”

沈浪道：“我万万不能输给他的，我若输给他，在他眼中便不值钱了。”他顿了顿，又道：“只因此等豪赌不仅是赌钱，也正要斗智斗力，此等决斗，我若惨败，他怎会瞧得起我？他若瞧不起我，又怎会再想收买我，我若没有被他收买的价值，他只怕就要取我的性命了……”

他微微一笑，接道：“所以除非我就在赌桌上迎头给他一下痛击，否则所有计划就都要一败涂地，我性命只怕也难保。”

染香瞪大眼睛道：“你……你有胜他的把握？”

沈浪淡淡道：“没有。”

染香骇然道：“你全无把握居然也敢这样找他赌，而你现在居然还这样沉得住气，一点也不紧张，一点儿也不着急。”

沈浪微笑道：“你怎知我不紧张，不着急？”

染香道：“但……但至少我瞧不出来。”

沈浪大笑道：“若被你瞧出来，哪还能和别人去赌？桌上瞬息之间，变化万千，若是沉不住气，只怕连人都要输上去了。”

染香一笑，道：“不想你非但是色狼，是酒鬼，还是个赌棍。”

突听门外一人沉声道：“沈浪沈公子可是住在这里？”

染香身子一颤，悄声道：“来了。”

沈浪已微笑着开了门，只见一个锦衣英俊少年，双手捧着份大红帖子，当门而立，微微躬身道："阁下可就是沈公子？"

沈浪微笑道："正是，足下莫非是快活王门下使者？"

锦衣少年目光闪动，极快地打量了沈浪一眼，躬身道："小人正是欢喜王门下急风第十八骑，奉王爷之命，传信于公子，盼公子查收赐复。"

他口中说话，足下前踩半步，手里的大红帖子高举齐肩，闪电般推出，这一手看来虽是礼貌周到，其实却已将拳法中的杀手"举案齐眉"化入其中，沈浪只要一个应付不好，当场就要丢人现眼。

沈浪却似全未留意，抱拳含笑道："有劳兄台了。"

抱着拳的手掌，突然轻轻向上一托，也不知怎地，这少年的手中紧握住的红帖，已到了沈浪手里。

锦衣少年面目微变，倒退三步，躬身道："沈公子果然不凡。"

沈浪笑道："过奖，过奖。"

打开帖子只见上面写的是："今夜子正，谨备菲酌，盼阁下移玉光临，漫漫长夜，酒后余兴尚多，盼复。"

上面没有称呼，下面没有具名，就只这二十多个字。

沈浪一眼瞧过，笑道："相烦足下上复王爷，就说沈浪必定准时前往。"

锦衣少年又瞧了沈浪一眼，目中似已露出钦佩之色，躬身道："是。"转身大步而去。

染香不禁皱眉说道："子时？这怪物连请客也要请在这种奇怪的时候，难道是想在别人精神不济时乘机痛宰么？"

沈浪笑道："所以我此刻更要好好养养神了，你可千万莫要吵我。"

现在，距离子正约摸有半个时辰。

沈浪已舒舒服服睡了一觉，痛痛快快洗了个澡，换上了一套最干净、最轻便、最舒服的衣服。

然后，他又将一块干净的丝巾，叠得整整齐齐，将王夫人给他的巨额银票，又叠得整整齐齐，都放在腰袋里。

他仔细检查了一遍，觉得自己全身都没有什么不舒服之处，精神也甚为饱满，身心可说俱在最佳状况中。

于是他便倒了杯浓浓的茶，选了个最舒服的椅子坐下来，细细品茗，静等着那场必定刺激万分的大战。

染香忍不住道："瞧你还这么悠闲，我可真佩服你，你不急我却快急死了。"

她也已仔细地打扮过，换了身美丽而大方的丝衣，全身香喷喷的，纵然是瞎子，也可嗅得出她是个绝色美女。

但她心里却是忐忑不定，举动更坐立不安，她只怕沈浪输了……沈浪要是输了那该怎么办？

她忍不住又问道："沈浪，求求你告诉我，你究竟有几分赢的把握？"

沈浪闭着眼微笑道："还未见到快活王赌钱的方式以前，我不敢说。"

染香道："总有一半把握吧？"

沈浪道："大概总是有的。"

染香长长叹了口气，道："谢谢老天……"

沈浪却又道："但我身上此刻只有十万八千两，快活王的赌本，无疑比我雄厚得多，赌本雄厚就又多占了一成胜算。"

染香跺脚道："早知如此，该多带些来的。"

沈浪道："那也没什么，我只要不让快活王猜出我赌本究竟有多少，他也就不会敢全力出击的，何况……"

他微微一笑，接道："我还可先在别人身上捞进一笔，再和快活王作生死之决战，郑兰州和龙四海虽可能赌得很精，周天富和小霸王却想必都是好菜。"

染香"扑哧"一笑，道："好菜……你可千万莫要也变成好菜，又被别人吃了。"

这时从窗口望出去，已可瞧见两盏宫纱灯笼远远而来，沈浪拍了拍衣服，长身而起，笑道："走吧，接咱们的人已来了。"

"缀翠轩"，正是快活王在此度夏的行宫，自然也就是整个快活林中最华丽、最精致，也最宽敞的地方。

“缀翠轩”外，灯火辉煌，但却静得很，没有一个人走动，只是暗处不时有矫健的人影闪动而已。

“缀翠轩”里，已摆起桌酒菜，有松江的鲈鱼，阳澄湖的活蟹，定海的对虾，江南的巨鳖……

这些本来绝不可能在同一时候、同一地方出现的鲜肴，此刻竟同在这桌子上出现了，这简直像是神话。

不出沈浪意外，桌子上果然没有肉，但出乎沈浪意外的是，这屋子陈设竟简单雅致，丝毫没有做作的庸俗高贵气。

桌子上也没什么金杯玉盏，只有瓷器——自然是精美的瓷器，有的甚至已是汉唐之物。

沈浪想起朱七七假扮快活王的事，不禁暗暗好笑，暗道：“这才是快活王的气派，她那样一做，就像是暴发户了。”

桌子旁已坐了八九个人。

沈浪一眼便瞧见了那龙老大龙四海，他一件布衣，虽在满堂锦绣中却仍如鹤立鸡群，显得卓然不凡。

龙四海身旁，坐个微带短髭的中年人，身材已微微发胖，显见是生活优裕，他随随便便穿着件轻衫，身上也没什么惹眼装饰，只有面前一个鼻烟壶，苍翠欲滴，赫然不是凡品。

沈浪想也不必想，便已知道此人必定就是那“郑兰州”了，世家的公子，自有世家公子的气派。

郑兰州身旁的那位，可就不同了。

他身上零零碎碎也不知挂了多少东西，每件东西的价值，都绝不会在千金之下，但看来却仍像是个已将全副家当都带在身上的穷小子，但他自己却得意得很，一张脸上，堆满着目空一切的姿态。

沈浪也不必想，就猜出他必定就是那暴发户周天富了。

周天富身旁，还依偎着满头珠翠的女子。

她也和周天富一样，像是恨不得将全副家当都挂在头上，戴在手上，却不怕压断脖子。

她身子虽依偎着周天富，但媚眼却四下乱抛，长得虽不错，但一副淫贱之态，只差没在脸上挂着“娼妓”的牌子。

沈浪暗暗好笑："这当真是什么人玩什么鸟，武大郎玩夜猫子，有周天富这样的角色，才会有这样的女子。"

再瞧过去，就是那"小霸王"时铭了。

他果然最多只有十八九岁，但眼圈却已陷下去，一双眼睛虽不小，但却毫无神采，像是终年都睡不醒。

他穿的倒比周天富顺眼得多，但他身旁也有个女子，这少女穿得却比周天富身侧那个还要骇人。

她穿的竟似只是件背心，两条白生生的手臂，一片白生生的胸膛，全都露了出来，手上的镯子叮当直响。

她看来最多只有十五六岁，但脸上却是浓妆艳抹，嘴里还叼着根翡翠旱烟管，从鼻子里往外直冒气。

这活脱脱简直是个"小女流氓"，沈浪简直不敢再瞧第二眼，但少女却拍着身旁一张空椅子，向他笑道："小伙子，坐过来吧。"

沈浪微笑道："多谢，但……"

那少女瞪起眼睛道："但什么，这凳子又没着火，不会烧红你屁股的，你怕什么？"

沈浪只有硬着头皮坐过去。

那少女却瞧着染香，哈哈笑道："你眼光倒真不错，这种小伙子看来虽羞答答的，其实却都有那么两下子，你别瞧我年纪小，我经验可比你多。"

染香真恨不得给她两个大耳光，只有忍着气坐下。

那少女却又一拍沈浪肩头，大笑道："我叫夏沅沅，兄弟们却尊我一声'女霸王'，我旁边这人就是我的情人'小霸王'，你叫什么名字？"

沈浪微微笑道："在下沈浪。"

夏沅沅道："沈浪，不错，我瞧你很有意思。"突又一拍那"小霸王"的肩，道："喂，这小伙子倒可做咱们的兄弟，你瞧怎样？"

那"小霸王"时铭正聚精会神地拿几个紫金锞子在桌上堆着宝塔，被她这一拍，宝塔就"哗啦啦"倒了。

小霸王这才懒洋洋瞧了沈浪一眼，懒懒道："嗯，还不错……不知道能不能挨两下子，否则就叫他做老幺吧，喂，你知不知道，有女人老幺先上，有拳头老幺也得先挨。"

第三十一章

龙争虎斗

沈浪笑着对小霸王道："多谢好意，只可惜在下却是挨不得打的。"

那夏沅沅撇了撇嘴，道："哼，原来你也中看不中吃，是个孬种。"

那龙老大自从沈浪一进来，一双锐利的目光，就始终未曾离开过沈浪，此刻突举杯笑道："沈公子可是自中原来的？"

沈浪亦自举杯笑道："不错，但在下虽来自中原，却也早已闻得龙大哥之盛名，今日一见，果然名下无虚。"

龙老大哈哈大笑，道："好说好说……"

突然顿住笑声，目光逼视沈浪，道："闻得中原武林中，有位沈公子，独创'三手狼'赖秋煌，力敌五台天龙寺天法大师，不出一月，便已名震中原，不知是否阁下？"

他这番话说将出来，桌子上的人不禁全都悚然动容，就连小霸王的眼睛都直了，周天富也张大了嘴。

沈浪却也只是哈哈大笑道："好说好说……"

一旁陪坐的快活林主人李登龙和春娇，已双双举起酒杯。

春娇咯咯笑道："这桌子上坐的，有哪位不是名人？只可惜王爷身子不太舒服，不能出来陪客，只有请各位随便喝两杯，再去相见了。"

于是众人齐地举杯，那夏沅沅却又凑了过来，悄悄笑道："小伙子，原来你真有两下子，你要是想跟我好，就……"

她一面说话，一只手已往桌子下伸过去，想摸沈浪的腿，哪知手还没搭着，突然有件东西塞进她手里。

这东西又黏又烫，竟是只大明虾。

她又急又气，只见桌子上每个人都在举杯喝酒，这花样也不知是谁玩出来的，她空自吃了个哑巴亏竟说不出。

沈浪忍住了笑，他自然知道是谁玩的花样——染香坐在那里，虽仍不动声色，但嘴角已泛出一丝得意的微笑。

那周天富放下酒杯突然道："这位沈老弟也喜欢赌两手吧？"

他伸出了那只又粗又短的手，手上那大得可笑的翡翠戒指，在沈浪眼前直晃。

沈浪却故意不去瞧他，只是微笑道："男人不爱赌的，只怕还不多。"

周天富拍手大笑道："不错，赌钱有时的确比玩女人还够劲，你说对不对？"他一拍巴掌，那只戴着翡翠戒指的手，就晃得更起劲。

沈浪偏偏还是不瞧他，笑道："那却要看是什么样的女人了，有些女人在下的确宁愿坐在家里捉臭虫，也不愿碰她一碰。"

龙四海开怀大笑，郑兰州也露出笑容，几个人的眼睛，都不由自主往周天富身旁那女子身上瞧。

周天富也不懂人家为什么笑，自己居然也大笑起来，居然一把搂过他身旁那女子，笑道："老弟，你瞧我这女人还不错吧。"

"吧"字是个开口音，他嘴边还未闭拢，那女子已塞了个大虾球在他嘴里，撇了撇嘴，向沈浪抛了个媚眼。

沈浪笑道："不错不错，妙极妙极。"

桌上的人再也忍不住，全都笑出声来。

周天富就算是只驴子，脸上也挂不住了，一张脸已成了猪肝颜色，呸地吐出虾球骂道："臭婊子，老子花钱包了你，你却出老子洋相。"

一拳打了过去，将那女人打倒在地上。

那女子爬了起来，脸也肿了，大哭大骂道："我就是婊子，你是什么东西？我拿银子也不是白拿，每次你那双臭手摸在我身上，我就想吐。"

周天富跳了起来，大骂道："臭婊子，老子撕烂你的臭……"

幸好李登龙已拉住了他，春娇也拉住了那女子。

那女子还在哭着大骂道："你有什么了不起，就凭我这一身功夫，肯在我身上大把花银子的人多着哩，又不止你一个，你有本事下次发痒时，就莫来找我。”一面哭，一面骂，转过身子，竟一扭一扭地走了。

周天富气得呼呼直喘气，拍着桌子道：“臭婊子，老子下次宁可把鸟切掉也不去找你。”

龙老大突也一拍桌子，厉声道：“桌上还有女客，你说话当心些。”

周天富立刻软了，赔笑道：“是！是！下次我绝不说这鸟字了。”

沈浪瞧得也不知是好气还是好笑，却还是声色不动，面带微笑，郑兰州瞧着他，突然笑道：“不想沈公子年纪虽轻，涵养却好得很。”

沈浪笑道：“足下过奖了。”

郑兰州道：“沈公子养气的功夫既然如此到家，对‘赌’之一道，想必也就精通得很，在下少时倒要领教领教。”

沈浪笑道：“在下少不得要贡献的。”

“小霸王”时铭也笑道：“这地方我早就想来了，只是我老头不死，一直轮不到我，今年我还是第一次，不知这地方常赌什么？”

春娇应声道：“王爷最喜欢赌牌九，他老人家觉得牌九最够刺激。”

小霸王道：“牌九虽没有骰子有趣，也可将就了。”

龙老大笑道：“小兄弟你常玩的只是丢铜板吧。”

小霸王道：“丢铜板，那是小孩子玩的，我最少已有好几个月没玩了。”

龙老大忍住笑道：“哦，好几个月，那可不短了。”

沈浪忍不住微微一笑，突见一位锦衣少年，大步走了进来，正是方才送信的那急风骑士，此刻抱拳道：“各位酒饭已用完了么？”

周天富道：“喝酒是闲篇，赌钱才是正文。”

急风骑士道：“王爷已在候驾，既是如此，各位就请随小人来吧。”

沈浪立刻站起身子，想到即将面对那当今天下最富传奇的人物快活王，他身子的血都似已流得快些。

里面的一间屋子，很小，自然也很精致。

此刻这屋子全是暗的，只有屋顶上挂着一盏奇形的大灯，灯光却被纯白的纸板围住，照不到别的地方。

就因为四下都是暗的，所以灯光更显得强烈，强烈的灯光，全都照在一张铺着绿毡的圆桌上。

绿毡四周以金线拴住，桌子四周，是几张宽大而舒服的椅子，然后是一圈发亮的铜栏杆，圈着发亮的铜环。

桌子上整整齐齐放着副玲珑小巧的象牙牌九，一对雕刻精致的象牙骰子，除此之外，还有一双手。

这是一双晶莹、雅致，也像是象牙雕成的手，修长的手指，平稳地摊在绿毡上，指甲修剪得光润而整洁，中指上戴着三枚式样奇古，手工奇精的紫金戒指，在灯光下闪动着慑人的光芒。

这无疑正是快活王的手。

但快活王的身子和脸，却全都隐藏在黑暗阴影中。

沈浪虽然瞧得仔细，但被那强烈的灯光一照，也只能瞧见一张模糊的面容，和一双炯炯发光的眸子。

瞧见这双眸子已足够了，这双沉凝的、锐利的、令人不敢逼视的眸子若是瞧你一眼，已足以令你的心停止跳动。

郑兰州当先走入，躬身抱拳道："王爷年来安乐。"

一个柔和的、平静的、缓慢的、优美的，但却带着种说不出的煽动力的语声，淡淡地笑道："好，请坐。"

郑兰州道："谢坐。"

于是他缓步走入栏杆，在快活王身旁一张椅子上坐下。

龙四海抱拳朗声道："王爷安好。"

那语声道："好，请坐。"

龙四海道："多谢。"他也走进去，在快活王另一旁坐下。

周天富紧跟着抱拳笑道："王爷手气大好。"

那语声道："嗯，坐。"

周天富道："是，我会坐的。"

他也走进去，在郑兰州身旁坐下。

小霸王神情也庄重了些，居然也躬身道："王爷好。"

那语声道："你是时将军之子？"

时铭道："是的，我是老大……"

那“女霸王”夏沅沅接口笑道：“我就是时将军未来的大媳妇，王爷你……”

那语声冷冷道：“不赌之人，站在栏外。”

夏沅沅娇笑道：“王爷莫看我是女人，我赌起来可不比男人差，有一天……”

那语声道：“女子不赌。”

夏沅沅道：“为什么，女人难道……”

语犹未了，快活王身影后突然伸出一只手，这只手凌空向夏沅沅一按，她身子立刻直跌了出去。

这一下可真把她脸都吓黄了，乖乖地爬了起来，乖乖地站在栏杆外，吓得再也不敢开口。

沈浪暗惊忖道：“此人好深的功力，竟能将内家‘隔山打牛’的真气，练到如此火候，莫非就是那‘气使’？”

一念转过，亦自抱拳道：“王爷大安。”

他不用抬头，也可觉出那双逼人的目光正在眨也不眨地瞧着他，然后那语声一字字缓缓道：“足下便是沈公子？”

沈浪道：“不敢。”

那双眼睛又瞧了半晌，缓缓道：“好，很好，请坐。”

于是沈浪也坐了下来，正好坐在快活王对面的“天门”——染香不用说话，早就也已乖乖地站在栏杆外。

突然，那双手轻轻一拍。

两个锦衣少年，捧来一具两尺见方的匣子。

匣子打开，竟赫然跳出个人来。

那是个身长不满两尺的侏儒，但却绝不像其他侏儒长得那般臃肿丑恶，纤细的四肢和身躯配合得居然并不离谱。

他的头自然大了些，但配上一双灵活的眼睛，一张薄而灵巧的嘴，使人看来倒也不觉讨厌。

他戴着洁白的软帽，穿着洁白的衣衫和软靴，手上还戴着双洁白的手套，洁白得瞧不见一丝灰尘。

匣子里居然会跳出人来，就连沈浪也不免吃了一惊。

只见这白衣侏儒伏在桌子上，向四面各各磕了个头。

然后，他翻身掠起，眨着眼笑道："嫖要嫖美貌，赌要赌公道，公道不公道，大家都知道……小子'小精灵'，特来侍候各位，替各位洗牌。"

他口齿果然清楚，口才也极灵便。

沈浪暗道："原来快活王怕别人疑他手下有什么花样，是以特地叫这侏儒来洗牌的……"

小精灵已将那副牌推到各人面前，道："各位，这副牌货真价实，绝无记号，各位不妨先瞧瞧。"

众人自然齐声道："不用瞧的。"

小精灵道："小人每次洗牌后，各位谁都可以叫小子再重摆一次，各位若是发现小子洗牌有毛病，立刻可切下小子的手。"

龙四海笑道："王爷赌得公道，在下等谁不知道。"

小精灵笑道："既然如此，各位就请下注，现银、黄金、八大钱庄的银票一律通用，珍宝也可当场作价，赊欠却请免开尊口。"

龙四海道："这规矩在下等自也知道。"

小精灵眨着眼道："洗牌是小子，骰子大家掷，除了王爷坐庄外，但请各位轮流掷骰子。"

沈浪又不禁暗暗忖道："如此做法，当真可说是天衣无缝，滴水不漏，当真是谁也无法作弊了，看来快活王赌时果然公道得很。"

只见小精灵两只小手已熟练地将牌洗匀。

郑兰州首先拿出张银票，轻轻放在桌上。

小霸王却推出堆紫金锞子，微一迟疑，笑道："好，我和郑老哥押一门。"伸出一双常常抓东西来吃的手，将那堆紫金锞子全都推了出去。

突听快活王冷冷道："收回去，走！"

小霸王怔了怔，变色道："为，为什么，难道这金子不好？"

快活王那双锐利的眸子根本瞧也未瞧他，根本懒得和他说话，但快活王身后却有一人冷冷道："金子虽不错，手却太脏。"

这语声缓慢、冷漠、生涩，像是终年都难得开口说几句话，是以连口舌都变得笨拙起来。

只因此人动手的时候，远比动嘴多得多。

小霸王怔了怔，大笑道："手脏？手脏有什么关系，咱们到这里是赌钱来的，又不是来比谁的手最干净、最漂亮。"

他话才说完，突然一只手从后面抓起了他的衣领。

他大惊之下，还想反抗，但不知怎地，身子竟变得全无气力，竟被人抓小鸡般悬空抓了起来。

只听那冷漠生涩的语声轻叱道："去。"

小霸王的身子就跟着这一声"去"，笔直飞了出去，"砰"地，远远跌在门外，再也爬不起来。

这人是如何来到小霸王身后，如何出手的，非但小霸王全未觉察，这许多双睁大的眼睛竟也没有人瞧清楚。

那"女霸王"呼一声，直奔出去，然后，屋子里再无别的声音，但每个人呼吸之声却已都粗得像是牛喘。

快活王终于微微笑道："各位莫被这厌物扰了清兴，请继续。"

那小精灵已双手捧着骰子，走到郑兰州面前，他矮小的身子走在宽阔的台面上，就像是个玩偶的精灵。

只见他单膝跪下，双手将骰子高捧过顶，笑道："但请郑大人先开利市。"

郑兰州微微笑道："多谢。"

于是这两粒虽然小巧，但却可判决这许多人之幸与不幸，快乐与痛苦，甚至可判决这些人之生与死的骰子，便在郑兰州那双纤细白嫩，有如女子般的手掌中滑了出去，长夜的豪赌，也从此开始。

骰子在一只细腻如玉的瓷盘中滚动着，许多双紧张而兴奋的眼睛，却眨也不眨地瞪着这滚动的骰子。

骰子终于停顿，是七点。

小精灵大声道："七对先，天门。"

于是两张精致的牙牌，便被一根翡翠细棍推到沈浪面前，沈浪轻轻将两张牌叠在一起——

上面的一张是八点，杂八。

这张牌并非好牌，但也不坏。

沈浪掀起了第二张牌，两点，是“地”——那两个红红的圆洞，真比世上所有美女的眸子都要可爱。

地牌配杂八，是“地杠”，好牌。

沈浪微笑着，那两个红点也像是在对他微笑。

小精灵大声道：“庄家‘娥’配五，长九，吃上下，赔天门……天门一千两。”

银票、银子，迅速地被吃进，赔出。

沈浪微笑着将赢来的一千两，又加在注上。

这一次他分得的竟是对天牌，一对完美无疵的天牌，一对可令天下的赌徒都眼红羡慕的天牌。

小精灵大声道：“庄家‘梅花’配九，又是长九，又吃上下，赔天门……天门二千两。”他声音虽高，但却突然变得说不出的刻板、单调。

这刻板单调的声音，一次又一次地继续着。

骰子在盘中滚动，牙牌在绿绒上推过，大量的金银、钱票，迅速地、不动感情地被吃进赔出。

沈浪连赢了五把。

他的赌注也在成倍数往上累积，已是一万六千两。

他身后染香的眼睛已发出了光。

周天富不安地在椅上蠕动着，一双起了红丝的眼睛，羡慕而妒忌地瞪着沈浪，他已输出整整一万。

龙四海和郑兰州也是输家，神情虽仍镇定，但一双手却已微微有些出汗，牌，也像是更重了。

只有阴影中的那双眼睛，仍是那么锐利、冷漠、无情，但这双眼睛，也不免要瞪着沈浪。

骰子滚出了八点。

小精灵大声道：“八到底，天门拿底……天门下注一万六千两。”

庄家轻轻地，不动声色地将两张牌翻出。

是对“人”牌。

现在，天地已出绝，人牌已至高无上。

四面不禁发出了一声悠长的，但却沮丧的叹气，郑兰州悄悄取出一方洁白的丝帕，擦着手上的汗。

他又输了，别人也输了，只剩下沈浪。

沈浪微笑着翻出了牌，四二配么丁。

至尊宝，猴王对。

四面的叹息已变为轻微的骚动。

小精灵大声道："庄家大人对，吃上下，赔天门。"

他刻板单调的语声，竟也似有些颤抖起来——至尊宝，这正是赌徒们日思夜想，但却求之不得的神奇的牌。

现在，台面上已只剩下八张牌没有推出。

快活王的头，在黑暗中轻轻点了点。

小精灵喘了口气，道："庄家打老虎，各位下注。"

龙四海笑道："至尊宝后无穷家，我押天门。"

他瞧也未瞧，就将张银票送上天门。

周天富咬着牙道："对，天门是旺门，我也来。"

郑兰州微笑着眼瞧沈浪，沈浪却将银子全部收了回去，只留下五百两，郑兰州微笑着点了点头。

这一次，庄家拿的是三点，龙四海那边是空门，沈浪轻轻翻开了牌，"长三"配"板凳"蹩十。

小精灵精神一振，大声道："庄家要命三，赔上门，吃天门。"

周天富一张脸已变成了猪肝颜色，眼瞧着郑兰州将银子收进，他牙齿咬得吱吱作响，大声道："我就不信这个'邪'，偏要再押天门。"

龙四海道："好，我也再试一次。"

大量的银子被推上天门，沈浪还是五百两。

这一次，天门"红头四六"配"杂九"，九点，大牌，但庄家却是"虎头"配"杂八"，长九。

小精灵大声道："长九吃短九，吃天门，统吃。"

周天富头上的汗珠，黄豆般迸了出来。

赌，还是要继续。

庄家竟连吃了天门五次，周天富已在天门上输出了三万九千两，龙四海也有两万，沈浪却只是两千五。

那边郑兰州小有斩获，已反败为胜。

但等到周天富与龙四海将赌注转回，沈浪立刻又分到一副“天杠”——这一次他又是强注六千两，胜！

然后，他的六千两在半个时辰中，又变为七万四千两，除了输去的两千五，他已净赢十万零两千五百两。

现在，别人的目光已不但羡慕而是妒忌的了——这些双瞧着沈浪的眼睛，简直已带着惊奇的崇敬。

在赌徒眼中，只有赢家才是神的宠儿，天之骄子；只有拿着一副好牌时，才是人生得意的巅峰。

现在，沈浪已是众人眼中的超人，是命运的主宰，因为他的智慧与本能，已能使他控制机遇。

所有的灯光，也像是都集中在他一个人的身上。

周天富的身子，不断往下滑，整个人都似已瘫在椅子里，口中像是念经般不住喃喃低语道：“十一万五千两，十一万五千两……”

郑兰州微笑道：“足下今夜赌运不佳，何妨歇两手？”

周天富大声道：“我还得赌两把，天门，三万。”

他取出这三万银票，袋子已翻了过来，像是已空了。

龙四海突然长身而起，哈哈笑道：“在下却想歇歇了，若还再输下去，我的弟兄们下个月就没得酒喝了。”拍了拍衣衫大步走了出去。

沈浪微笑暗道：“好，输得干脆，输得痛快，输得漂亮，果然不愧是千百兄弟的老大。”

他又收回赌注，只押了一千。

牌翻出，小精灵大声道：“庄家‘梅花’对，统吃。”

周天富满头大汗，涔涔而落，像是做梦似的呆了半晌，突然将身上荷包、链子、扇坠、鼻烟壶一起抓了下来推到桌上，嘶声道：“现金输光了，这些可作价多少？”

小精灵瞧了瞧，道：“五万五千两。”

周天富擦了擦汗，道：“好，五万五千两，全押在天门……我就不信邪，他押就会赢，我押就要输……来，让我来拿牌。”

沈浪微笑道：“请便。”

这一次，他连一两都没有押。

只见周天富颤抖着手，拿起了牌，左瞧右瞧，眯着眼睛瞧，突然大喝一声，整个人倒在地上。

那两张牌跌在桌上，翻了出来，红头配梅花，鳖十。

黑暗中那双眸子，平静地、冷漠地，瞧着，冷冷道："扶他出去……李登龙，他若有所需，就给他。"

栏杆外的李登龙立刻躬身道："是。"

快活王道："郑先生如何？"

郑兰州笑道："小胜。"

快活王道："不知是否也愿歇歇，待本座与沈公子一搏。"

郑兰州笑道："在下本来早已有意退出，看一看两位的龙争虎斗……"微笑着推出一堆约摸三四千两银子，接着笑道："这区区之数留给小哥买糖吃。"

小精灵单膝跪下，道："小子谢赏。"他笑着接道："郑先生一共也不过只赢千余两，却赏了小子四千，瞧这样下去，小子明年就可以买个标致的小姑娘做老婆了。"

郑兰州哈哈大笑，长身而起，道："在下告退。"

快活王却道："郑先生何妨留坐在此。"

郑兰州笑着沉吟道："也好……在下就为两位掷掷骰子吧。看来今夜之豪赌，到现在才算真正开始，方才的都算不得什么了。"

沈浪仍然微笑着坐在那里，他的手也仍然是那么温暖而干燥，虽然，他也知道郑兰州说的并没有错。

真正惊心动魄的豪赌，到现在才算开始，他今夜的对象只是快活王，快活王今夜的对象也只是他，没有别人。

虽然他已从别人身上取得十万两，虽然这十万两已使他胜算增加了两成，但他的对手委实太强，直到现在为止，他还是找不到一丝一毫可乘之机……坐在对面的这人，简直像是尊不败的赌神，他的镇定与沉着，简直无懈可击。

三十二张光亮洁净的牙牌，又整整齐齐摆好。

快活王突然道："两人对赌，便不该由本座做庄，是么？"

沈浪微微笑道："王爷果然公道。"

要知两人的牌，点数大小，若是完全一样，则庄家胜，那么沈浪便吃亏了，这种情况虽然极少，但快活王仍不肯占这便宜。

快活王道："轮流坐庄，也有不便之处，倒不如由你我两人，协议赌注多少，两人完全站在同等地位，谁也不会吃亏。"

沈浪笑道："但凭王爷作主。"

快活王目光闪动，突又缓缓道："但如此赌法，阁下不觉太枯燥了么？"

沈浪道："枯燥？"

快活王道："如此赌法，可说全凭运气，毫无技巧，这样虽然刺激，却太无趣。"

沈浪笑道："依王爷之意，又该如何赌法？"

快活王目光炯炯，逼视着沈浪道："牌是死的，但赌注却非死的，牌虽不能变化，但赌注却可以变化，只要能有变化，便有趣多了。"

沈浪道："赌注又该如何变化？"

快活王道："你我下注看牌之后，双方都可将赌注加倍，对方若不接受，便连比牌权利都没有了，对方若是好牌，还可再将赌注加倍……赌注可以一直加下去，直到双方都不再加，或是一方弃权时为止。"

他目中闪过一丝狡黠的微笑，缓缓地接道："如此赌法，你手上若是一副大牌，便可多赢一些，但你若取得一副坏牌，却也未必一定会输，只因你赌注若是加得恰当，对方点子纵比你大，也可能弃权的。"

沈浪抚掌大笑道："妙极，当真妙极，如此赌法，除去幸运之外，智慧技巧与镇定功夫，更是万不可少……"

快活王道："不错，这赌法的最大诀窍，便是不可被别人自神色中瞧出你手里一副牌是大是小，而你却要设法猜出对方手里一副牌是大是小。"

沈浪大笑道："这赌法果然有趣……有趣得多……"

四下围观的人，早已一个个听得目瞪口呆。

郑兰州叹息着笑道："这样的赌法，当真是别开生面，闻所未闻，在下本以为对各种赌法俱都略知一二，哪知王爷今日又为'赌'开了先例。"

快活王笑道："赌场正如战场，赌场上双方必须勾心斗角、尔虞我诈，这样赌得才有意思，如此赌法正如武林高手相争，机遇、技巧、智慧、经验，俱都缺一不可，这样赌输了的人，才算真正输了。”

郑兰州笑道：“王爷因是绝顶高手，沈公子看来亦不弱，两位今日之赌，无论谁胜谁负，我辈都可大开眼界，真是眼福不浅。”

快活王道：“沈公子若无异议，我此刻便可开始。”

沈浪笑道：“赌注既可随时增加，第一次赌注多少，何妨先作规定，免得每次都要取得协议，岂非徒然浪费时间。”

快活王微一沉吟，道：“五千两如何？”

沈浪笑道：“好。”

骰子掷过，牌分出，每个人的眼睛都瞪大了。

巨大的赌注，新奇的赌法，强而有力的对手——沈浪的眼睛也不禁发出了兴奋的光，却衬得他微笑更迷人、潇洒。

他两只手轻轻拢起了牌，七点不算好，但也绝不坏。

他覆起了牌，也将脸藏在阴影里，瞧着快活王，快活王也在瞧着他，这两双发光的眼睛，都没有丝毫变化。

但快活王的手，那双完美、毫无瑕疵的手，已推出了一堆洁白的银锭，口中轻轻地道：“再加一万两。”

一万两，这数目不少，他手中莫非是一副八点以上的大牌？还是只不过在虚张声势，只想将对方吓退？沈浪迟疑着，拣出了两张银票，道：“一万两之后，再加一万五千两。”

快活王道：“很好，我再加三万两。”

三万两，他毫不犹疑就推出三万两，看来，他只怕不是在虚张声势了，他的牌必定不小。

但七点，七点却绝不是好牌。

沈浪缓缓伸出了手，已要将牌推出，准备放弃。

但就在他伸出手的那一刹那，他的主意突然变了。

这只是他本能的灵机，绝没有任何理由，他没有推出牌，反而推出了一叠银票，微微笑道：“三万两，我看了。”

快活王目光凝注着他，并没有瞧他手上的牌，淡淡道：“你赢了。”

沈浪道：“但我只有七点。”

快活王轻轻翻开了牌，却只是一点。

四下发出一声轻微的叹息，一点，居然敢如此重击，而七点居然就看了，这全都令人不可思议。

沈浪赢了第一仗，赢得十分漂亮，这或者就是胜负的关键，染香脸上不禁绽开了微笑。

郑兰州叹息着掷出第二次骰子，牌再次分出。

沈浪将牌轻轻一掀，已瞧见了，那是天牌，一对完美无缺的天牌，幸运再次降临在他头上。

幸运之神，今夜似乎特别照顾于他。

他不动声色，瞧着快活王。

快活王也丝毫不动声色，没有丝毫举动。

他莫非已有些怕了？

沈浪考虑着，这是难得的机遇，他绝不能轻易放过，他既不能出得太多，将对方吓退，可也不能出得太少。

他要给对方致命的一击。

死一般静寂中，他终于沉声道："我加一万五千两。"

这数目不多也不少，正是出得恰到好处，他要使对方摸不清他的虚实，他要让对方觉得他心里也在害怕。

快活王考虑了有半盏茶工夫，方自道："一万五之后，再三万。"

沈浪心在笑——快活王果然上钩了。

他指尖轻触着缎子般光滑的牌背，故意沉吟着道："三万……三万之后，我再加五万。"

快活王迟疑着，他似乎知道自己走近陷阱的边缘。

但他终于道："五万之后，再加五万。"

他终于跌了进去，沈浪觉得四面的呼吸声都突然变粗了。

现在，对方已跌入他布好的陷阱，他可以一击致命，但他却不愿将这场牌结束得太早。

他想，这样已足够了，已足够折去对方的锐气，以后的牌，必将是一面倒的局势，他不必太着急。

于是他微笑道："五万两在这里，我看了。"

快活王道："很好……很好……"

沈浪轻轻翻起了牌，道："天……"

几乎在同时，他已瞧见了对方的牌。

那赫然竟然一副至尊宝，无可比敌的至尊宝。

四下的惊叹声、赞美声，虽然已被极谨慎地抑制着，但汇集在一起时，那声音仍然不小。

沈浪却几乎没有听到，他要使别人落入陷阱，自己反而落入陷阱，这关键的一仗，他竟败了。

现在，他辛苦赢来的十余万两，都已输出。

局面已完全改观，快活王已稳占上风，此后，他务必要处于挨打的局面，那局面必定十分艰苦。

他若想再胜，必须非常谨慎，非常小心，静等着第二次良机的到来，否则他今夜便要从此一蹶不振而一败涂地。

但今夜是否还会有第二次良机降临呢？

良机降临时，他又是否能够把握？

这一段时间，果然是极为艰苦的。

他打得非常小心，简直太小心了，快活王是赌中的狼，自然不会放过每一个打击他的机会。

接连五次，他没有跟进，平白输了二万五千两，他甚至连快活王是什么牌都没有瞧见，他不敢去瞧。

虽然有一次他明知快活王手上的牌绝不会超过五点，而他手中却是八点，但他还是没有跟进。

因为他的信心已动摇，他完全没有把握，他不敢再打没有把握的仗，他赌本若是输光，便永无翻身的机会。

幸好，他以后以一副"杂五"对手一副"天杠"小胜了两把，赢回三万五千两，他的赌本又小有增加。

但快活王接连又以一副"一点"骇退了他的"七点"，一副"虎头"对赢了他的"杂九"对。

他若不是又用一副"天杠"小小捞进一些，赌本便要送去一半了，五万是绝不够的，九万还勉强可以。

骰子在盘子里清脆地转着，银子与牌，在桌面上无声地滑来滑去，长夜，就在这其中悄悄溜走。

但快活王的眸子更亮，旁观的人也毫无倦容，只有沈浪的心里已有些厌倦了，他已挨打挨得太久。

但他却绝不让别人瞧出来，丝毫也不能被别人瞧出来，他知道这时已接近生死存亡的关头。

他知道剩下的时间已不多，在这短短的一段时候里，他若还不能把握时间翻身，只怕就永远没有时间翻身了。

他渴望能拿着好牌。

他终于拿到！

第一把，他拿到“娥”对，第二把，是“天九”。

这两把他赢得并不多，但却发觉快活王那双镇定明锐的目光，已有一些乱了，这正是他反击的时候。

他确信只要是能再拿着一副好牌，便可将快活王置之死地，快活王显然已有些焦躁，只因这对手明明已快躺下去，却偏偏还能支持着不倒，这种时候，正是胜负的最后关头，沈浪的时机终于来了。

但这却已是他最后的时机。

这时机若是错过，便永不再来。

沈浪只要能再拿着一副好牌……只要一副好牌。

他全力控制着自己，不使手指颤抖。

他轻轻拢起了牌，第一张是“梅花”。

这张牌不错，“梅花”还没有出现过，他还有成对的机会，纵不能成对，只要配上一张八、九，他还是胜算居多！

他缓缓推开第一张牌，露出第二张，他觉得自己掌心已在出汗，小巧的牙牌，似乎变得重逾千斤。

第二张牌竟是“地”。

两点，只有两点，要命的两点。

那红红的两点，就像是两个无底的洞，等着他跌下去，又像是两只讥讽的眼睛，在空虚地瞪着他。

他记得有一次也是拿着张“地”牌，也是同样的两个红点，但这两点与那两点，为何竟是如此不同？

这张两点曾经带给他幸运，此刻为何又要带给他不幸？他今夜以这两点开始，莫非又要以这两点结束？

强烈的灯光，此刻也像是变得有些昏黄。

旁观的人，虽然看不出沈浪与快活王神情有丝毫变化，却已感觉出他们之间那种紧张的气氛。

每个人都也不由得紧张起来，神经都像是琴弦般绷紧，染香，更是紧张得连气都喘不过来。

只见快活王推出一叠银票，道："加三万。"

沈浪微一迟疑，数了数面前的银票，道："我再加三万。"

快活王几乎想也未想，道："再加三万。"

赌法一下子就由五千跳至九万五千了，众人的心不觉都提了起来，染香的一颗心更几乎到了嗓子外。

她知道沈浪面前连上次赢来的最多已只剩下六七万两了，这已是他最后的赌本，输了便不能翻身。

她瞧着沈浪，几乎是在哀求："你的牌若不太好，便放手吧，留下六七万两，多少还有翻本的机会。"

沈浪却将最后的一叠全都推了出去，道："一万之后，再加三万五千。"

染香几乎叫出声来，但想了想，却又几乎要笑出声来——沈浪手里必定是副好牌，说不定是至尊宝。

他的牌若不好，又怎敢孤注一掷——没有人敢将自己最后的赌本拿去冒险的，除非他根本不会赌。

染香忍不住微笑了。

她若知道沈浪手中只是两点，她只怕立刻就要晕过去。

快活王凝注着沈浪，像是想瞧入他的心，想瞧瞧他究竟，是否在虚张声势，是否在"偷机"。

沈浪就动也不动地让他瞧，快活王突然微微笑道："你骇不退我的，你最多只有四五点。"

沈浪笑道："是么？"

快活王道："我算准了。"

沈浪微笑道："那么，你为何不再打？莫非你只有一两点？"

快活王道："哼！"

他突然拍了拍手，身后立刻有人递来只小箱子。

快活王将箱子全都推了出去，道："我再加你九十万两。"

四下的人又微微地骚动起来，龙四海、周天富，不知何时也被这场惊心动魄的豪赌吸引得回来了，站在栏外。

龙四海眼睛瞪得如铜铃，周天富鼻子里直冒气。

沈浪却仍然只是微微笑着，指尖在牌背上滑来滑去。

快活王道："如何，你不敢跟进？"

沈浪微笑道："方才我忘了请教，赌本不够时，难道也算输么？"

快活王道："你赌本已不够？"

沈浪道："王爷明知任何人身上都不会带着九十万两银子的。"

快活王的眼睛像是鹰，瞧着沈浪道："虽无现银，抵押亦可。"

沈浪笑道："纵是那位周兄，身上也不会有价值九十万两之物来作抵押，何况区区在下……在下简直可是身无长物。"

快活王目中闪过一丝冷酷的微笑，缓缓道："别人身上纵无价值九十万两之物，你却有的。"

沈浪道："我有……"突然仰天大笑道："王爷莫非是要在下这条性命作赌？"

快活王道："阁下将自己性命看作只值九十万两，岂非太过自贬身价？"

沈浪笑声突顿，道："那又是什么？"

快活王道："手指。"

沈浪轩眉道："手指？"

快活王道："不错，阁下每一根手指，都可值四十五万两。"

沈浪大笑道："在下直到今日，才知道自己手指竟有如此值钱。"

快活王冷冷道："阁下若是胜了，这满桌金钱，但凭取去，阁下若是败了，只要让本座切下两根手指……"

他发出一声短促的冷笑，接道："阁下手指共有十根，切去两根，也算不得什么的。"

他两人对话一句接着一句，众人的面色，也不觉随着他两人的对话阵青阵红，掌心已都不觉淌出冷汗。

染香若不是扶着栏杆，早已倒了下去，残酷，这是何等残酷的赌注，竟要以活生生的血肉去赌冷冰冰的银子。

沈浪却仍在微笑着。

他微笑着，瞧着快活王，微笑着道："王爷若割下我拇指，我便终生不能使剑，王爷若割下我食、中两指，我便终生无力点穴……这两根手指，用处当真不小。"

快活王淡淡道："你若不敢赌，也就罢了。"

沈浪凝目瞧着他，直过了盏茶工夫，突然道："我赌了。"

"我赌了"这三个字说出来，众人但觉仿佛被一只手扼住了脖子，连呼吸都无法呼吸，快活王身子也似微微一震，失声道："你赌？"

沈浪微笑道："赌。"

快活王厉声道："你是什么牌？"

沈浪笑道："牌不好，但也并不太坏。"

他微笑着掀起牌。

两点，竟只有两点！

众人憋住的那口气，到此刻才吐了出来，在这里，每个人虽都不敢放肆，但仍不禁起了骚动。

染香身子一软，终于滑倒在地上。

完了，什么都完了。

沈浪这该死的疯子，他竟只有两点。

这两点居然也敢赌。

骚动中，快活王却石像般坐在阴影中，动也不动，那一双冷酷锐利的眼睛，突然变得空空洞洞。

他空洞地瞪着这副两点，一字字缓缓道："你只有两点……很好，你只有两点……"

语声也是空空洞洞的，也分不出是喜是怒。

沈浪微笑道："不错，只有两点。"

快活王突然厉声道："你怎如此冒险？"

沈浪笑道："只因在下已算准了王爷的牌，绝不超过两点。"

快活王冷笑道："你是如何算的？本座倒想听听。"

沈浪道："第一，在下已摸清了王爷赌时的手法。"

快活王道："我是什么手法？"

沈浪道："王爷若有大牌时，绝不急攻躁进，只是静静地等着，等着别人上钩……但王爷手中之牌若是十分不好时，王爷却必定狠狠下注，要将对方吓退。"

快活王道："哼，还有呢？"

沈浪道："所以，在下就以此布下了圈套。"

快活王道："圈套？"

沈浪道："在下故意数了数银票，让王爷知道我赌本已不多，故意引诱王爷你'偷机'，只因王爷算准赌本不多的人，是绝不肯打没把握的仗，随意冒险，甚至明知王爷偷机，也未必敢抓的……"

他一笑接道："何况这副牌的好牌都已出来，我手上点子绝不会大，正是王爷'偷机'的好机会，这机会王爷怎肯放过？"

快活王冷冷道："这机会却是你故意制造的，是么？"

沈浪笑道："不错，王爷果然禁不起这引诱……等到后来王爷下注那般凶狠，在下更算准王爷只不过是想将在下吓退而已。"

快活王道："你竟如此有把握？"

沈浪笑道："多少有些的。"

快活王冷笑道："本座难道是死人，赌法难道不会改变？"

沈浪道："自然有此可能，但每个人的习惯赌法，多已根深蒂固，情况愈是紧张，愈是情不自禁要使出这种习惯的赌法。"

快活王冷笑道："本座也许只不过是故意作出烟幕，让你以为本座的赌法如此，其实却是等着你上当的。"

沈浪笑道："自然也有此可能，但事已至此，在下也只得冒险了，无论任何赌博，都是要冒险的，只是冒险的程度有大有小而已。"

快活王突然大笑道："很好……很好……你自己瞧瞧我是什么牌吧。"

狂笑声中，他竟霍然长身而起，头也不回地走了出去。

直到现在为止，众人还是猜不透他手里究竟是什么牌，更摸不清他的牌究竟是大是小。

大家眼睁睁瞧着他穿着宽袍的人影消失在黑暗中，一颗心都是七上八下，忐忑不定，就好像和快活王对博的人已变成自己，这副牌竟真的会比两点还小？不可能！这简直几乎是不可能的事。

每个人的手都已不知不觉在颤抖着，都忍不住想掀开这副牌瞧瞧，但终究还是没有一人敢伸出手来。

沈浪微笑道："王爷既已去了，这副牌就让在下翻开瞧瞧吧。"

他方自伸出手去，阴影中突有一只手伸出来按住了牌，他只不过轻轻一按，这副牌竟整个嵌入桌子里。

这只手正是方才凌空震退"女霸王"夏沅沅的那只，也正是一把就将"小霸王"时铭掷出去的那只。

众人片刻才瞧清这只手，干燥枯涩，手背上却瞧不见一根筋，整只手竟生像是枯木雕成的。

只听那冷涩的语声道："这副牌你不必瞧了。"

沈浪微笑道："为什么？"

那语声冷冷道："我已瞧过，这副牌比两点大，是三点。"

沈浪道："哦……是吗？"

那语声怒道："你敢不信任我？"

他这句话说出来，众人脸色都变了。

沈浪若是说一声"不"，此人自然立刻便要出手。

沈浪近来名声虽响，但究竟年纪还轻，又怎会是这关外第一名家的敌手。

何况两人真的动起手来，沈浪的计划不就全都完了。

但若要沈浪瞧也不瞧就认输，又有谁输得下这口气。

一时之间，众人也不知为了什么，心里却不禁暗暗为沈浪着急，都知道沈浪若要将这只手自牌上移开，实是比登天还难。

沈浪却只是淡淡一笑，道："在下方才已瞧见过阁下武功，的确不愧为王爷座下第一高手，却不知阁下可瞧得出这样东西有何不对？"

他伸过手去，手里果然抓着东西。

那只手不由自主，下意识地接了过来，摊开手掌一瞧，却不过只是对骰子，他怔一怔，随即怒道："这骰子有何不对？"

沈浪大笑道："这骰子没什么不对，却不知这副牌对不对。"

大笑声中，他手掌也在桌面上轻轻一按，那两张已完全嵌入绿绒桌面里的牌，竟突然向上跳了起来。

轻轻一按，便能将牙牌嵌入桌子的掌力固是惊人，但轻轻一按，就能使牌跳起来的功夫，却更是骇人听闻。

众人再也忍不住失声喝彩，眼见沈浪的手已接着牌了，突听“嗤，嗤”两声，接着“噗，噗”两响。

那两只牙牌竟被凌空击得粉碎，碎片四射而出，李登龙躲闪不及，肩头挨着一点，竟然痛彻心腑，却见两样东西落在桌面，竟赫然正是方才还在那只手里的骰子。

坚固的牙牌已裂成碎片，这两粒骰子却仍是完完整整，此人手上的功夫，简直已令人不可思议。

众人悚然动容，李登龙抚着肩头，咧着嘴，失声而呼，也不知是在喊疼，还是在喝彩。

只听那语声冷冷道：“三点吃二点，你输了。”

沈浪居然还是微微含笑，道：“真是三点吗？”

那双手在桌上一阖，剩下的三十张牌全部被他攫在手里，只见他两只手搓了几搓，揉了几揉。

等他再摊开手时，三十张牙牌竟已碎成一堆粉末。

这一来那两张牌究竟是否三点，更是死无对证。

那语声冷笑道：“我说是三点，就是三点。”

沈浪喃喃道：“不错，在下纵然不信，看来也不能不信了。”

那语声咯咯笑道：“看来你也只有认输。”

沈浪笑道：“但阁下却忘了一点。”

那语声怔了怔道：“什么？”

沈浪大笑道：“这点。”

他两只手不知何时已伸在桌下，片刻只听“啵”的一声轻响，那整张桌面当中突然有一块跳了起来。

原来他手轻在桌子下一拍，便已将如此坚固的桌面自中央击出一块，也正是方才那两只牌嵌在里面的那一块。

沈浪闪电般接了过来，那两个陷进去的牌印子，在灯光下瞧得清清楚楚，凸出来十个圆点。

左面的一张印出来的是“四二”六，右面的一张印出来的是“板凳”四，加进来恰好是十点，一副倒霉透顶的鳖十。

那双手虽然将整副牌都毁去，以为已毁尸灭迹，死无对证，却忘了那两张牌竟在桌上留下了证据。

这证据竟也正是他自己造出来的！

众人张大了嘴，瞪大了眼睛，也不知是惊奇，是赞美。

沈浪微微一笑，道："两点吃鳖十，你输了。"

黑暗中那人影站着动也不动，那两只手也不动，只有一双像狼一般冷酷的眼睛，自黑暗中瞪着沈浪。

沈浪的眼睛也含笑瞧着他。

也不知过了多久，众人已又紧张得透不过气。

突听那语声轻轻吐了口气，冷冷道："很好，你赢了。"

这一仗，沈浪竟赢了一百万。

银子，在众人赞美与羡慕的叹息声中，被搬了出去。

这时，东方已白。

沈浪放松了四肢，又懒懒地坐在他那张最最舒适的椅子里，嘴角带着的微笑，仍是那么懒散，像是并没有什么得意。

染香又蜷曲在床上，呆呆地瞧着他，突然笑道："你真会骇人，你方才真骇死我了。"

沈浪道："只可惜没有真的骇死。"

染香咬了咬嘴唇，瞅着他，还是忍不住笑道："你方才真有十成必胜的把握？"

沈浪淡淡一笑，道："世上哪有什么事能占十成胜算？"

染香叹了口气，道："但你总算是赢了。"

她瞧着堆在桌上的银子，瞬即展颜笑道："现在，无论如何，你已可算是个富翁……唉，一百万两，世上大多数人一辈子都休想赚得到。"

沈浪道："哦，是吗？"

染香道："你可知道一百万两能做些什么事？"

沈浪道："能做些什么？"

染香闭起眼睛，徐徐道："一百万两买来的房子，能住得下全兰州大大小小所有的人，一百万两买来的粮食，能使全甘肃的人吃上一年。"

她轻轻叹了口气，接道：“一百万两能使一千个忠心的奴仆背叛他们的主人，一百万两也能使一千个贞洁的少女失去贞操。”

沈浪突然一笑，道：“但一百万两也可能什么事都未做就不见了。”

染香道：“不见了……不可能，这绝不可能，你就真将这一百万两都抛入黄河，最少也能叫全兰州一半人跳进河里去找。”

沈浪微微笑道：“可能的，一定可能的。”

染香笑道：“我不跟你抬杠，我只问你，第一仗你既然胜了，以后该怎么办？难道还是坐在这里等快活王来找你？”

沈浪道：“我难道不能去找他一次？”

染香失声道：“找他？”

沈浪一笑，也不答话，却突然高声唤道：“春娇姑娘进来吧。”

这一次是春娇自己推门进来的了。

她满脸是笑，万福道：“贱妾正想敲门，不想沈公子就已知道了。”

第三十二章

鬼爪攫魂

染香见春娇推门进来，冷笑道："你反正没有敲门的习惯，这次敲不敲都是一样。"

春娇根本不敢瞧她，也不敢接她的话，只是向沈浪赔着笑道："贱妾想来瞧瞧沈公子有没有什么吩咐。"

沈浪含笑道："我正想去找你。"

春娇脸色变了变，道："沈公子要……要找我。"

沈浪道："烦你到兰州城去，为我选购一批最好的珍珠。"

春娇这才放心，展颜笑道："这个容易，不知沈公子要多少？"

沈浪道："就买一百万两的吧。"

春娇、染香忍不住同时失声道："一百万两？"

沈浪笑道："可是太少了……那么就买一百三十万两吧。"

染香呆在那里，春娇结结巴巴地道："一百三十万两，那……那不会太多么？"

沈浪道："我不是要你买普通的珍珠，是要最好最大的珍珠，每个最少要有龙眼核那么大，一百三十万两只怕也买不到多少。"

春娇道："但……但那种珍珠，只怕难买得很。"

沈浪笑道："只要有银子，还怕买不到。"

春娇透了口气，道："但……但价钱……"

沈浪道："无论价钱多少，就算比市面上贵一倍也没关系，但却要在今天买到，最迟也不能迟过子时。"

染香已忍不住道："一百三十万两全买珍珠，你……你疯了么，要这么多珍珠干什么？"

沈浪笑道："自然是有用处的。"

春娇眨了眨眼睛，突然笑道："我知道了，沈公子莫非是要送人？"

染香道："呀……莫非是送给快活王？"

沈浪笑道："为什么定要送给快活王，难道不能送给你们？"

春娇、染香对看一眼，两个人都呆住了。

沈浪大笑道："珍珠很难买，你还不快去。"

春娇定了定神，满脸赔笑道："是，我这就去，我亲自去。"

沈浪道："还有……"

春娇道："公子还有什么吩咐？"

沈浪道："烦你为我准备几张请帖，四张就足够了，人家既然请了咱们，咱们少不得也得还请人家一顿的。"

春娇拍手道："对，对极了。"

沈浪道："事不宜迟，就在今夜子时。"

春娇道："那么贱妾更该快为公子去准备酒菜。"

沈浪道："用不着酒菜。"

春娇又是一怔，道："请客用不着酒菜，公……公子你却让人家吃什么？"

沈浪神秘地一笑道："我自然有东西给他们吃。"

一杯酒，每人面前只有一杯酒。

这就是沈浪请客吃的东西。

不错，杯是金的，而且是很大的酒杯，酒看来也是好酒，但请客只有一杯酒，这像话么？

郑兰州、龙四海、周天富，甚至连"小霸王"时铭都来了，都直着眼睛，瞧着面前的一杯酒发呆。

快活王呢？快活王还没有来，他架子当然不小。

郑兰州瞧着这杯酒，微笑着，既没有惊奇，更没有不满，他似乎早已瞧出沈浪这杯酒里必定有着花样。

龙四海也在笑，只是笑容里有些惊诧，有些好奇。

沈浪请客难道真的只有一杯酒，为什么？

周天富却皱着鼻子，皱着眉头，一双眼睛不住东张西望，他并不是在等快活王，他是等菜。

“小霸王”时铭却只是趴在桌上，用十来个银锞在堆宝塔，宝塔总是堆不成，他不住地在叹着气。

染香心里在好笑，这位小霸王被昨夜那一骇，居然变乖了，衣服穿得整整齐齐，手也洗得干干净净。

那位“女霸王”居然没有来，莫非是被吓病了。

沈浪静静地瞧着他们，嘴角的微笑仍是那么潇洒。

子时早已过去，窗外星光满天。

“小霸王”突然道：“那位王爷会来么？”

沈浪微笑道：“说不定。”

小霸王道：“咱们还要等多久？”

沈浪笑道：“也说不定。”

周天富忍不住道：“若再不来，里面的菜只怕都凉了。”

染香瞟了他一眼，笑道：“不会凉的。”

周天富道：“哦？”

染香笑嘻嘻道：“只因根本就没有菜。”

周天富呆了呆，突然大笑起来，指着沈浪笑道：“不想你倒节省得很。”

沈浪微笑道：“在下一向节省。”

染香笑嘻嘻道：“他又没有挖着金矿，自然该节省些……”

语声突然顿住，笑容也凝结，眼睁睁瞧着门。

门口不知何时已多了个人。

门已够高了，但这人却比门还高着一个头，他身子已走到门口，头却在门楣之上，染香只能瞧见他那瘦骨嶙峋，像竹竿般的身子，却瞧不见他的头，但只瞧见这身子，却已足够使人心里冒出一股寒气。

他穿的是件黑油油的皮衣，紧裹在他那瘦长的身子上，就像是蛇皮；他整个人也就像是条毒蛇，每一分，每一寸，都潜伏着不可测量的凶险，他虽然连指尖都未动一动，但随时都像是在等着择人而噬。

他那双干燥枯涩，像蛇头似的手，竟几乎已垂到膝盖，别人在三尺内才可以打到他，他却在五尺外就可伤人。

他简直就像是为了杀人而生，若不杀人，他活着简直别无意义。

沈浪含笑而起，抱拳道：“气使光临，何不请进来小饮一杯？”

那生涩的语声在门外冷冷道：“本座独孤伤。”

沈浪笑道：“原来是独孤兄。”

那语声冷冷道：“独孤之氏，从无兄弟。”

沈浪仍然笑道：“是，是，独孤先生何不请进。”

独孤伤“哼”了一声，道：“正是要来喝你一杯。”

沈浪道：“王爷大驾，不知何时光临？”

独孤伤道：“他本要来的，但今夜却偏偏有个好朋友要去找他，他若不在那里等着挖出那人的心，那人必定失望得很。”

这种杀人挖心之事，在他口中说来，真是稀松平常，但听在别人耳里，身上却不禁冒出鸡皮疙瘩。

沈浪却仍然笑道：“王爷既然无暇前来，独孤先生来了也是一样。”

独孤伤又“哼”了一声，袖中突然飞出一根金丝，他的头虽然还在门外，但手上却也似长着眼睛。

只见金丝一闪，已套住一只酒杯，飞回他的手掌。

独孤伤一饮而尽，冷冷道：“好酒。”

手掌再一扬，金杯突又飞回，落在原来的位置，竟是不差分毫，这金杯连杯带酒，少说也有两斤，他竟以一根柔丝套起，这腕力、准头，已是骇人听闻，而金杯竟能落回原地，这手功夫更是难如登天。

大家瞧他露了这一手，连气都透不过来，只见灯光一闪，光影流动，再瞧门口，却已没有人了。

龙四海长长叹了口气，道：“好厉害！”

沈浪微笑道：“此人手上的功夫，只怕已可算是关外第一。”

龙四海道：“关外第一？”

沈浪道：“不错，关内至少还有三个人强胜于他。”

郑兰州突然微微一笑，道：“这次沈兄却错了。”

沈浪道：“哦！”

郑兰州笑道：“纵在关外，他也算不得第一。”

沈浪叹道：“在下也知道大漠草原间，尽多卧虎藏龙之地，但只知关外的高手武功多以气势见长，却不知还有手上功夫也如此精妙的人。”

郑兰州道："沈兄可听过'鬼爪抓魂'？"

沈浪动容道："鬼爪抓魂，莫非就是当年天下外家邪派武功中，最最神秘阴毒之'白骨幽灵掌'的别称？"

郑兰州颔首道："正是，沈兄果然博闻。"

沈浪道："但是'幽灵门'群鬼，三十年前便已被大侠沈天君会合七大剑派掌门人于阴山一役中除尽，据闻幽灵群鬼已再无传人，却又怎地到了关外？"

郑兰州叹道："沈兄有所不知，幽灵群鬼虽已死了个干净，但'幽灵门'练功之心法秘谱，却不知怎地，流传到关外。"

沈浪唏嘘道："不想阴山一役，竟还有此一余波，沈大侠与七大掌门人在九泉下若是得知，只怕也不能瞑目了。"

他说这句话时，神情竟突然变得十分沉重，而这种沉重之色，在沈浪面上是极少能见到的。

但大家都被"幽灵门"这充满了诡谲，充满了神秘的三个字所吸引，谁也没有留意到他面上的神色。

郑兰州道："据说三十年前，关外武林道，也曾为了这'幽灵秘谱'，引起了一场争杀，但奇怪的是，这件事在江湖中流传并不广。"

他微一沉吟，接道："这或许是因为当时争夺秘谱的人并不多，而且一个个俱都守口如瓶，只是在暗中争杀，并未将消息泄露。"

沈浪道："这些人自然是不能将消息泄露的，否则中原的武林道只怕都不知要有多少人赶来争夺，他们就愈发得不到手了。"

郑兰州道："除此之外，还有一个原因，那就是当时争夺此本秘谱的人，声名都不显赫，是以他们所作所为，就引不起别人的注意。"

沈浪颔首道："不错，但无论是谁，他本来的名声纵不响，地位纵不高，得到这'幽灵秘谱'后，却不可同日而语了。"

郑兰州道："正是如此。"

沈浪道："却不知最后得到的究竟是谁？"

郑兰州道："据说当时争夺秘谱的几家人，到后来全都自相残杀殆尽，只剩下一个烧饭的丫头，这'幽灵秘谱'自然也就落到这丫头手里。"

沈浪叹息一声，道："那些人若知道后果如此，当时只怕就不会杀得那般起劲了吧，唉！世人为何大多愚鲁如此。”

郑兰州道：“但后来这丫头也并未练成‘幽灵门’之秘技。”

沈浪道：“哦，为什么？”

郑兰州道：“这其中真相究竟如何，谁也不知道，但据我侧面所闻，这秘密后来终于被一个武林高手知道。”

沈浪道：“那秘谱可是就被他抢去了？”

郑兰州道：“他要杀死那丫头，自然不过是举手之劳，怎奈那丫头也懂得身怀秘谱，必惹来杀身之祸，是以竟又将那秘谱藏在一个秘密之处，那位武林高手纵然杀死了她，还是得不到这秘谱的。”

沈浪道：“但他又怎会就此罢休？”

郑兰州道：“他自然不肯罢手。”

沈浪道：“他难道想出了什么法子？”

郑兰州道：“此人心计阴沉毒辣，竟将那丫头诱骗失身，他知道女孩子若肯把身子给了一个人，那就什么东西都交给他了。”

沈浪道：“但凭那‘幽灵秘谱’四个字，正是世上所有的儇薄少年，连做梦时都忘不了的。”

郑兰州道：“谁知那丫头竟比他想象中聪明得多，还是不肯将秘谱拿出来，那人等了许久，终于忍不住了，渐渐露出了本来面目，于是那丫头就更不肯给他了。”

沈浪道：“不想那丫头倒是个聪明人。”

郑兰州一笑道：“那丫头知道自己生得并不美，这样的武林高手，自然不会是真的喜欢她，自然是贪图她的秘谱，她若拿出了秘谱，自己纵然不死，他也会抛下她走的，她不拿出来，反倒可和他多厮守些日子。”

沈浪道：“天下尽多自我陶醉的少女，不想这丫头倒是个例外，但看这情况，这丫头对他终是喜爱得很。”

郑兰州道：“不但喜爱，而且痴心，但她愈是痴心，那人愈是讨厌，到后来终于使出毒辣的手段，逼她将秘谱取出。”

他叹了口气，接道：“据说他使出的手段，无一不是惨绝人寰，毒辣之极，那丫头后来被他折磨得已不成人形，眼睛瞎了，手脚也残废了，但还是咬紧牙根，死也不肯说出那秘谱究竟藏在什么地方。”

龙四海突然“砰”地一拍桌子，怒道：“这小子是谁，我想会会他。”

郑兰州道：“此人究竟是谁？天下没有一个人知道，只知道他后来还是没有得到秘谱，还是空手回去了。”

沈浪道：“他怎会肯放过那丫头的？”

郑兰州道：“据说那丫头也不是个普通人，虽然残废了，但还是趁他不留意时逃了出去，而他那时也突然有了急事，必须赶回中原，等他事办完了，那丫头已不知藏到何处，他再无法寻着，只有死了这条心。”

沈浪叹了口气道：“那丫头……”

郑兰州道：“那丫头自然也无法再练武功，但肚子里却已有了身孕，她竟咬紧牙根，将这孩子生了出来。”

他长叹接道：“这孩子也正就是幽灵秘技的传人。”

沈浪动容道：“这样的孩子，对世人必定充满了怨毒，他若再练成这种本就残酷毒辣已极的功夫，那……那还得了。”

郑兰州叹道：“正是如此，据说，这孩子长大成人，练成武功后，也收了批弟子，昔日之‘幽灵群鬼’虽已死，今日之‘幽灵群鬼’却又生。”

沈浪道：“这孩子又是什么样的人？”

郑兰州道：“江湖中没有人瞧见过她的模样，对她却有许多种传说，传说中，她是个美艳绝伦，天仙般的少女，但行事却狠毒得有如恶魔。”

沈浪叹道：“女子若是狠毒起来，当真比男人狠毒十倍。”

染香撇了撇嘴，道：“那还不是因为男人都不是好东西。”

郑兰州道：“关外武林道，听得这‘幽灵群鬼’四字，也不过是近年间事，但却不知已有多少人栽在这‘幽灵群鬼’的手里，不但家破人亡，而且都死得极惨。据说这女子好吃人心，每杀了一个人后，就将那人的心取出吃了，她杀的自然全都是男人，她就是要吃男人的心。”

沈浪苦笑道：“她母亲上了男人的当，她想来自然恨毒了男人。”

染香突然笑道：“沈浪，不知道你的心滋味如何？”

沈浪笑道：“想来必定是苦的。”

染香眨着眼睛，笑道："纵然是苦的，我也想尝一尝……而且，想尝尝你的心是何滋味的女人，大概还不止我一个。"

郑兰州微笑道："沈公子原来也是个薄情郎。"

龙四海大笑道："也是个……这'也'字用得妙。"

郑兰州突然敛去笑容，压低语声，道："还有件奇怪的事。"

沈浪道："什么事？"

郑兰州道："这'幽灵群鬼'，也不知为了什么，专门和快活王作对，快活王的门下只要一放单，就会被'幽灵群鬼'把心取去吃了。"

沈浪动容道："哦？"

郑兰州道："听那'气使'独孤伤的话风，快活王今天要等一个人来开膛取心，今天要来找快活王的，只怕就是，就是……"

染香瞪大了眼睛，忍不住脱口道："莫非就是那'幽灵群鬼'的女鬼头？"

郑兰州叹了口气，道："但愿不是她……"

沈浪道："但想来却只怕必定是她了……是么？"

郑兰州道："正是。"

这句话说完，众人突然觉得身子有些发冷，一个个呆呆地坐在那里，也没有一个说话。

过了半晌，周天富突然站了起来，道："我一听可怕的事，肚子就饿，可得去吃饭了。"

沈浪微笑道："这杯酒……"

周天富大笑道："你既然如此节省，这杯酒索性也替你省下吧。"

染香冷笑道："你若不喝这杯酒，以后只怕一辈子也喝不到这样的酒了。"

周天富狂笑道："这杯酒纵然是金汁，我周天富也可每天喝上个两三杯，绝不会皱一皱眉头喊心疼的。"

染香冷冷道："金汁……哼，这杯酒至少也比金汁要贵上个三五百倍。"

周天富怔了怔，瞬即笑道："吹牛反正是不要本钱的。"

染香道："阁下既然什么事都要讲银子，那么，我就请问阁下，你可知道单只这一杯酒就要值多少两银子？"

周天富道："难道还会要一百两一杯不成？"

染香冷笑道："这话我本来也不愿说的，但冲着你，我却非说不可……这杯酒不折不扣，要值十五万零三两。"

周天富失声道："十五万两……哈哈，十五万两银子一杯酒，你欺我周天富是土蛋？你欺我周天富没喝过酒？"

染香道："一百三十万两银子，全买了珍珠，珍珠磨成粉，全溶在酒里，一共溶了八杯酒，一杯酒要多少银子，这笔账你可算得出？"

周天富怔在当地，目定口呆，喘着气道："十……十五万……不错，正是十五万。"

染香冷冷道："还得加上三两酒钱。"

周天富道："不……不错，十五万零三两。"

他瞧着那杯酒左瞧右瞧，满脸恭敬之色，直瞧了有盏茶工夫，终于端起酒杯，拼命往肚子里灌。

这种人唯一尊敬的东西，就是银子，除了银子外，就是他祖宗都不行，更莫要说别的人。

龙四海哈哈大笑，道："下次我若要请周兄吃饭，就在桌上堆满银子就行了，他只要瞧着银子，吃不吃都没关系。"突又一拍桌子，板下了脸，冷笑道："但我的饭宁可请狗吃，也不会请这种人的。"

周天富放下杯子，大怒道："你说什么……别人怕你这大流氓，我可不怕你。"

龙四海厉声道："好，出去！"

他霍然长身而起，周天富脸已红得像是猪肝。

就在这时，突听一阵啸声响起。

这啸声尖刺，凄厉，诡异。也不知道是什么东西发出来的，但绝不是人，人绝不会发出这种啸声。

这啸声本来还在远处，但声音入耳，便已到了近前，来势之快，简直快得令人不可思议。

这也绝不会是人，人绝不会有这么快的速度。

那么？这究竟是什么声音？

是鬼哭！

声音一入耳，众人便觉得有一股寒气，自背脊冒起，手脚立刻冰冷，周天富“噗”地坐下，脸上已没有一丝血色。

只听一个啸声变成了两个，两个又变成了四个……

眨眼之间，啸声四起。

啸声飘忽流动，忽前忽后，忽左忽右，天地间立刻就被这种凄厉尖锐的啸声充满，再也听不见别的声音。

周天富身子发抖，恨不得立刻钻到桌子下面去。

郑兰州、龙四海面上也不禁变了颜色。

染香颤声道：“幽……幽灵鬼……”

沈浪突然站起来走了出去。

染香大惊呼道：“沈浪，你……你出去不得。”

沈浪头也不回，笑道：“我这颗心反正要被人吃了的，倒不如被那幽灵鬼女吃了也罢。”

鬼火，深夜的园林竟已充满了点点鬼火。

惨碧色的鬼火，如千万点流星，在黑暗中摇曳而过，幽静的园林，竟突然变得说不出的阴森诡秘可怖。

沈浪大步走了出去。

突然，一点鬼火，带着那惨厉的啸声，迎面飞来。

沈浪袍袖一展，将这点鬼火兜入袖里，却见那只是薄铜片制成的哨子，被人以重手法掷出，破风而过，便发出了啸声。

至于鬼火，那不过只是一点碧磷。

沈浪微微一笑，抛却了它，笑道：“幽灵群鬼的伎俩也不过如此。”

他脚步丝毫不停，笔直走向“缀碧轩”。

“缀碧轩”也是黑黝黝的，只有回廊间，矮几上，摆着盏孤灯，一个敞着衣襟的黄衣人，正箕踞在灯下饮酒。

他面对着满天鬼火，神情竟还是那么悠闲。

这千万点诡秘阴森的幽灵鬼火，竟似乎只不过是幽灵群鬼特地为他放出的烟花，供他下酒。

沈浪远远瞧过去，依稀只见他广额高头，面白如玉，颔下一部长髯，光亮整洁，有如缎子。

沈浪不禁吸了口气，他终于瞧见了快活王，这数十年来，天下武林道中最最神秘，也最最狠毒的传奇人物。

只见快活王用耳畔两只金钩，挂起了胡子，剥了个蟹黄，放在嘴里大嚼，又用满满一杯酒冲了下去。

然后，他放下酒杯，满足地叹了口气，突然面向沈浪藏身之处，朗声一笑，又自举杯大笑道："阁下既已来了，何不过来与本王饮一杯。"

沈浪暗道一声："此人好灵敏的耳目。"

口中却微微笑道："在下沈浪。"

快活王道："哦，原来是沈公子。"

沈浪大步走出，含笑施礼道："满天鬼火，独自举杯，王爷的雅兴真不浅。"

快活王朗声大笑道："满天鬼火，沈公子居然还出来闲逛，雅兴当真也不浅。"

沈浪微笑道："在下既然请不动王爷，只有移樽就教。"

快活王抚掌大笑道："本王一人正觉无聊，有沈公子前来相陪，那真是再好也没有，请，请，快请坐。"

沈浪道："多谢。"

这时，他已将快活王的容貌瞧得更清楚了些。

只见他长眉如卧蚕，双目细而长，微微下垂的眉目，一闪闪发着光，当中配着高高耸起而多肉的鹰钩鼻，象征着无比的威权，深沉的心智，也象征着他那绝非常人可比的、旺盛的精力。

沈浪瞧不见快活王的嘴，只瞧见他那中间分开，被金钩挂住的胡子，那果然修饰得光滑整洁，一丝不乱。

沈浪走得愈近，愈敏感到他气势之凌人，他穿得虽随便，但却自然而有一种不可方抑的王者之气。

快活王也在瞧着沈浪，目中光芒更亮。

他座下多的是英俊潇洒的美男子，但和沈浪一比，那些人最多不过是人中之杰，沈浪却是人中之龙凤。

矮几旁还有金丝蒲团，也不知是否为那幽灵鬼女准备的，矮几上也还有只空着的酒杯。

沈浪却自管坐了下去，自己斟了杯酒，道："久闻王爷杯中美酒冠绝天下，在下先敬王爷一杯。"举杯一饮而尽，失声道："果然好酒。"

快活王在金盆中洗了手指，笑道："此酒虽不错，却又怎比得上公子的百万珍珠酒。"捋须一笑，又道："但这螃蟹却还不错，你不必客气，只管净手……这螃蟹一物，非要自己剥来吃才有风味，若是要别人剥好，便味同嚼蜡了。"

沈浪笑道："王爷不但精于饮食，更懂得如何吃法，这饮食享受一道，那般暴发户的凡夫俗子，当真学也学不来的。"

快活王突然仰天狂笑起来，笑声震动屋瓦，远处木叶飘落，沈浪却连酒杯中都未溅出一滴，只听微笑道："王爷为何突然发笑？"

快活王狂笑道："当今天下江湖中人，谁不知道沈浪乃是我快活王的强仇大敌，但沈浪你此刻却敢与本王对坐饮酒，而且口口声声夸赞本王，教本王听在耳里，如何不笑……哈哈，如何不笑。"

沈浪面不改色，突也仰天狂笑起来。

两人笑声同起，桌上酒杯，"啵"的一声，竟被这笑声震得片片碎裂，杯中酒洒了一地。

快活王不禁顿住笑声，道："沈公子又为何突然发笑？"

沈浪朗声笑道："当今天下江湖中人，谁不知道快活王耳目遍于天下，谁知快活王却连个沈浪的事都调查不出，却教在下如何不笑……哈哈，如何不笑？"

快活王厉声道："你若以为本王不知你的底细，你就错了。"

沈浪笑道："王爷又知道在下些什么……"

突然，"哧"的一声，一道带着碧磷磷鬼火的短箭，破空疾飞而来，来势之急，急如惊电。

沈浪却不慌不慢，拿起筷子轻轻一夹，他看来动作并不快，但那碧磷箭偏偏被他夹在筷子里。

他看也不看，随手抛了，随口笑道："王爷可知我家乡何处？身世如何？"

快活王道："不知。"

沈浪含笑道："王爷可知我武功出于何门何派？是何人传授？"

快活王道："哼。"

沈浪笑道："哼是知道，还是不知？"

快活王仰头喝了一杯，道："不知。"

沈浪也举起酒杯，道："王爷可知我究竟有无兄弟？有无朋友？有无仇家？"

快活王大声道："不知。"

沈浪笑了笑，缓缓道："王爷可知我是否真的名叫沈浪？"

快活王怔了怔，道："这……不知，还是不知。"

沈浪大笑道："王爷别的不知倒也罢了，连在下姓名都不能确定，又怎能说是知道在下的身世底细？"

快活王皱了皱眉，道："但……"

沈浪全不让他说话，接口又笑道："王爷若连在下底细都不知道，又怎知在下乃是王爷的强仇大敌？"

快活王厉声道："江湖中尽人皆知。"

沈浪道："江湖传闻，岂足深信？"

快活王道："十人所说或假，千人所说必真，本王为何不信？"

沈浪微微一笑，道："既是如此，江湖中人究竟说了在下些什么？王爷究竟听到些什么？此刻也不妨说给在下听听。"

快活王微微一笑，拍了拍手掌。

掌声骤响，那独孤伤已掠了出来，以沈浪的耳力、目力，竟也未觉出此人方才一直躲在身后暗处。

沈浪笑道："人道独孤兄与王爷形影不离，这话果然不假。"

独孤伤"哼"了声，将一束黄卷，送到桌上。

快活王大笑道："本王何尝不知，你等久已在暗中窥探本王，甚至将本王之生活起居，都调查得清清楚楚，但你等一举一动，又何尝能逃过本王耳目。"

他大笑着自那束黄卷中抽出了三张，随手抛在沈浪面前，道："你自己瞧瞧吧。"

这三张纸上，写的竟是熊猫儿、朱七七和沈浪近日来的行踪，竟将沈浪在仁义庄中如何遇着了朱七七，两人如何闯入死城古墓，火孩儿如何神秘失踪，两人如何与熊猫儿结为朋友……这些事都记载得清清楚楚。

这三张纸上，自然也都提了王怜花，也将王怜花如何与沈浪勾心斗角的事，调查得明明白白。

沈浪看完了，面上虽仍未动声色，心里却不禁大吃一惊，因为这些事，有的本是除了他三人之外，再也不会被别人知道的，尤其是他们三人在私下所说的话，沈浪委实再也想不出快活王怎会知道。

除非是他们三人之间，也有了个奸细？

那会是谁？

是熊猫儿？那绝不可能！

熊猫儿绝不会是这样的人，何况他根本全无和快活王秘密通讯的机会，他的行动，根本全未逃过沈浪的耳目。

是朱七七？也绝不可能。

朱七七也绝不会是这样的人，她出身豪富世家，根本就不会和快活王沾上任何关系。

何况，她若是这样的人，又怎会落在快活王部下那“色使”的手中，又怎会受那折磨。

若说他两人会是奸细，沈浪死也不会相信。

但除了他两人之外，就只有沈浪自己。

那么，沈浪自己难道还会是自己的奸细？

沈浪委实想不通，猜不透，只有暗中苦笑，缓缓将那三张纸放在桌上，这三张薄薄的纸，似已突然变得重得很。

快活王目光凝注着他，道：“纸上写的，可有虚假？”

沈浪沉吟微笑道：“是真是假，王爷自己难道还不能确定？”

快活王捋须大笑道：“既是如此，你还有何话说？”

沈浪淡淡一笑，道：“纸上写的，只有一处不确。”

快活王道：“哦！哪一处？”

沈浪道：“这纸上将沈浪的为人，写得太好了。”

快活王大笑道：“这你又何苦自谦。”

沈浪道：“这纸上竟将沈浪写成个大仁大义，公而忘私的英雄侠士，但沈浪其实却只是个自私自利的小人。”

快活王笑道：“人不为己，天诛地灭，纵是英雄侠士，有时也要为自己打算打算的，古往今来，又有哪一个是全不为自己打算的人，除非他是个疯子、白痴。”

沈浪笑颔道：“正是如此，世人碌碌，谁也逃不过这名利二字，纵是至圣先师，他周游列国，为的也不过是要择一名主，使自己才有所用而已。”

快活王抚掌大笑道：“如此高论，值得本王相敬一杯。”

四面鬼火已愈来愈密，啸声已愈来愈响，不可预知的危机，显然已迫在眉睫，但两人却仍长笑举杯旁若无人。

四面的鬼火虽阴森，啸声虽凄厉，但两人却只觉对方的锋芒，委实比鬼火与啸声还要可怖。

独孤伤突然轻叱道：“讨厌。”

自桌上攫起一把蟹壳，一揉一搓，撒了出去，只闻数十道急风掠过，接着一连串“叮叮”声响。

眼前一片鬼火，便已有流萤花雨般落了下来。

但鬼火委实太密，眨眼又将空处补满。

沈浪持杯在手，微笑道：“这鬼火委实扰人清谈，待在下也助独孤兄一臂之力。”喝了口酒，突然喷将出去，一口酒竟化作满天银雾，银雾涌出，立刻百十点鬼火全都吞没。

独孤伤冷冷道：“好气功。”

快活王笑道：“足下武功，委实可说是本王近年所见之唯一高手，此刻本王便在足下面前，足下为何还不动手？”

沈浪笑道：“在下为何要动手？”

快活王笑道：“先下手为强，这句话你难道不知？”

沈浪大笑道：“在下与王爷究竟是敌是友，王爷难道不知？”

快活王道：“是敌是友，本王一念之间……”

突听远处数十人齐地长笑道：“快活王，命不长，不到天光命已丧。”笑声凄厉，歌声断续，宛如群鬼夜号。

快活王捋须大笑，朗笑道：“快活王，命最长，幽灵群鬼命必丧。”

笑声高朗，歌声雄厚，一字字传到远方。

歌声方了，满天鬼火已现出了数十条人影。

碧磷磷的人影，每个人的身上也都发着碧光！人影在鬼火中闪动飘荡，实如地狱门开，群鬼夜现。

歌声又起："地狱门已开，幽灵炼碧火，火炼快活王！"

歌声中数十人双手齐扬风骤起，千百点鬼火，随着砭人肌肤的阴风，如海浪似的涌了过来。

快活王安坐不动，微笑道："独孤何在？"

独孤伤双臂齐振，衣衫鼓动。

沈浪长笑道："区区鬼火，何足道哉。"张口一吸，将一壶酒全都吸了进去，叱道："咄。"

千百点银雨，便随着这一声"咄"字飞激而出。

银雨化为银雾，银雾吞没鬼火。

满天鬼火，突然消失无影。

快活王抚掌大笑道："幽灵群鬼，原是喝不得酒的。"

一句话说完，鬼火又涌到近前，但只是在曲廊回旋飞舞，那些碧磷的人影也只是在远处舞跃闪动，不敢再以掌力将鬼火催来。

沈浪微微笑道："幽灵门武功，果然有独到之处，非但轻功身法飘如鬼魅，就连掌风中也带着森森鬼气！"

快活王冷笑道："幽灵门之武功，这些人十成中未必练得一成，数十人掌力汇集一起，只怕也挡不了沈公子一掌。"

沈浪道："那却未必，在下只不过是借着酒气占了些便宜，若论真实功力，在下又怎比得上独孤兄之深厚。"

独孤伤冷冷道："你我总要比一比的。"

沈浪笑道："这也未必……你我是友是敌，还在王爷一念之间……"

独孤伤目光闪动，道："是友是敌，王爷可以决定么？"

沈浪笑道："自然。"

"自然"两字出口，突然长啸而起，袍袖振处，一股强风卷出，沈浪却又若无其事地坐了下去。

独孤伤冷笑道："你莫非是想露手武功给我瞧瞧？"

沈浪笑道："在下不敢。"

独孤伤沉声道："你又为何……"

话声未了，沈浪方才发出的袖风已消失，地上却响起了一片轻微的"叮叮"之声，若非这三人的耳力根本难以听见。

独孤伤面色变了变，住口不语。

快活王却笑道："幽灵门这一手'无影鬼羽'的功夫，端的是人所难防，若非沈公子耳目超人，本王此刻只怕也难安坐这里。"

沈浪道："如此雕虫小技，怎值得王爷亲自出手，在下蒙王爷赐酒，若还不能为王爷效此微劳，就真的要无颜坐在这里了。"

快活王道："你为何要为本王出手？"

沈浪道："只因……"

突听远处一声尖锐凄厉的长啸。

数十条碧磷鬼影，突然一起冲了过来。

当先两条人影，来势如箭，带着一连串咯咯的诡笑扑上回廊，他们的面上也涂满碧磷，闪闪发光，使人根本无法分辨面目，他们的长发披散，随风飞舞，在暗夜中看来当真比活鬼还要怕人。

两人手中，一个拿着柄碧光闪闪的短叉，叉头闪动，叉环"叮叮"作响，响声也足摄人魂魄。

另一人手中却拿着柄碧剑，叉剑却长不过一尺。

这"幽灵群鬼"竟敢用如此短的兵刃，自然另有一种奇诡的招式，这招法必定险绝天下。

叉环响处，碧磷叉隔空直刺快活王。

沈浪微笑道："王爷还请安坐……"挥手处，那"幽灵碧鬼"已被震得惨嗥飞出，但碧磷剑则已到了沈浪耳畔，沈浪筷子一伸，竟将那柄剑夹住。

这"幽灵碧鬼"纵然用尽了生平之力，竟也挣之不脱。

沈浪笑道："螃蟹味美，足下可要尝尝？"左手取起了个巨螯，闪电地夹着这活鬼的鼻子，只听一声惨呼，他已双手掩面，连滚带爬，如飞逃走。

沈浪的筷子还夹住那柄碧磷剑，又自道："幽灵鬼物，在下不取，还给你们吧。"语声中筷子一抖，碧磷剑如急箭离弦，飞了出去。

“幽灵群鬼”中，正有一人扑来，忽见碧光已在眼前，心胆皆丧，倒翻而出，碧磷剑却已插入他肩上。

霎时之间，沈浪谈笑自若，已重创三人，“幽灵门”险绝天下的身法招式，在沈浪面前，竟直如儿戏。

“幽灵群鬼”虽仍在回廊前舞跃诡笑，但已无一人再敢扑过来，诡谲的笑声，也像是有些发抖。

快活王凝注着沈浪，大笑道：“好！果然好得很。”

沈浪道：“王爷过奖了。”

快活王笑道：“你本来是想取本王性命的，此刻却屡次为本王出手，你本对本王到处辱骂，此刻却如此恭敬……”面色突然一沉，厉喝道：“你如此做法，究竟为着什么？”

沈浪微笑道：“王爷难道不知？”

快活王道：“你究竟存着什么阴谋，本王确想听听。”

沈浪缓缓道：“在下本无阴谋，只是……”

突然，五条人影，一起扑了过来。

刀、叉、剑、锤、鞭，五件碧光闪闪的兵刃，前后左右，一起击向沈浪，不但招式奇诡，出手更是狠毒。

独孤伤虽然站在沈浪身后，竟是袖手不动。

沈浪长袖一展，卷住了碧磷刀，使刀的人被他力量一引，身子不由自主，撞向使剑的人身上，两人一齐跌倒。

使叉的人叉尖直戳沈浪双目，突听“当”的一声，他叉尖不知怎地，竟套入了个酒杯里，嘴里却被塞入了个小碟子，身子也“砰”地倒在装鱼的盘子里，沈浪却以筷子点住了他的头，笑道：“王爷请尝尝这条活鱼滋味如何？”

使锤的人瞧见这情况，怔了怔，狂吼一声，一锤他明明击下，击的沈浪头，哪知沈浪忽然间移开了三尺。

他这一锤，竟击在鞭上，“当”地，锤也落地，鞭也落地，两个人但觉肋下一麻，齐地倒了下去。

沈浪举手投足间，竟又击倒五人。

这几手看来虽然轻描淡写，其实部位之拿捏，出手之疾、准，俱已妙到毫巅，正是沈浪一身武功之精华。

快活王却冷笑道："你如此卖力，想来也是要本王瞧瞧的。"

那使剑的人已自爬起，一剑刺来。

沈浪笑道："正是要王爷瞧瞧的。"

一句说完，已将那使剑人的头，按在盘子里，现在，桌子上不但多了条"活鱼"，也更多了个"虾球"。

"幽灵群鬼"舞跃更急，啸声更厉，但却在渐渐退后了，沈浪这样的武功，他们委实连瞧都没有瞧见过。

沈浪微微一笑，缓缓道："禽栖良木，人投名主。在下流浪江湖，要创出一番事业，也不能独力行事，此意王爷想来是不会不知道的。"

快活王目光闪动，道："你难道是要来投靠于我？"

沈浪道："正是。"

手掌一松，被他按住的两个人，抱头鼠窜而去。

快活王精神却已完全投注在沈浪身上，别的人他连瞧也不瞧一眼，厉声道："但你昔日……"

沈浪微笑截口道："江湖流浪人，行事本为其主，合则留，不合则去，在下昔日虽曾为'仁义庄'效力，但今日却已非昔日。"

快活王道："今日你意如何？"

沈浪敛去笑容，正色道："仁义庄已老迈，已非身怀雄心大志之人久留之地，而放眼当今天下，除了仁义庄外，还有谁能收留沈浪这样的人？"

他傲然一笑，接道："还有谁有资格收容沈浪这样的人？"

快活王纵声长笑道："自然只有本王。"

沈浪道："这就是了，汉王可容韩信，足下何不能容沈浪？"

快活王笑声突顿，悚然动容，大喝道："沈浪，你可是真有此意？"

沈浪道："若无此意，为何来此？"

快活王目光凝注着他，久久不眨。

沈浪也回眼凝注着他。

两人目光之中，渐渐有了笑意。

独孤伤突然大声道："此人心怀叵测，万万容不得他的。"

快活王头也不回，喝道："滚！"

独孤伤身子一震，面色大变，这一声“滚”，当真是他从未听过的，他手脚都起了颤抖，终于黯然垂首，悄悄地退下。

快活王也不理他，一字字道：“沈浪呀沈浪，你若真有此意，实在是你之好运，亦为本王之福，本王得你为助，实亦如虎添翼。”

沈浪道：“多谢。”

快活王突又厉声道：“但你此意若假，只怕……”

突然间，远处又传来一声异啸。

啸声起处，舞跃诡笑的“幽灵群鬼”，突然跳跃呼啸而去，满天鬼火，也突然消失无影。

天地间，立刻恢复静寂了，方才还是阴森诡异的鬼域，一眨眼间，又变成了幽静美丽的园林。

月色，又复映照着大地。

微风吹动，树影婆娑，若非还有两个被沈浪点住穴道的碧衣人躺在那里，真令人几疑方才所发生的一切，只不过是场噩梦。

沈浪笑道：“这些人来得虽快，去得倒也不慢。”

快活王道：“方才来的，只不过是‘幽灵门’下的小鬼，前来试探虚实而已，真正厉害的角色，要到此刻才会来的。”

沈浪道：“闻得那‘幽灵鬼女’，非同小可。”

快活王朗声笑道：“她纵有通天的本事，有你我两人在这里，又能如何？”

能被快活王这样的人物许为同侪，就连沈浪心里也不禁起了一种异样的感觉，微微笑道：“在下之意是真是假，王爷此刻想必已知。”

快活王捋须而笑，道：“无论你此意是真是假，本王都已在所不计，你这样的人才，是值得本王冒险试一试的。”

沈浪笑道：“多谢。”

快活王突又道：“闻得中原武林中，有个王怜花，也是个角色。”

沈浪叹道：“此人心计之狡毒，手段之狠辣，当今天下，委实无人能出其右，尤其行踪诡秘，来去飘忽，易容巧妙，更令人防不胜防。”

快活王道：“他与你相较又如何？”

沈浪道：“我若与他生死相搏，实不知鹿死谁手。”

快活王动容笑道：“哦！今日之江湖，除了你之外，居然还有这样少年，他的身世又如何，武功是何人传授？”

沈浪道：“这个……”

忽然一笑，接道：“王爷可知道当今天下，身世最诡秘的三个是谁？”

快活王道：“不知。”

沈浪缓缓道：“一个是沈浪，一个便是王怜花。”

快活王道：“还有一个？”

沈浪笑道：“还有一个便是王爷阁下。”

快活王纵声笑道：“不错，果然不错，你我之身世来历江湖中的确无人知晓，不想除了你我之外，还有个王怜花。”

过了半晌，突又大笑道：“幸好你们两人是敌非友，否则你们两人若是联手，本王只怕也得要退避三舍，瞧你们称雄天下了。”

沈浪亦自笑道：“幸好他未被王爷所用，否则王爷只怕也容不得沈浪了。”

快活王道：“只是不知那‘幽灵鬼女’又是何许人物？她年纪想起来也不会太大，本王真想瞧瞧她究竟有什么惊人的手段，竟能统驭幽灵群鬼。”

语声突顿，目光移向远方。

沈浪缓缓道：“王爷不必再等，她已来了。”

黑暗的院中，突然有了灯光。

十六个身披白纱，云鬓高髻的少女，挑着宫灯，穿过月色浸浴的园林，婀娜地走了过来。

她们步履轻灵，风姿婉约，环佩在风中轻鸣，轻纱在风中飘舞，她们竟像并非来自人间，而是来自天上。

方才来的是地狱中的恶魔，此刻来的却是天上的仙子，这又是多么大的变化，这变化又是多么可喜。

快活王优美的手，优美地轻捋长髯，笑道：“幽灵门来的都是如此人物，本王倒欢迎得很。”

十六盏粉纱宫灯，发出了嫣红的灯光。

两个身穿七色锦缎长裤，头戴缀珠七色高冠，却精赤着上身，露出了铁一般胸膛的八尺大汉，抬着顶小轿，走在宫灯间。

沈浪微笑道："轿中的想来必定就是'幽灵鬼女'，她的气派倒不小。"

快活王道："她的胆子也不小。"

十六个少女走到近前，敛衽为礼，一字排开。

大汉驻足停轿，轮子后原来还跟着个宫装少女，此刻碎步走到前面，掀开了轿帘，盈盈拜倒，道："宫主请下轿。"

一个女子的语声自轿里传了出来，轻轻道："快活王可是在这里么？"

沈浪只道这"幽灵门"掌门人的声响，必定也是阴森诡异，令人悚栗，哪知此刻这语声却是柔美娇媚，使人销魂。

但他仍然声色不动，只是静静地瞧着。

快活王自然更沉得住气。

只听那宫装少女道："快活王是在这里。"

轿中人道："他为何不来迎接于我？"

那少女眼波流动，娇笑道："他只怕已喝醉了。"

轿中人道："酒醉之人，不可理论，既是如此，咱们就走吧，等他清醒，咱们再来也不迟。"

那少女道："是……"

到了这时，快活王终于忍不住喝道："既然来了，还是留下为佳。"

轿中人道："你没有醉。"

快活王道："本王千斗不醉。"

轿中人道："既然未醉，为何不来迎接于我？"

快活王纵声长笑道："你小女子，还要本王迎接于你，也不怕折了福分？"

轿中人冷冷道："我乃一派掌门，你前来迎接于我，也不会有失你的身份。"

那少女娇笑道："是呀，有些人要来迎接咱们宫主还不配哩。"

快活王笑道："你乃宫主，我却是王爷，世上焉有王爷迎接宫主之理？"

那少女咯咯笑道："但你这王爷是假的。"

快活王见少女说他这个王是假的，不由笑道："你那宫主难道是真的吗？"

轿中突然发出了银铃般的笑声，道："我只知道快活王必定阴鸷严酷，哪知却是如此风趣，王爷与宫主既然都是假的，宫主自当参拜王爷。"

沈浪愈听愈觉这语声委实熟悉已极，却又偏偏想不起是什么人来，若说"幽灵鬼女"没有和他说过话，这种温柔妩媚的语声，他是万万不会听错的。

幽灵宫主已在笑声中下轿，果然是个少女，绝色的少女，她身上非但瞧不出丝毫鬼气，看来简直是个仙女。

她身上虽穿着层层轻纱，但却更衬得她体态窈窕，风姿绰约，她面上虽也蒙着轻纱，但别人根本不必真的瞧见她面目，也可想象到必是天香国色。

有风吹过，轻纱飞舞。

她身子也像是要被这阵风吹倒，倚住了那少女的肩，姗姗走了过来，仿佛是走在云霞上。

快活王目中，燃起了火炬般的光芒，捋须笑道："怜她甘为鬼……"

沈浪应声笑道："愿君莫摧花。"

快活王伸手一拍他肩头，敞声长笑道："妙极，数十年寻寻觅觅，不想你竟是本王之知己。"

只见幽灵宫主姗姗走上曲廊，竟笔直走到那杯盘狼藉的长几前，扶起了酒杯，柔声笑道："俗子无知，扰了王爷雅兴，贱妾谢罪。"

快活王道："不错，此罪当罚。"

幽灵宫主点首道："但愿王爷莫罚得太重，贱妾承受不起。"

她神情中自有一种楚楚堪怜之意，令人销魂。

快活王大笑道："本王怎舍得罚重了你……说该如何罚她。"后面一句话，自然是向沈浪说的。

沈浪微笑道："罚她为王爷斟酒三杯。"

快活王欢声道：“有佳人斟酒，本王不饮已醉。”

幽灵宫主已执起了银壶，在杯中斟了杯酒，柔声道：“王爷只要不嫌贱妾手脏，就请饮此一杯。”

灯光下，只见她玉手纤纤，柔白如雪，别人的眼睛会说话，她却连一双手都会说话。

她从头到脚，看来似乎天生就是要被人欺负的，教人见她，虽然怜惜，却又忍不住要生出一种残酷的征服之意，她这双手似乎在求人怜惜，但却又仿佛在邀请别人，求别人摧残似的。

快活王似已神魂飞越，大笑道：“你这双手若是脏了，天下人的手都该斩去才是。”

但是他方自接过酒杯，身后已有一只手伸过来，在杯中滴了一滴不知是什么样的药水。

水入杯中，毫无反应，酒，并未被下毒。

幽灵宫主笑道：“王爷的属下，当真仔细，但可惜……”一笑垂首无语。

快活王道：“只可惜却以小人之心，度了君子之腹，是么？”仰首一饮而尽，笑道：“本王也该罚，回敬你一杯。”

他就在那杯中倒了杯酒，送到幽灵宫主手上。

幽灵宫主接过酒杯，笑声婉转，道：“贱妾体弱，不胜酒力，这杯酒也请王爷代贱妾喝了吧。”

快活王笑道：“代佳人饮酒，本王何乐不为，但……至少你也得先喝一口。”

幽灵宫主依依垂下了头，仿佛不胜娇羞，微微掀起轻纱，浅浅啜了口酒，双手将酒杯送到快活王面前，道：“王爷，你……你……你真的不嫌贱妾脏么？”

语声轻颤，若不胜情。

快活王眉飞色舞，早已全忘了面前这婉约依人小鸟般的女子，便是江湖闻名丧胆的“幽灵门”掌门人，捋须大笑道：“愿天下佳人香唾俱都化作美酒，好教本王一一尝遍。”

接过酒杯，便待饮下，突然间，一只手伸过来，按住了酒杯。

沈浪道：“这酒喝不得。”

快活王目光闪动，轩眉笑道："可是你也想喝么，好，本王让给你。"

沈浪接过酒杯，微微一笑，道："在下只怕也无福消受。"竟将这杯酒倒在地上，酒珠溅起，竟化为缕缕轻烟。

幽灵宫主道："呀……酒中有毒。"

沈浪道："酒中有毒，宫主难道不知？"

幽灵宫主柔声道："酒是王爷自倒的，贱妾怎会知情？"

沈浪笑道："正因酒是王爷倒的，宫主纵然下毒，别人也不加防范。"

幽灵宫主道："我……我下了毒，你……你莫要……"

沈浪道："轻纱微启，宫主便已做了手脚，别人手中有毒，身上有毒，宫主却连樱唇之间，都藏了剧毒，在下好不佩服。"

幽灵宫主轻轻叹了口气，道："你的眼睛只怕也有毒的。"

快活王拍案喝道："果然是你下的毒！"

幽灵宫主垂首道："贱妾能赖得掉么？"

快活王轩眉道："你好大的胆子！"

幽灵宫主道："贱妾自小胆弱。"

快活王厉声道："你难道不知本王举手之间，便可取你的性命？"

幽灵宫主仰面一笑，道："贱妾知道王爷不舍得杀我的。"

虽然隔着层轻纱，但笑容仍足摄人魂魄。

快活王突然纵声长笑道："不错，本王虽有服人的铁腕，却从无摧花的辣手。"

沈浪微微笑道："君王重佳人，非常赐颜色……"

幽灵宫主面向着他，道："这位是……"

沈浪道："在下沈浪。"

幽灵宫主媚笑道："公子一表堂堂，不想竟甘为奴才。"

沈浪道："佳人既甘为鬼，在下又何妨为奴。"

幽灵宫主凝注着他，目光隔着轻纱，就像是雾中的箭，瞧了半晌，娇躯摇动，似乎摇摇欲倒。

那少女赶紧扶起了她，凄然道："不好，我家宫主的心病又犯了。"

快活王皱眉道："心病？"

那少女轻叹道："我家宫主一见到恶人，这心病就会发作。"

快活王大笑道："如此说来，本王与沈浪都是恶人了。"

那少女眼睛瞪着沈浪，鼓着嘴道："是他。"

沈浪笑道："过奖过奖。"

那少女咬牙道："你害我家宫主犯了病，你得赔。"

沈浪道："在下纵有回春妙手，只怕也难治佳人的心病。"

那少女大声道："你若不治好宫主的病，我可人就和你拼命。"

她杏目闪睁，银牙浅咬，当真是名副其实楚楚可人。

快活王大笑道："可人呀可人，我若与你家小姐同鸳帐，怎舍得教你叠被铺床。"

可人的脸，飞红了起来，不依道："嗯……原来王爷也是个恶人。"

快活王笑道："正是个不折不扣的恶人。"

可人眼波转动，道："那么，我家宫主的病，说不定就是被王爷气出来的。"

快活王大笑着一拍沈浪肩头，道："便宜了你了。"

可人道："王爷既然素来怜香惜玉，眼看我家宫主这么可怜的模样，难道也不想个法子替她治治病么？"

快活王道："自然要治的。"

幽灵宫主双手捧心，凄然道："贱妾的病，只怕是治不好的了。"

快活王道："胡说，天下哪有治不好的病。"

幽灵宫主道："病虽易治，药却难求。"

快活王道："既然有药，药便可求。"

幽灵宫主柔声道："王爷难道真愿意为贱妾求药么？"

快活王道："本王若为你求得药来，你又如何？"

幽灵宫主垂首道："王爷无论要贱妾怎么，贱妾无不从命。"

快活王乜眼笑道："随便怎样？"

幽灵宫主头垂得更低，道："嗯……"

快活王大笑道："好，你只管说出药在哪里便是。"

幽灵宫主道："那药……便在王爷身上。"

快活王道："哦……"

可人插口道："药虽在王爷身上，却怕王爷舍不得。"

快活王笑骂道："小丫头，你怎敢将本王瞧得如此小气。"

可人眼波一亮，道："王爷真的舍得？"

快活王笑道："佳人若真化鬼，本王岂不断肠。"

可人盈盈拜倒，道："多谢王爷。"

快活王道："到底是什么药，你且说来听听。"

可人眨了眨眼睛，道："心病还需心药医，这句话王爷可知道？"

快活王沉吟道："心药？"

可人嫣然笑道："王爷只要将一颗心赐给我家宫主，宫主的病立刻就会好了。"

快活王微微变色，仰天长笑道："好丫头，原来便是想要本王的心。"

可人道："君王无戏言，王爷说出来的话，可不能不算。"

快活王敞开胸襟笑道："本王的心就在这里，只管来拿吧。"

可人再拜，笑道："王爷当看是大慈大悲，我家宫主的病好了，绝不会忘了王爷。"

抽出一把匕首，便向快活王走过去。

快活王突然厉喝一声，叱道："且慢。"

这一声厉叱，声如霹雳。

可人身子一震，倒退几步，道："王……王爷难道……难道也会食言反悔？"

快活王道："本王的心，只肯给天下之绝色，若要本王的心，需得你家宫主自己来取。"

幽灵宫主道："既是如此，贱妾从命。"

快活王狂笑道："你只管来吧。"

语声未了，刀光已至胸膛。

快活王竟真的动也不动。

就在这时，突听一声暴喝，幽灵宫主人影倒飞出去，退出七丈，面前已站着瘦如竹竿般的黑衣人，正是独孤伤。

可人惊呼道："哎呀，快活王竟真的说话不算数了。"

快活王微微笑道："本王虽然答应，但别人不许，又当奈何？"

幽灵宫主笑道："王爷难道怕他？"

快活王道："本王若是死了，他饭碗也就破了，饭碗相关，本王也不能怪他。"

幽灵宫主瞧着独孤伤，道："吹皱一池春水，干卿底事？"

独孤伤冷冷道："某家也有些毛病，要吃你的心才能治好。"

幽灵宫主道："真的么？"

独孤伤道："你若是真的，某家也是真的。"

幽灵宫主笑道："我可没有你家王爷那么小气，你要就给你。"

突然伸手一扯，竟将胸前纱衣撕了开来，露出了白玉般的胸膛，柔软、丰满，在灯光下愈发令人魂飞魄散。

这一来快活王与沈浪俱都怔住了。

第三十三章

巧逢故人

独孤伤面对着这足以令天下男子都情愿葬身其中的胸膛，呼吸已在不知不觉间急促起来，几乎已透不过气。

幽灵宫主道："来呀，来拿呀……你怕什么？"

独孤伤喉结上下滚动，竟说不出话。

幽灵宫主已一步步向他走过来，纤手将衣襟拉得更开，柔声道："你摸摸看，我的心还在跳，我的胸膛也是暖和的……现在，这一切全都给你了，你为什么不来拿？"

独孤伤突然怒喝道："你……你……"

枪一般笔直站着的身子，突然摇动起来。

幽灵宫主也银铃般笑道："现在，随便什么人的心都对你没有用了。"

独孤伤一掌劈出，幽灵宫主动也不动，但他手掌方自触及幽灵宫主的胸膛，身子已仰天跌倒下去。

快活王真沉得住气，反而大笑道："牡丹花下死，做鬼也风流……"

可人娇笑道："是呀，他能瞧见我家宫主的胸膛，死了也算不冤枉了。"眼波一转，瞟了瞟快活王与沈浪，笑道："你们也瞧见了这世上最美的胸膛，也可以死了。"

快活王道："不错，朝闻道，夕死而无憾矣。"

幽灵宫主再次盈盈走上曲廊，走到快活王面前，柔声道："现在，已没有人干涉王爷了，王爷可以将心赐给贱妾了么？"

快活王笑道："你连脸都不肯让本王瞧瞧，便想要本王的心，这岂非有些不公平？"

幽灵宫主笑道：“王爷已瞧见了贱妾的身子，这还不够么……贱妾这样的身子，难道还不值王爷的区区一颗心么？”

沈浪突然笑道：“你连身子都不惜被人瞧见，却不愿让人瞧见你的脸，这岂非怪事？莫非你的脸丑得不能见人？”

幽灵宫主娇笑道：“你若想瞧我的脸，自己来瞧吧。”

可人接着笑道：“只是瞧过后莫要晕倒。”

沈浪大笑道：“衣香虽能杀死独孤伤，面纱中之迷香却未必杀得了沈浪……”

笑声中手掌已到了幽灵宫主面前。

幽灵宫主竟未瞧见他是何时掠过来，如何掠过来的，大惊之下，身子流云般退下曲廊，退后一丈。

沈浪大笑道：“你既让我瞧，为何又要逃。”

也不见他有任何动作，身形却已到了幽灵宫主面前，他身法虽快如闪电，但神情却仍是那么从容潇洒。可人在一旁瞧着，面色已变了，再也笑不出。

快活王手捋长髯，笑道：“手下留情些，莫要伤了她的香肌玉肤，花容月貌。”

沈浪笑道：“你瞧王爷多么怜香惜玉，到此刻还一心体贴着你。”

笑语中，他双手已飘飘拍出了四十掌，他一共只说了二十字，却挥出四十掌，掌势之急，当真急如闪电，但见掌影漫天，如落英缤纷，以快活王的眼力，竟也未能瞧出他招式的变化。

幽灵宫主笑道：“体贴的男人，女子最是欢喜，你为何不也学学王爷。”

笑语声中，她居然也将沈浪的四十掌全都避了开去，身法之轻灵迅急，变化之奇诡繁复，竟也令人目不暇给。快活王实也未想到这看来弱不禁风的少女，除了一手鬼神不测、无形无影的使毒功夫外，武功竟也如此高妙。他瞧了半晌，竟也不禁为之悚然动容。

但幽灵宫主虽能避开沈浪的四十掌，身法虽仍是那么美妙，明眼人却一望而知她实已尽了全力。

沈浪四十掌挥出后，却似乎只不过是略为尝试尝试而已，还不知有多少妙着留在后面。

幽灵宫主的武功虽高，别人犹能窥其全豹，沈浪的武功却如浩瀚烟波，广不见边深不见底。

可人咬着嘴唇，大声道："好男不和女斗，和女人打架的男人，可真没出息。"过了半晌，跳脚又道："姓沈的，你听见了么……哎呀，王爷，你瞧他竟想摸我家宫主的胸口，你说他要不要脸。"

快活王笑道："若是本王，也想摸的。"

可人瞪大眼睛，大声道："哎呀，王爷，你……你难道不吃醋？"

快活王微笑道："你若想故意扰乱沈浪，那你就错了，纵有五百个人在他身旁打铁打鼓，他若想听不见，还是可以听不见的。"

可人道："哼，装聋作哑，算什么本事。"

快活王大笑道："装聋作哑，正是对付女人的最好本事。"

可人跺脚道："男人都不是好东西，只会一鼻孔出气，欺负女孩子。"

她指手画脚，又跳又叫，袖中却有七道银丝无息地飞了出来，闪电般直取沈浪的后背。

其实，可人自然也知道这暗器是伤不了沈浪的，她只是想以此扰乱沈浪的心神，拖延沈浪的掌势。

沈浪纵能避开这无声无息、歹毒绝伦的"游魂丝"，至少也得要分心、分手，那幽灵宫主就有了可乘之机。银丝一闪，沈浪攻向幽灵宫主的右掌，已向后挥出，流云般的长袖，也随之洒了出来。

他自然只能暂缓伤人，先求自保，但前胸空门已露出，这正是幽灵宫主的第一个机会，她怎会放过。银丝闪动，袍袖挥展……也就在这同一刹那间，幽灵宫主一只纤纤玉手，已到了沈浪心口。

鬼爪抓心。那一只兰花般的纤纤玉手，已变成了追魂夺命的利刃。

这时，沈浪若要避开这一抓，就避不过背后的"游魂丝"，可人已不禁拍掌娇笑，道："这颗心的滋味不知如何？我可得要尝一尝。"

哪知就在这时，沈浪的身子突然凭空向旁移开半尺，竟全不管身后的"游魂丝"，击出的手掌，突然向内一夹竟将幽灵宫主那只纤纤玉手夹在肋下，身子借势一偏，已到了幽灵宫主身后。

这样，他虽等于没有避开幽灵宫主这一抓，但幽灵宫主掌上狠毒的掌力，却完全无法施展出来。

这时，他虽也等于没有避开“游魂丝”，但却以幽灵宫主的身子，替他作了盾牌，“游魂丝”更不能伤得了他。

这正是妙绝天下的招式，这正是出人意外的变化，要使出这样的变化，不但要有过人的武功，还得要有过人的机智。

可人一句话未说完，脸色已变了，大叫道：“宫主小心。”

呼声中“幽灵宫主”被沈浪挟在肋下的那只手，已借着手腕上的一点力量，将袍袖洒出，将银丝震退。她手臂虽被夹着不能动，但腕子却还是能动的，只可惜她这只手此刻已不能伤人，而必须先将银丝震落，这“游魂丝”本来是要伤沈浪的，这只手本来也是要伤沈浪的，但此刻，这只要伤沈浪的手，却击落了要伤沈浪的暗器。仔细想来，这真是种奇怪的变化。这种变化委实要令人有些啼笑皆非。

而这迅急、奇怪之变化的每一个细微的关键，却都早已在沈浪计算之中，别人遇着危急时常会惊惶失措。但沈浪，他却能将最危急的情况变为有利于自己的情况，别人认为他已无力招架时，他却还能乘机反攻。这就是沈浪为什么会和别人都不同的缘故。江湖中高手纵多，但那些人最多也不过只是英雄。

而沈浪……沈浪却是英雄与智者的混合。

幽灵宫主挥袖击落了银丝，手腕一偏，指尖直点沈浪后背肋下“秉风”“天宗”“肩真”三处穴。

哪知沈浪却早已料到她这一招——沈浪本就故意要她腕子还能活动，否则她又怎能将暗器击落。

此刻沈浪手臂轻轻一夹，幽灵宫主半边身子立刻就麻痹，指尖虽已触及沈浪的穴，却是无力点下。

幽灵宫主这才大惊失色，嘶声喝道：“你……你淫贼，你想将我怎样，放开我。”

可人也在一旁大叫道：“不得了，来救人呀，沈浪抱住我家宫主要强奸她了。”

沈浪笑道：“既是如此，我少不得要先亲亲你的脸。”

他右臂挟着幽灵宫主，左手已去掀她的面纱。

幽灵宫主顿声道：“你敢瞧我的脸，我就要你死。”

快活王抚掌笑道：“好，沈浪，你就要她咬死你吧。”

他眼睛也在盯着沈浪的手，希望这只手快将面纱掀开，他也是男人，他自然也着急想瞧瞧这张脸究竟是何模样。这张脸究竟是美，还是丑?

幽灵宫主为什么宁可让人瞧见她的身子，也不愿被人瞧见她的脸，莫非，她这张脸也有什么机密不成?

只见沈浪终于已微笑着将面纱掀起了。

面纱方自掀开一线，沈浪面色突然大变，就像是挨了一鞭子似的，身躯一震，连夹着的手臂竟也松开了。

幽灵宫主已急箭般退出七尺，她身子前面立刻爆出一片粉红色的迷雾，奇迹般将她完全掩没。

这变化更是出人意外，就连快活王也不禁悚然动容。

只听粉红雾中幽灵宫主的语声道：“沈浪，你瞧过我的脸，你的眼珠子就是我的了，我迟早会来拿的……迟早会来拿的……”

语声渐远，浓雾渐渐扩散，扩散……终于消失在园林间，幽灵宫主也随着奇迹般不见了。

可人自然还没有溜得了。

她眼珠子一转，居然银铃般娇笑起来。

笑声中只见她身子乳燕般轻盈一转，肩上的轻纱，已随着她这轻轻一转被甩了下来，露出了莹玉般的香肩。

那十六个手提宫灯而来的少女，本如石像般站在那里，此刻，却已都复活了，轻轻放下了纱灯，纤腰微转，甩落了肩上轻纱。

她们苍白而死板的面目，此刻也泛起了笑容，那是淫荡而媚艳的笑容，眉梢眼角，充满了销魂的春意。

接着，可人曼歌低唱，也没有人听得出她唱的究竟是什么，她只不过是一声声短促的、断续的呻吟。

但这呻吟，却比世上所有的艳曲还要令人动心。

歌声销魂，舞姿更销魂。

少女们身上的轻纱，已随着歌声一层层剥落，灯光，从地上瞧上来，已可将她们的修长而匀称的玉腿，照得纤毫毕现。

她们的舞姿散漫，已不再是“舞”，已只是一种原始的、断续的、不成节奏的简单动作。

但这动作，也正比世上最佳艳舞还要令人销魂。

这一切变化来得好快，片刻前，这里是鬼气森森的战场，此刻却已变成活色生香的销魂窟、温柔乡了。

只要是男人，只要是个有血有肉的男人，听到这呻吟，瞧见这舞姿，若不动心，就必定是生理有了毛病。

那么，沈浪此刻就像是有了毛病。

他对这一切竟全都像是视而无睹。

他只是呆呆地站在那里，梦呓般喃喃道：“怎会是她……怎会是她？”

快活王显然是想听听他在说什么，但他的低语声却全都被那些少女的销魂呻吟所掩没。

呻吟声愈来愈销魂，舞姿也愈来愈急迫。

少女们额上已泛出了汗珠，面上已红得像火。

就连这汗珠，也是销魂的。

这汗珠竟仿佛能挑逗起男人身体里一种原始的本能，这汗珠正可满足男人本能上残酷的虐待狂。

快活王直着眼睛，也不知是看痴了，还是在出神地想着心思，至于他究竟在想什么，自然没有人知道。

突然，少女们的身子竟起了阵痉挛，四肢扭曲着，颤抖着，倒在地上，柔腻的肌肤，在粗糙的沙土上拼命地摩擦。

她们摩擦、挣扎、扭曲、颤抖……就好像要将自己身体撕裂，就好像一条条被人压住的鱼。

然后，她们又突然不再动了。

她们伸展了四肢，躺在地上，胸膛起伏，不住喘气，她们似已被人压榨出最后一分力气。

她们似已不能再动了。

但她们面上，却都带着种出奇的满足，仿佛世上就算在这一刹那中毁灭，她们也不在乎了。

天地间只剩下她们心头的声音。

可人终于以手肘支起了身子，瞧着快活王，喘息着道：“王爷，你……你也满足了么？”

快活王捋须一笑，道："鬼丫头。"

可人眼波流转，顿声道："像我们这样的女孩子，一定可以令你满足的，你信不信？"

快活王大笑道："你已证明了，本王怎能不信。"

可人道："那么，王爷你就收留咱们吧。"

快活王道："收留你们？"

可人笑道："我家宫主将我们抛在这里，显然已是不要我们了，她……她终究是个女人，但王爷你……舍得杀我们么？"

快活王微微一笑，道："原来你想以自己的身子来换回活命。"

可人道："王爷你总是男人呀。"

快活王捋须大笑道："本王怎会杀你们，若连你们这些小女子都不能放过，本王又怎能称天下之英雄，又怎能服得沈浪这样的豪士。"

他突然挥了挥手，道："你们都去吧。"

可人怔了怔，道："王……王爷不要我们……"

快活王大笑道："你们虽然自觉已诱惑得很，但在本王眼中瞧来，却只不过是一群还没有长成人形的小鬼而已，本王又怎会将你们瞧在眼里。"

可人娇呼一声，道："你……你……"

快活王笑道："你方才一番做作，全是白费了心思，快些穿上衣服，乖乖地回家，下次若要再来时莫忘了把尿布也带来。"

可人的脸，飞也似的红了，一骨碌从地上爬了起来，抓起块轻纱，掩住身子，红着脸，跺着脚道："你这老鬼，你……你简直不是人！不是人……不是人……"转过身子，飞也似的逃了，就像是只被鞭子赶着的小白兔，那些少女也红着脸踉跄而去，哪里还有半分令人销魂的样子。

快活王仰天大笑，双手却轻轻拍了拍。

一条矮小的人影，突然轻烟般钻了出来，拜倒在地，道："王爷有何吩咐？"

只见他身形小如婴儿，显然正是昨夜为沈浪等洗牌的小精灵，沈浪竟也未想到这矮小的侏儒，轻功竟如此惊人。

快活王顿住笑声，沉声道："跟在她们身后，追查出她们的落脚之处，即速回来禀报。”

小精灵再拜道：“是。”

“是”字出口，身子突然弹丸般跃起，在夜色中闪了闪，便消失无踪，身法之快当真有如黑夜的精灵。

沈浪叹了口气，暗道：“快活王门下，果然没有一个等闲角色。”

他面上也瞧不出丝毫方才的痴迂之色，走到快活王面前，长揖道：“王爷之胸襟豪气，应变机智，当今天下，当真无人能及，而在下却力不能擒个小小的女子，实在愧对王爷。”

快活王笑道：“那幽灵鬼女的容颜，竟能令沈浪也为之手软，想必定是天下之绝色，只可惜本王竟无缘一见。”

沈浪道：“她难道还不是王爷的掌中之物？”

快活王大笑道：“沈浪呀沈浪，你不但知我，而且还救了我，却教本王如何待你？”

沈浪苦笑道：“在下若不出手，那女子此刻只怕已是王爷的阶下囚，王爷还要如此说，岂非令沈浪愧杀。”

快活王道：“若非有你，那杯酒本王已喝下，此刻只怕已是她的阶下囚了。”

沈浪微微一笑，道：“王爷难道真的不知酒中有毒？”

快活王道：“本王若知酒中有毒，为何要喝？”

沈浪道：“王爷已举杯，但却绝未沾唇，王爷那么做，只不过是要试试沈浪的眼力，是否能瞧破她的诡计。”

快活王抚掌大笑道：“沈浪深得我心……沈浪深得我心……”

那时刻相随在他身旁，不惜以性命护卫着他的独孤伤，此刻直躺在地上，生死不知，他竟连瞧也不瞧一眼。

他只是拉起了沈浪的手，道：“大战已过，本王理当犒劳于你，且让你见识本王的后宫佳丽。”

沈浪道：“王爷后宫佳丽，自然俱都是人间绝色，但在下此刻最最想瞧见的，却是个极丑极丑的男人。”

快活王道：“金无望？”

沈浪道：“王爷明鉴。”

快活王道：“本王只当你已忘怀了他。”

沈浪道："生平良友，岂能相忘。"

快活王笑道："你能与金无望结为知己，当真不易，你敢在本王面前承认你与金无望友情深厚，更是难得。"

沈浪道："王爷以诚相待，沈浪怎敢隐瞒。"

快活王颔首道："好……好，你此刻便要见他？"

沈浪道："在下已等了许久。"

快活王道："好，本王这就叫他来。"双掌又是一拍。掌声响后，便有个人捧着小小的紫檀木箱，大步走来，只见此人长身玉立，少年英俊，哪里是金无望？

沈浪心头一寒，面色也不觉有些改变。

只见那少年将紫檀木箱双手送上，快活王拍着箱子，沉声道："你要瞧他，就打开箱子吧。"

沈浪一生中也不知遇到过多少凶险之事，但却从未有如此刻惊惧，刹那之间，他手足都已冰冷。

金无望莫非已遭了毒手？

这箱子里装的莫非是金无望的人头？

沈浪不敢再想下去。

那是只小小的木箱，长不及四尺，宽不过两尺，镶着紫金的环饰，雕刻得十分精巧雅致。

沈浪手触及那坚实而光润的木质，竟不禁颤抖起来。

他力可举千斤之鼎，此刻却似掀不起小小木箱的盖子，快活王冷眼瞧着他，突然发出声长长的叹息。

箱子终于被打开了——是快活王打开的。

箱子里哪有什么人头？

箱子里只有一封信。

沈浪长长松了口气，只见信上写着："属下手足已残，虽有再为王爷效死之心，却再无为王爷效忠之力，王爷以国士待属下，属下恨不能以死报知己，从此当流浪天涯，不知所去，然身负如山之恩，似海之仇，亦不敢从此自暴自弃，他日若有机缘，重得报恩复仇之力，当重归麾下，死不求去。"

沈浪瞧完这封信，但觉血冲头顶。

快活王拍案道："恩怨分明，至死不忘，金无望可算是人间奇男子。"

沈浪黯然叹道："但望他能如愿，恩仇两不相负。"

快活王纵声长笑道："本王属下四使，死的死，走的走，如今俱已散去，但本王此刻还如此开心发笑，你可知为了什么？"

沈浪道："在下不知。"

快活王道："只因本王有了你，以你一人之力，已可抵四使而有余。"大笑声中，拉着沈浪的手，走向内室。

若要用任何言语来形容快活王内室之精雅，都是多余的，只因那已非任何言语所能描述得出。

内室中有十多个绝色少女，有的斜卧，有的俏立，有的身披及地轻纱，有的却露出了玉雪般的双腿。

若要用任何言语形容她们的诱惑与美丽，也是多余的。

她们瞧见快活王竟带着个少年进来，都不禁吃惊得瞪大了眼睛，她们瞧着沈浪，就像是沈浪脸上有花似的。

这密室中居然有男子进来，可真是从来未有之事。

这少年到底是什么人？为什么连王爷都如此看重他，非但将他带入了这男人的禁地，而且还拉着他手？

这少年到底从哪里来的？为什么他的笑容是那么可爱，又那么可恨？教人恨得牙痒痒的，却又要爱入心底。

快活王大笑道："我只道男人瞧见美女时，要神魂颠倒，原来女人瞧见美男子时，也会这样子失魂落魄的。"

少女们一个个飞红了脸，垂下头去，吃吃地笑，却又忍不住要悄悄抬起头，悄悄向沈浪瞟一眼。

快活王拍着沈浪肩头，笑道："你瞧她们怎样？"

沈浪道："俱都是美如天仙，艳如桃李，这就难怪王爷对方才那些小女子要不屑一顾了。"

快活王道："你中意了谁，本王就送给你。"

沈浪笑道："在下不敢。"

快活王大笑道："古人有割爱赠妾的美事，千古来传为佳话，本王为何不能，何况，你再瞧这些丫头们都如此瞧着你，若等她们效红拂之夜奔，本王倒不如索性大方些，无论是中意了谁，只管说出就是。"

沈浪微微一笑，再不说话——他瞧着这些绝色佳人，瞧着这一双双修长而匀称的玉腿，就好像瞧着一根根木头似的。

快活王眼瞪着他，大声道："此中佳丽，本王敢夸纵是大内深宫中的妃子，也不过如此了，你难道连一个也瞧不上眼？"

沈浪含笑道："却嫌脂粉污颜色。"

快活王捋须，纵声笑道："沈浪呀沈浪，你好高的眼色。"

沈浪缓缓道："只可惜王爷方才未曾瞧见那幽灵鬼女的面目。"

快活王道："你只当那鬼女颜色真的已是天下无双？"

沈浪笑而不语。

快活王道："好，本王不妨叫你见识见识真正的人间绝色。"

沈浪笑道："佳丽易得，绝色难求……"

快活王狂笑道："本王此刻便带你去见一人，你见着她后，若还要说那幽灵鬼女乃是无双之绝色，本王就算输了。"

他又拉起了沈浪的手，接着笑道："但你见着她后，千万莫要神魂颠倒，本王之一切，均可割爱相赠于你，只有她……"

顿住语声，仰天狂笑，得意之情，溢于言表。

沈浪喃喃道："但愿她莫要教在下失望……"

他言语中竟似另有深意，只可惜快活王未曾听出。

密室之中，竟还有密室。

沈浪随着快活王穿过了重重帘幕，犹听得那少女们在外面娇嗔、轻啐、跺脚、低骂……

快活王笑道："沈浪呀沈浪，你本不该伤她们的心的，你此番不顾而去，可知那些女孩子是多么伤心、失望。"

沈浪微笑道："在下本为鲁男子，怎及得王爷之怜香惜玉。"

快活王大笑道："好一个鲁男子……"

突然顿住笑声，道："嘘——轻声些，脚步也放轻些，她身子柔弱，当不得惊吵。"

沈浪口中不语，心中暗笑忖道：“不想快活王竟对她如此怜爱，当真可说是三千宠爱集一身，夫差之爱西施，看来也不过如此了。”

心念一转，又忖道：“但她真会是我想象中那人么？”

只见帘幕深处，有道小巧的门户。

沈浪瞧着各式各样的门户，有的是木制，有的是铜铸，有的是砖砌，也有的是黄金所造。

但这扇门户，却与他所见的任何门户都不相同。

这扇门竟是以鲜花编成的，千百朵颜色不同的鲜花，巧妙地编结在一起，色彩之鲜艳，眩人眼目。

两个垂髫丫环，正站在门口低低说笑，瞧见快活王来了，一起盈盈拜倒，齐声娇笑道：“王爷今天来得好早。”两人的眼波也不由得在沈浪面上转了几转，两人的年龄虽小但眼波却是又灵活，又妖娆。

快活王笑道：“不是今天太早，而是昨夜太迟了。”

左面的垂髫丫环笑道：“是呀，王爷每天早上都要来瞧瞧姑娘，只有今晚……哦，该说是昨夜，姑娘左等王爷也不来，右等王爷也不来，等得急死了。”

快活王道：“她真的会等得着急么？”

那丫环道：“还说不急，王爷若不信莺儿的话，问燕儿好了。”

燕儿道：“燕儿也不知姑娘等得急不急，只瞧见姑娘在等时，将手中的一串茉莉球都揉得碎了。”

快活王不禁又笑将出来，但笑声方出口，又缩回去了，低声道：“姑娘此刻已睡了么？”

莺儿道：“方才喝了小半碗参汤，才算睡着。”

快活王道：“哦……”

他面上居然露出了失望之色，竟也似不敢惊醒她。

莺儿道：“王爷此刻不如还是请到前面去喝两杯，等到姑娘醒来时，莺儿与燕儿再去请王爷过来好么？”

快活王笑容突然变得十分温柔，再也瞧不见那不可一世的枭雄霸主之气概，轻声笑道：“我只是轻轻走进去瞧瞧她好么？”

莺儿努起了嘴，道：“王爷要进去，谁敢阻拦。”

燕儿也努起了嘴，道：“只是王爷明知姑娘最是惊醒，姑娘睡着时，谁也不准打扰，这话也是王爷自己说出来的。”

快活王道：“那么……那么……”

转首瞧了瞧沈浪，苦笑道：“本王总不能在这些小丫头面前自食其言，是么？”

沈浪微笑道：“是极是极。”

快活王道：“那么……那么……咱们就走吧？”

沈浪道：“走吧，走吧。”

他委实也想不到这不可一世的快活王，竟会对这位姑娘如此的服帖，这位姑娘若真是他所想象的那人，那么她手段之高，就又大出乎他意料之外。

快活王这边转身，眼睛还在瞧着那门。

门里突然有一阵温柔的语声传了出来，柔声道：“是王爷来了么？”

快活王面露喜色，口中却道：“你睡吧，你睡吧。”

莺儿撇了撇嘴，悄声道：“明明将别人吵醒了，还叫别人睡吧。”

快活王只作没听见，又道：“本王少时再来就是。”

门里那温柔的语声轻轻笑道：“王爷既然来了，为何不进来？”

快活王笑道：“进去岂非惊吵了你？”

那语声柔声笑道：“王爷来了，贱妾纵然几天睡不着，也是欢喜的。”

这笑声是如此温柔，如此娇美，语声中更有着一种动人，娇怯不胜，教人不得不怜的味道。

沈浪一听得这笑声，眼睛突然亮了。

只听快活王大笑道：“既是如此，本王就进来了……只是，这里还有位客人，也想见见你，不知你可愿意见他么？”

那语声道：“王爷既将他带到这里来，他想必定是超群出众的人物，贱妾有幸得见如此人物，也高兴得很。”

快活王拉了拉沈浪的袖子，悄声道：“你听，她那张小嘴多讨人欢喜。”

沈浪微笑道：“果然不凡。”

快活王笑容更得意，燕儿、莺儿努着嘴拉开了花门，道：“王爷请。”

嘴里说“请”，心里却像是一百个不愿意。

那里，竟是鲜花的世界。

一间屋子里，到处都是鲜花……再也瞧不见别的，千万朵鲜花，装饰成一个迷人的天地。

万紫千红中，斜倚着一个长发如云、白衣胜雪的绝代佳人，她淡扫蛾眉，不着脂粉，但已足够夺去世上所有鲜花的颜色。

沈浪瞧见她，心头不禁加速了跳动。

她果然是沈浪想象中的人。

她赫然竟是久别无消息的白飞飞。

白飞飞那温柔如水的眼波在沈浪面上转了转，这眼波轻轻一转，当真便已胜过千言万语。

这曼妙眼波一转，像是幽怨，又像是欢喜，像是责怪，又像是求恕，像是淡淡的恨，又像是浓浓的爱……

这眼波轻轻一转中的含义，别人纵然不停嘴地说上三天三夜，也是叙不尽的，说不完的。

她口中却柔声道：“贱妾无力站起迎驾，王爷恕罪。”

快活王道：“你躺着……你只管躺着……”

将沈浪拉到前面，笑道：“这位沈浪沈公子，一心想瞧瞧你。”

在这一刹那间，沈浪心中也有千百念头闪过。

快活王难道会不知她认得自己？

她是否要装出不认得自己？

我是否也要装作不认得她？

沈浪平日虽然当机立断，但在这一刹那间，却拿不定主意，只因他自知在快活王面前，是一步也差错不得的。

只听白飞飞轻轻叹息了一声，道：“王爷明知贱妾是认得沈公子的，为何还要故意这么说？”

快活王拍了拍头，笑道：“哦，原来你说的那位沈公子，就是这位沈公子呀。”

白飞飞温柔地笑了笑，道："贱妾昔日流浪江湖时，若非这位沈公子多次搭救，现在……现在只怕就不能侍候王爷了。"

快活王笑道："如此说来，本王倒真该谢谢他才是。"

沈浪含笑揖道："不敢。"

白飞飞道："沈公子今日居然也会来到这里，贱妾当真是不胜之喜。"

快活王道："好教你得知，他此刻已与本王是一家人了。"

白飞飞真的像是十分欢喜，笑道："这……这是真的！"

快活王道："本王纵骗尽世上所有人，也不会骗你。"

白飞飞道："这真是天大的喜事，贱妾无论如何，也得置酒敬两位一杯。"一面说话，一面已挣扎着下了花床。

快活王赶紧过去扶着她，道："你莫要劳动，本王要喝酒，自会找别人伺候。"

白飞飞道："王爷放心，贱妾此刻已好得多了。"

她轻笑着接道："何况，今天两位绝代英雄见面的日子，贱妾若不能亲手为两位置酒，实在是终生遗憾。"

她轻轻拉开了快活王的手，盈盈走了出去。

快活王瞧着她身影，叹道："她什么都好，就是身子太单薄了些。"

转首笑问沈浪道："你瞧如何？"

沈浪面带微笑，却故意叹气道："名花已得名主，沈浪徒唤奈何。"

快活王捋须道："沈浪呀沈浪，你莫非在吃本王的醋么？"

沈浪笑道："王爷岂不正是希望沈浪吃醋么？"

快活王纵声长笑，道："沈浪之能，万夫莫敌，沈浪之唇，亦是万夫莫敌，上天若只准本王在白飞飞与沈浪两人选择其一，本王宁择沈浪。"

沈浪笑揖道："王爷如此说，当真胜过千万句夸赞沈浪的言语。"

快活王突然顿住笑声，目光逼视沈浪，沉声道："我如此待你，但愿你日后莫要负我。"

沈浪肃然道："知遇之情，永生不忘。"

快活王伸手一拍沈浪肩头，大笑道："好，绝代之英雄与美人尽属于我，本王今日岂能不醉。"

白飞飞已盈盈走来，衣袂飘飘，有如仙子。

燕儿与莺儿跟在她身后，一人手上托着个精致的八珍盘，盘当中有山珍美点，另一人手上托着的自然是金樽美酒。

白飞飞嫣然笑道："贱妾也没有什么奉待沈公子，只有手调的'孔雀开屏'酒，王爷素觉不错，只是不知是否能当得公子之意。"

沈浪笑道："王爷于名酒美人鉴赏之力，天下无双，王爷既觉好的，想必自是……"话犹未了，捧酒的燕儿"嘤咛"一声，脚下似是绊着什么，身子向他怀中跌倒，沈浪赶紧伸手去扶，只觉掌心之中，已被塞入了张小小的纸条。

第三十四章

连环妙计

沈浪暗中接过燕儿塞入掌心的纸条，声色不动，笑道：“小心走好。”

快活王微怒道：“你跌倒也不打紧，若要玷污了沈公子的衣裳，若要倾倒了姑娘手调的美酒……”

白飞飞立刻柔声接道：“贱妾再调一次，也没什么。”

玉手执壶，为快活王斟酒一杯，快活王怒气立刻化作长笑，她不但有驭下手段，也有迎上本事。

她不但能令快活王服服帖帖，也能令这燕儿莺儿死心塌地，沈浪瞧在眼里，不禁微笑颔首。

一杯酒下肚，沈浪立刻发觉这“孔雀开屏”酒，不但芳香甘洌，无与伦比，酒力之沉厚，亦是前所未有。

这酒中似乎不但有大曲、茅台、高粱、汾酒、竹叶青等烈酒，还似有状元红、葡萄桂圆等软酒。

这十余种酒掺和在一起，喝下肚里，又怎会不在肚子里打得天翻地覆，纵是铁铸的肚子，只怕也禁受不起。

何况，硬酒与软酒掺和在一起，不但酒力发作分外迅快，而且后劲之强，也是够人受的。

沈浪立刻留上神了，一杯酒虽然仰首饮下，总留下小半，白飞飞为他斟酒时，也总是倒得少些。

快活王却是胸怀大畅，酒到杯干。

他纵是超人，却也有人类的弱点。

那显然便是酒、色二字。

芸芸众生，又有几人能闯得过这酒、色二字。

于是，快活王终于醉了。

他虽然还未倒下去，但锐利的目光已迟缓，呆滞——他瞧人时已不能转动目光，却要转动整个颈子。

沈浪以手支颐，道："在下已不胜酒力，要告退了。"

快活王叱道："醉，谁醉了？"

沈浪微道："王爷自然未醉，在下却醉了。"

快活王纵声笑道："沈浪呀沈浪，看来你还是不行，还是差得太多，纵然本王喝两杯你只喝一杯，你还要先倒下去。"

沈浪道："是是是，在下怎比得王爷。"

快活王大笑道："莫走莫走，来来来，再喝几杯。"

他果然又举杯一饮而尽，拍案道："好酒，再来一壶……不行，再来八壶。"

他虽是睥睨天下，目无余子的绝代枭雄，但等到喝醉了时，却也和个赶骡车的没什么两样。

只见他忽而以箸击杯，放声高歌，忽而以手捋髯，哈哈大笑，忽而伏在案上，喃喃自语，道："白飞飞，你为什么定要叫本王苦等你……本王已等不及了……本王今日一定要在这里歇下。"

沈浪瞧了白飞飞一眼——这女孩子身在虎窟之中，居然竟能保持了身子的清白，快活王居然不敢动她。

沈浪目光中也不知是欢喜，还是佩服。

白飞飞的剪水双瞳也正在瞧着他，那温柔的眼波中，像是含蕴着叙不尽的情意，叙不尽的言语。

她像是正在对沈浪说："你可知道，我一切都是为你保留的。"

两人仅只瞧了一眼，却已似全都了解了对方的心事。

白飞飞眼角瞟了瞟快活王，嫣然一笑。

沈浪含笑点了点头，长身而起，道："在下告退了，王爷醒来时，就说沈浪已醉了。"

快活王道："莫走莫走，再喝几杯。"

他一把抓住了沈浪的衣服，沈浪轻轻扳开了他手指，悄悄走了出去，只听快活王语声已更模糊。

燕儿迎在门外，轻笑道："燕儿领公子出去。"

沈浪笑道："多谢姑娘。"

燕儿盈盈走在前面，回眸一笑，道："沈公子当真是又温柔，又多礼，真也难怪我家姑娘要……要……"掩嘴"扑哧"一笑，碎步奔了出去。

穿过重重帘幕，走到前面间屋子，那些少女倒有的已睡了，有的正在对镜梳妆，有的正瞧着双晶莹的玉腿，在修着脚趾，用一支小小的刷子，蘸着鲜艳的玫瑰花汁，小心地涂在趾甲上。

沈浪虽未低头，但却绝未去瞧一眼。

只听少女们轻啐道："好神气，有什么了不起，姑奶奶们有哪一只眼睛瞧得上你。"

"你瞧他那微笑，有多可恶。"

"嗯，你为什么要这样笑，你以为天下的女孩子瞧见你这笑都要昏倒么……哼！自我陶醉。"

燕儿一直掩着嘴在笑，好容易走了出去，终于忍不住笑出声来，轻轻咬住樱唇，笑啐道："好一群醋娘子。"

沈浪笑道："其实女孩子吃醋时大多可爱得很。"

抬眼望去，阳光已洒满庭园，草木散发着芬芳的香气，昨夜阴森、诡秘的种种遗迹，都已不见。

独孤伤也不见了，他若未死，必定伤心得很。

沈浪长长伸了个懒腰，笑道："姑娘请留步吧。"

燕儿道："你……你为什么对我总是这样客气。"

扭转身，燕子般轻盈掠去。

沈浪摇头笑道："人小鬼大的女孩子，近来愈发多了……"

只见燕儿突又转回头来，道："喂，莫忘了那……"

指了指自己的手，又指了指沈浪的手。

沈浪点了点头，缓步走出遍地阳光的庭园，昨夜，又是艰苦的一夜，但艰苦总算有了代价。

他终于胜了，终于赢得了快活王的信任。

此刻，他走在温暖的阳光下，但觉全身都充满了活力，昨夜的苦战疲惫，也正如庭园一般，被阳光照得全未留一丝痕迹。

他自信无论什么事发生，都可以应付的。

虽然他心里还有几点想不通的事，但他悄悄摸出藏在袖里的纸团，便知道今日一切都可获得解释。

刚走进门，染香就一把抱住了他。

她云鬓蓬乱，衣裳不整，明媚的眼波也满是红丝，像是一夜都未合眼，此刻一把抱住沈浪，颤声道："你终于回来了，谢谢老天，你……你没有事么？"

沈浪道："什么事都没有。"

染香道："你身子还好么？"

沈浪笑道："从来没有更好过。"

染香长长叹了口气，道："你也该早些叫人回来通知一声才是，你……你……你可知我为你多么担心，我……我一夜都睡不着。"

沈浪道："你现在睡吧。"

染香抬起眼波，眼波中充满柔情蜜意，轻声问道："你呢？"

沈浪道："我生来就像是没有睡觉的福气。"

染香道："你不睡，我也不睡。"

沈浪苦笑道："为什么？"

染香咬了咬嘴唇，道："你不睡我也睡不着。"

沈浪笑得更苦，道："你不认识我时，难道从来不睡的么？"

染香道："你……你这没良心的。"

扑上去，重重在沈浪脖子上咬了一口。

沈浪摸着脖子，唯有苦笑。

除了苦笑，他还能怎样——被太多的女孩子包围，被太多女孩子喜欢，可真是件又麻烦，又痛苦的事。

那简直比没有女孩子喜欢还要麻烦得多。

沈浪倒了杯茶，方待喝下，突然转身，一把拉开门。

春娇果然又小偷似的站在门口，又似骇了一跳。

她头发也是乱的，眼睛也是红的，也像是一夜未合眼。

沈浪瞪着她，道："什么事？"

春娇低垂着头，道："没……没什么，贱妾只是……只是来问候公子安好。”

沈浪笑道：“难道你也在担心我，怕我被快活王宰了么？”

春娇扭着衣角，强笑道：“贱妾心里有些不安，只求……求公子大人不见小人过，莫要怪罪。”

沈浪笑道：“原来你心里也有不安的时候。”

春娇道：“公子你……求你……”

沈浪道：“我若要怪罪你，还会等到此时？”

春娇长长透了口气，道：“多谢公子。”

沈浪突然沉下面色，道：“但你下次若要再像小偷似的站在我门口，我……”

染香冲过来，跺脚道：“你下次若敢再来打扰偷听，我就割下你耳朵，剜出你的眼睛，还要将你偷人的事告诉李登龙。”

春娇脸都白了，垂首道：“是，是，下次不敢了。”

扭面转身子，头也不回地逃了。

沈浪突然道：“慢着！”

春娇身子一震，道：“公……公子还有何吩咐？”

沈浪道：“快下去吩咐为我准备一笼蟹黄汤包，一盘烤得黄黄的蟹壳黄，一大碗煮得浓浓的火腿干丝，还要三只煎得嫩嫩的蛋，一只甜甜的哈密瓜……快些送来，我现在什么都不想，只想好好吃一顿。”

面对着满园灿烂的阳光，沈浪慢慢地享受着丰富的早点，汤果然很浓，蛋果然很嫩，哈密瓜果然甜如蜜。

他静静地吃完，身后已传来染香均匀的鼻息。

谢天谢地，她终于睡着了。

沈浪阖上眼睛，将那张纸上写的又回想一遍。

“多日不见，渴思萦怀，今日午时，庭园静寂，盼君移玉，出门西行，妾当迎君于浓荫树下。”

现在，正将近午时。

午时，果然是这快活林里最静的时候，经过长夜之饮后的人们，此刻正是睡得最甜的时候。

沈浪缓步西行，四下听不见一丝人声，甚至连啁啾的鸟语都没有，只有微风穿过树林，发出一阵阵温柔的声音，就像是枕畔情人的呼吸。

远处有老树浓荫如盖，一条俏生生的白衣人影，正伫立树下，风，舞起她的衣袂与发丝。

她目光正向沈浪来路凝睇。

沈浪瞧见她，心里忽然泛起一种难言滋味，也不知是愁是喜。这是个温柔而美丽的女孩子，但也是个奇异而神秘的女孩子，她看来正如婴儿般纯洁而天真，但世上却没有一个人能猜出她的心。

瞧见她，沈浪又不禁想起朱七七。

那刁蛮、任性、顽皮、倔强，最可爱、也最可恨的朱七七，那明朗、爽快、骄傲，但有时又温柔如水的朱七七。

那可怜、可恨，又不知有多可爱的朱七七。

朱七七和白飞飞，是两种多么不同的女孩子，两人正像是两个极端，两种典型，一个热得像火，一个却冷得像冰。

但无论如何，这两个女孩子都是可爱的。

沈浪实在想不出世上还会有比她们更可爱的女孩子。

他面上泛起微笑，心里却不禁叹息，为什么这两个如此可爱的女孩子，命运却都是这么悲惨、不幸？

白飞飞自然也瞧见他了。

她面上泛起仙子般的笑容，比阳光更灿烂。

她轻轻招了招手，柳腰轻折，向林荫深处走去。

四下没有人迹，远处有蝉声摇曳，花已将开，春已渐浓，今年的春天，像是来得并不太迟。

浓浓的树荫，将白飞飞的衣裳映成淡淡的碧绿色，她垂着头坐在那里，长长的睫毛，轻轻覆盖着眼睑。

那里是一块凹进去的岩石，四面有柔枝垂藤，宛如垂帘，自枝条间望过去，她容光更是明媚绝世。

沈浪悄悄走过去，站在她面前，没有说话。

她也没有说话。

两人的呼吸声，正也胜过世上所有的柔情蜜语。

然后，她整个人投入沈浪怀抱里。

沈浪轻抚着她如云柔发，良久良久。

风更轻柔，春意更深。

沈浪突然长长叹了口气，道：“幽灵宫主，你好么？”

白飞飞抬起了头，嫣然一笑，道：“你连我的名字都忘了么？”

沈浪俯首凝注着她，这张脸上，丝毫没有惊惶，丝毫没有恶意，有的只是甜蜜的柔情，深浓如酒。

她情意甜蜜，她眼波轻柔，她婉转投怀，她香泽微吐……这标致的女孩子，怎会是杀人的魔头？

沈浪唯有轻轻叹息，道：“有谁能忘得了你的名字？”

白飞飞眼波展转，道：“那么，你说我叫什么名字？”

沈浪道：“飞飞……白飞飞……你真是个聪明的女孩子。”

白飞飞柔声道：“那么，你为何要叫我幽……幽灵宫主？”

沈浪淡淡笑道：“白飞飞难道不是幽灵宫主？”

白飞飞轻轻推开了他，后退半步，眼波深情地望着他，深情的眼波中似乎有些娇嗔薄怒。

她轻咬樱唇，道：“那幽灵宫主究竟是谁？你为何时时刻刻都要提起她，她……她难道也是个美丽的女孩子？”

沈浪目光凝注远方，悠悠道：“不错，她是个非常美丽的女孩子，也非常聪明，还有一身非常高明的武功。”

白飞飞垂下头，轻叹道：“你如此夸奖她，她一定比我强得多，但……求求你，莫要在我面前夸奖别人好么？”

沈浪道：“但她也是个非常非常狠毒的女孩子，别人不能做，也不敢做的事，她却全都能做得出来。”

白飞飞抬起眼，道：“你见过她？”

沈浪道：“我见过她，就在昨夜……非但见过她，还曾和她交过手。”

白飞飞道：“她……她长得是何模样？”

沈浪道：“她面上总是覆着层轻纱，不肯让人瞧见她的真面目，但是我……我终于将那层轻纱揭开了。”

他目光突然利箭般望向白飞飞，一字字缓缓道：“我这才发现，她原来就是你，你原来就是幽灵宫主……所以我就没有再出手。”

白飞飞后退三步，失声道："我……你瞧错了吧？"

沈浪叹道："我不会瞧错的，别人纵能假冒你的容貌，但那双眼波……那双眼波除了你外，谁也不会再有。"

白飞飞全身都颤抖起来，道："所以你认为我就是那狠毒的幽灵宫主？"

沈浪道："我别无选择。"

白飞飞颤声道："我若是幽灵宫主，怎会流浪到江南，任凭别人卖我为奴？我若有一身武功，又怎会时时受人欺负？"

她眼圈儿已红了，泪珠已将夺眶而出。

沈浪长长叹息道："这正也是我百思不解的事。"

白飞飞泪流满面，道："你……你难道一点也不相信我？"

沈浪道："我很愿意相信你，只是，我又不能不更相信我的眼睛。"

白飞飞道："亲眼瞧见的事，有时也未必是真的。"

沈浪默然半晌，喃喃道："不错……亲眼瞧见的事，有时也未必是真的。"

白飞飞掩面轻泣，断续着道："我是个孤儿，从小就不知父母是谁，世上从来没有一个人，真心地待我好，只有你……只有你……"

她突又扑到沈浪身上，悲泣着道："而你现在也不相信我，我……我活着还有什么意思？"

沈浪神色也颇为黯然，道："我能相信你么？"

白飞飞仰起头，秀发波浪般垂落。

她泪眼瞧着沈浪，道："你瞧我可像是那么狠毒的女子。"

沈浪瞧着她满面泪痕，满面凄楚，唯有叹息摇头，道："不像。"

白飞飞道："那么，你就不该怀疑我。"

沈浪叹道："若说那幽灵宫主不是你，世上又怎会有两个如此相像的女孩子？"

白飞飞道："我难道就不能有个孪生的姐妹，只不过她的命运比我好，我一生受人欺负，而她却在欺负别人。"

沈浪怔了怔道："孪生姐妹？"

白飞飞道："这事听来虽然像是太巧，但世上凑巧事本就很多，这种事也不是不可能发生的……是么？”

沈浪道：“这……”

白飞飞接着道：“何况，昨夜你只不过是匆匆一瞥，又是在黑暗之中，你难道能断定你是完完全全瞧对么？”

沈浪垂下了头，道：“我……”

白飞飞流泪道：“你既然不能断定，你就不该如此说，你可知道，我一生的幸福，全在你手上，你又怎忍心将我一生断送？”

沈浪默然半晌，轻抚着她的柔发，道：“我错了……我错了……你能不能不怪我？”

白飞飞幸福地叹息一声，伏在沈浪胸膛上，柔声道：“我一切都是你的，你纵然杀了我，我也不会怪你。”

风，温柔地吹着，有如此温柔美丽的女子伏在自己胸膛上，轻叙着如此温柔的言语，如此温柔的情意……

沈浪纵是铁石人，也不禁软化了。

温柔……永远是英雄们不可抗拒的。

也不知道过了多久，沈浪终于柔声问道：“这些日子来，你遭遇了什么？可以说给我听么？”

白飞飞道：“那天在客栈中，你和金无望都走了，朱姑娘很生气，我……我知道是我拖累了她，心里也不知有多么难受！”

沈浪苦笑道：“她……她并不是故意的。”

白飞飞道：“我知道……我知道朱姑娘有时虽然脾气大些，但心却是好的，而且她又聪明，又爽朗，又娇美……我实在比不上她。”

沈浪微笑着，又不禁叹息着道：“你什么事总替别人着想，就这一点，她已比不上你。”

白飞飞展颜一笑，如春花初放，道：“真的么？”

但这美丽的一笑瞬即隐没。

她又颦起双眉，轻叹道：“那时我真想一个人悄悄溜走，免得再惹朱姑娘生气，谁知也就在那时，那个可恶的金……金……”

沈浪道：“金不换。”

白飞飞道：“不错，金不换已闯进来了，掩住了我的嘴，将我掳走，他……他……他竟将我送到那王……王公子手上。”

沈浪黯然道：“这些事，我知道。”

白飞飞道：“我心里真是害怕死了，我知道那王公子是个……是个不好的人，幸好他……他像是很忙，并没有对我怎样。”

她像是费了许多气力，才将这番话说出，说出了这番话，苍白的面颊，已嫣红如朝霞。

她红着脸，垂头接道：“后来，他们就又将我送到一位王夫人的居处，那位王夫人的美丽，我纵是女人，见了也未免心动。”

沈浪淡淡一笑，道：“她对你怎样？”

白飞飞叹息道：“她对我实在太好了，她就像是天上的仙子，有一种神奇的力量，可以将任何人的悲伤化作欢乐。”

沈浪道：“所以，你很听她的话？”

白飞飞垂首道：“她对我这么好，我怎能拒绝她的要求。”

沈浪道：“她要你做什么？”

白飞飞道：“她要我混入快活王这里，为她打探消息，我本来是不敢的，但后来知道快活王也是你的仇人，我就答应了。”

沈浪柔声道：“谢谢你。”

白飞飞嫣然一笑，道：“只要能听见你这句话，无论吃什么苦，我都心甘情愿了。”

沈浪道：“你吃了很多苦么？”

白飞飞凄然垂头，道：“为了要取信于快活王，她只好先将我和那……那世上最最可恶可恨的妖魔关在一个地方。”

沈浪叹道：“你一定吓坏了。”

白飞飞脸又红了，道：“我宁愿和毒蛇猛兽关在一起，也不愿见到他一面，但……为了王夫人，为了你，我只有壮起胆子。”

沈浪道：“想不到你还是个如此勇敢的女孩子。”

白飞飞的脸更红道：“王夫人后来还告诉我件秘密，原来那妖魔不是男的，而是个女的，但后来我虽明知她是女的，瞧见‘她’那一双眼睛时，仍然不住要全身发抖，‘她’手指沾着我时，我真恨不得立刻就死去。”

沈浪道：“可是那王夫人故意放‘她’和你逃的？”

白飞飞道："王夫人知道'她'若能逃走，必定会带着我，那一路上……唉……"她泪珠又复流下，但瞬即又抬头笑道："无论如何，'她'现在总算死了。"

沈浪道："他可是一到这里就死了？"

白飞飞道："一进门就死了。"

沈浪道："他是如何死的。"

白飞飞幽幽道："是我杀死了他。"

沈浪悚然道："你？"

白飞飞道："不错，我……你奇怪么？"

她掠了掠散乱的鬓发，接口道："王夫人给了我一个戒指，那戒指上有个极细的尖针，针上是其烈无比的毒药，我只要轻轻一拍'她'肩头，眨眼间'她'便要毒发而死，'她'始终将我认作'她'的囊中之物，自然全未曾防备着我。"

沈浪沉思半晌，长长叹了口气，道："原来如此。"

白飞飞幽幽道："我也杀了人，你会不会怪我？"

沈浪柔声笑道："无论任何人换作你，都会杀死她的。"

白飞飞道："那么，你又在想些什么？"

沈浪叹道："我有件始终不懂的事，直到此刻才恍然大悟。"

白飞飞道："什么事？"

沈浪道："我始终不了解，展英松那些人，为何一入'仁义庄'，就全都暴毙，如今我才知道，那也是王夫人的指上毒针。"

白飞飞眨了眨眼睛，道："但那戒指上的毒针，只能用一次呀，那就好像毒蜂的尾针一样，用过一次，就没有毒了。"

沈浪皱眉道："哦……"

白飞飞道："何况，那些人死得一个不剩，又是谁下的手？"

沈浪又自沉思半晌，展颜笑道："我明白了。"

白飞飞道："那究竟是什么秘密？"

沈浪道："王夫人放他们时，必定有个条件。"

白飞飞道："什么条件？"

沈浪道："那就是要他们每个人都必须杀死一个人。"

白飞飞摇头道："我还是不懂。"

沈浪道："王夫人分别将他们召来，每个人都给他一枚指上蜂针，他们彼此间却全不知道，所以，到了'仁义庄'，甲杀了乙，乙杀了丙，丙杀了丁，丁又杀了甲，结果是每个人都死了，杀死他们的仇人，正是他们自己。"

白飞飞长长吐了口气，道："好毒辣的计谋，好毒辣的手段。"

沈浪叹道："这手段虽毒辣，但展英松这些人若全都是正人君子，那么王夫人纵有毒计，却也无法使出了。"

白飞飞颔首叹道："这就叫作害人害己……"

突听一人冷笑道："你们这正也是在害人害己。"

语声中，一柄长剑，毒蛇般自拂柳垂藤间划了出来。

剑，闪动着毒蛇般的青光。

白飞飞娇呼一声，投入沈浪怀里。

沈浪身形闪动，避开三步，叱道："什么人？"

剑尖斜飞，挑起了垂藤。

一个劲服急装的英俊少年，斜举长剑，瞧着他们冷笑，胸前一面铜镜上，写着"三十五"。

这赫然正是快活王门下的急风骑士。

沈浪面上竟仍然带着笑容，点头道："兄台竟能来到这里，在下竟毫未觉察，看来兄台的武功，必定高出同僚许多，当真可贺可喜。"

那急风骑士冷笑道："阁下已堕入温柔乡里，纵有千军万马到来，阁下只怕也是听不见的。"

沈浪笑道："也许真是如此。"

急风骑士怒喝道："王爷待你不薄，将你引为知己，你就该以知己之情，回报王爷才是，哪知你却在此勾引王爷姬妾，你可知罪？"

沈浪淡淡笑道："知罪又如何？"

急风骑士厉声道："快随我同去见过王爷，王爷或许还会从轻发落，赐你一个速死。"

沈浪笑道："那在下真该感激不尽，只是……"

他眨了眨眼睛，又笑道："你看沈浪可是如此听话的人么？"

急风骑士怒道："你想如何？"

沈浪道："在下只是有些为兄台可惜，兄台若是聪明人，方才就该悄悄溜走才是，此刻兄台再想走只怕是已走不了啦。”

急风骑士冷笑道：“你当我是一个人来的么？”

沈浪道：“你难道不是？”

急风骑士厉声道：“这四周已布下十七骑士，除非你能在刹那间将我等全都杀死，否则你纵然杀了我，还是难逃一死。”

沈浪道：“哦——”

他面上竟还在笑，白飞飞面上却已全无一丝血色，突然冲出去挡在沈浪面前，咬着牙大叫道：“这完全不关他的事，这全是我叫他来的。”

急风骑士冷笑道：“白姑娘当真是情深意厚，只可惜我……”

白飞飞颤声道：“你要杀，就杀我吧。”

那急风骑士目中突然闪过一丝邪恶的笑意，道：“像姑娘这样的美人，在下怎忍下手？”

白飞飞身子颤抖起来，道：“你想怎样？”

急风骑士缓缓道：“姑娘想怎样？”

白飞飞咬着牙跺了跺脚，道：“只要你放过他，我……我……我什么都……都依你。”

急风骑士笑道：“真的么？”

白飞飞又自泪流满面，道：“真的。”

急风骑士道：“沈公子意下如何？”

沈浪微微一笑，道：“很好，你们走吧。”

这句话说出来，那急风骑士与白飞飞全都一怔。

白飞飞颤声道：“你……你……你……”

沈浪微笑道：“你既然肯牺牲自己来放我，我若坚持不肯被你放，岂非辜负你一番好意……骑士兄，你说是么？”

急风骑士道：“这……我……”

沈浪笑道：“两位此去，需得寻个幽秘之处，莫要被别人发现才是。”

白飞飞嘶声道：“你……你不是人。”

沈浪道：“这可是你自己说的，怎么反而骂我？”

白飞飞道：“这……我……”

沈浪笑道："这若是个故事，写到这里，你一心要牺牲自己救我，我就该全力拦阻于你，甚至不惜拼命，那才是个凄恻动人、赚人眼泪的故事，若不如此写法，那读者必定要失望得很，故事也说不下去了。"

他一笑接道："只可惜此刻你不是在写故事，此间也没有观众，是以这情节的变化，也就不必再去套那老套了。"

白飞飞愕在那里，像是已呆住了。

那急风骑士也愕了半晌，突然哈哈大笑道："好，沈浪果然是好角色。"

沈浪笑道："岂敢岂敢。"

那急风骑士大笑道："你是如何认出我来的？"

沈浪淡淡道："急风骑士若有这样的轻功，快活王就当真可以高枕无忧了，何况，急风骑士纵有你这样的轻功，也不会有你这样色迷迷的眼神。"

他大笑接道："像这样的轻功，这样的眼神，除了咱们的王怜花王公子外，世上只怕再也找不出第二个人来的。"

白飞飞像是又愕住了，瞧瞧沈浪，又瞧瞧那急风骑士，面上的神情，也不知是哭是笑。

那"急风骑士"抱拳笑道："适才在下玩笑，白姑娘恕罪则个。"

白飞飞道："你……你真的是王怜花？"

王怜花笑道："只可惜在下制作的这面具，花了不少工夫，否则在下此刻就必定请白姑娘瞧瞧真面目了。"

白飞飞突又珠泪滚滚，瞧着沈浪，流泪道："你……你怎忍这样开我的玩笑？"

若是换了朱七七，此刻早已一拳打在沈浪身上，但白飞飞她却只是自艾自怨，流着眼泪又道："但这也怪不得你，这……这全该怪我，我……我不该……"

她若真的打了沈浪，沈浪反觉好受些，她如此模样，沈浪倒真是满心歉疚，又怜又爱，忍不住轻轻拢起她的肩头，柔声道："我只当你也认出了他，所以……"

白飞飞凄然道："怎会认出他，那急风第三十五骑，我虽见过，但他……他实在扮得太像，简直连语声神态都一模一样。"

王怜花笑道："多谢姑娘夸奖，但我还是被沈兄认出了。"突似想起什么，竟反手给了自己个耳刮子，苦笑道："该死该死。"

王怜花惊才绝艳，心计深沉，虽然年纪轻轻，已隐然有一代枭雄之气概，此刻居然做出这小丑般的动作来。

白飞飞不禁怔住，道："什么该死？"

王怜花苦笑道："这沈兄两字，岂是我能叫得的。"

白飞飞道："沈兄两字，你为何叫不得？你又该唤他什么？"

她嘴里说话，眼角却在瞟着沈浪，这玲珑剔透的女孩子，似乎已从王怜花一句话里听出了些什么。

她似已微微变了颜色。

沈浪苦笑着，此刻他面上的神情，白飞飞竟从未见过，他举止竟似已有些失措，笑得更是十分勉强。

王怜花却似什么也未瞧见，笑道："好教姑娘得知，现在我至少也得唤沈公子一声叔父才是。"

白飞飞纤手掩住了樱唇，失声道："叔父！"

王怜花道："不错，叔父……只因沈公子已与家母有了婚约。"

白飞飞仿佛被鞭子抽中，身子斜斜倒退数步，一双眼充满惊骇，也充满悲愤的眼色，紧盯着沈浪，颤声道："真的……这可是真的？"

沈浪苦笑道："这使你吃惊了么？"

白飞飞身子颤抖着，泪珠又夺眶而出。

整整有盏茶工夫，她就这样站着，任凭身子颤抖，任凭泪珠横流，像是永生也无法再移动。

然后，她突然嘶声悲呼，道："你为何不早对我说，你为何方才不对我说，你是不是还想骗我。"她翻转身奔出垂藤，踉跄而去。

她没有再回头。

沈浪就这样瞧着她冲出花丛。

他没有拦阻，没有说话，他根本没有动。

他甚至连神情都恢复了平静，没有丝毫变化。

王怜花就这样瞧着沈浪，也没有动，没有说话。

他面上的表情甚是奇特，目中直藏着一丝残酷的笑。

沈浪终于回转头，面对王怜花。

王怜花就以那种含笑的目光，瞧着他。

沈浪嘴角终于又露出那种懒散的、毫不在乎的微笑。

王怜花若非已经易容，嘴角的笑容必定也和沈浪差不多。

这是当今一代武林中两个最具威胁性，最具危险性，也最具侵略性的人物，此刻在这四面垂藤的阴影中，面对面笑着，他们的心里在想着什么？他们的笑容有什么含义，谁能知道？谁能猜得出？

他们的年纪相差无几，他们的立场似同非同，他们的关系是如此复杂，他们究竟是友，是敌？

他们是想互相陷害，还是想互相扶助？

谁能知道？谁能分得出？

无论如何，在这一刹那间，正是最危险的时候，他们心中若有积怨控制不住，此刻便是出手的时刻。

这一出手，必将惊天动地，必将改变天下武林之大局，这一出手，必将分出生死存亡，胜强弱负。

但他们谁也没有出手。

危险的一刻，只是在平静的微笑中度过。

沈浪一笑道："你为何要这样做，为何要这样说？"

王怜花淡淡笑道："你难道猜不出？"

沈浪道："无论我是否猜得出，我都要听你亲口告诉我。"

王怜花道："你自然早已知道，这自然是家母的意思。"

沈浪道："哦？她……"

王怜花诡秘地一笑，道："我若是她，我也会这样做的，任凭你这样的男子保留自由之身，世上只怕没有一个女人能放心得下。"

沈浪道："你此刻是以什么身份在和我说话？"

王怜花道："兄弟之间，敌友之间。"

沈浪道："此刻你和我又回复为兄弟了么？"

王怜花道："在别人面前，你算是我的长辈、叔父，但是只有你我两人在时，我却是你的兄弟、朋友……有时说不定还是你的对头。"

沈浪凝目瞧了他半晌，展颜一笑，道："不想你说话也有如此坦白的时候。”

王怜花笑道：“我纵要骗你，能骗得过你么？”

两人抚掌而笑，居然仿佛意气甚投。

但沈浪突又顿住笑声，道：“但你却仍然忘记了一件事，这件事正是一切问题的症结所在。”

王怜花道：“此事若这般重要，我自信不会忘却。”

沈浪道：“你难道忘了，女子在受了刺激时，是什么事都做得出的。”

王怜花道：“这句话天下的男人都该记得，我又怎会忘记。”

沈浪道：“你难道不怕白飞飞在受刺激之下，去向快活王告密？”

王怜花微微一笑，道：“她不会去告密的。”

沈浪道：“你知道？”

王怜花道：“我自然知道。”

沈浪道：“你有把握？”

王怜花道：“我自然有把握。”

沈浪目光闪动，像是要再追问下去，但一点灵机在他目中闪过后，他却突然改变语锋。

他展颜一笑，道：“无论如何，你此番前来，总是我想不到的事。”

王怜花笑道：“家母的战略计谋，本是人所难测。”

沈浪道：“你不怕被他认出？”

王怜花道：“不近君侧，便无惧事机败露。”

沈浪沉吟道：“但她……她为何……”

王怜花笑了一笑，道：“我知道你心中必有许多疑窦，我也无法向你一一解说，但我带你去见一个人后，你或许就会明白许多。”

沈浪道：“哦，那是什么人？”

王怜花目光闪烁，道：“你见着他后，自会知道。”

沈浪道：“我何时能见着他？”

王怜花道：“就在此刻。”

沈浪没有再问，他知道再问也必定问不出什么。

就在这时，远处突然有人笑呼道：“沈公子当真是雅人，竟寻了个阴凉所在来避暑。”

沈浪微微皱眉，自垂藤间望出去，只见一人锦衣敞胸，手提着马鞭，鞭打着长草，边笑边走而来。

来的这人委实有些出乎沈浪意料之外。

他竟是那不务正业的纨绔子弟“小霸王”。

沈浪回首道：“你要我见的莫非是他？”

王怜花失笑道：“怎会是他？”

沈浪嘘了口气，但目中又复闪动出逼人的光彩。

只见那小霸王一头钻进了垂藤，挥着马鞭，笑道：“好个凉爽所在，真亏沈兄如何找得到的。”

沈浪微微笑道：“是呀，此事倒奇怪得很。”

小霸王眨了眨眼睛，道：“奇怪？”

沈浪道：“兄台还未走到这里，远远便唤出在下的名字，这岂非是件怪事？”

小霸王道：“这……嘻嘻哈哈……妙极妙极，沈兄难道未曾听说过，身无彩凤双飞翼，心有灵犀一点通，小弟那时虽未真个见到沈兄，但远远瞧见这里有人，便猜中那必定是沈兄了……”

他抚掌笑道：“这些人除了沈兄外，还有谁有此风雅。”

沈浪大笑道：“妙极妙极，果然妙极，兄台果真是妙人。”

他有意无意，伸手去拍小霸王肩头。

王怜花却也似在有意无意，轻轻托住了他的手。

沈浪目光微闪，王怜花微微摇头，就在这一眨、一摇头之间，小霸王已在生死边缘上走了一周。

小霸王却浑然不觉，仍在傻笑着，若说他心存奸谋，委实不似，若说他胸无城府，却又委实令人可疑。

沈浪突然发现，此时此刻，在这快活林中，每个人都不如表面瞧来那么简单，每个人都有神秘的内幕。

小霸王手挥着马鞭，东瞧瞧，西望望，突又转身，面对沈浪，笑道：“沈兄可知道小弟来寻沈兄是为什么？”

沈浪笑了笑，没有说话。

小霸王道："小弟来寻沈兄，只是为了要请沈兄鉴赏一个人而已。"

沈浪道："哦？"

小霸王道："小弟日前带的那女子，委实幼稚低俗，沈兄只怕已在暗中笑掉了大牙，是以小弟此番又请了一位姑娘来，想请沈兄品评一番。"

沈浪笑道："在下对女子一无所知，否则此刻也不会仍是光棍了。"

小霸王大笑道："沈兄莫要太谦，沈兄只怕是因为对女人所知太多，所以至今仍是光棍一条……骑士兄，你说是么？"

王怜花抚掌笑道："是极是极，妙极妙极。"

小霸王道："那位姑娘此刻就在附近，小弟一呼即至……垂花藤下，品鉴美人，这是何等风雅之事，沈兄雅人，谅必不致推却的。"

沈浪道："既是如此，小弟就恭敬不如从命了。"

小霸王马鞭一扬，笑道："沈兄稍候，小弟去去就回。"

他挥着马鞭，像是在骑马似的，跳跳蹦蹦奔了出去。

沈浪目送他背影远去，微微一笑，道："如今我才知道人当真是不可貌相，水当真不可斗量。"

王怜花道："沈兄为何突有此感慨？"

沈浪道："这小霸王看来仿佛是个还未长成人形的大孩子，其实胸中却也大有文章，他故意做出那般模样，只不过叫人轻视于他，不加防范而已。"

王怜花漫应道："哦。"

沈浪道："如今我才知道，原来这小霸王，居然也是你的属下。"

王怜花笑道："你从何得知？"

沈浪微微笑道："若非你告诉了他，他又怎会知道我在这里，他若非你的属下，你又怎会阻我出手伤他。"

王怜花眨了眨眼睛，道："是这样么？"

沈浪一笑道："其实我方才又怎会真个出手伤他，我那般的做作，只不过是要试一试我们的王怜花公子而已。"

王怜花抚掌大笑，道："你我行事，真真假假，大家莫要认真，岂非皆大欢喜。”

笑声中，小霸王又一头钻了进来，笑道：“来了……来了。”

两个健壮的妇人，抬着顶绿绒顶紫竹帘的软兜小轿，走入这四面垂藤，幽秘而阴凉的小天地。

她们放下轿子，立刻又转身走了出去。

竹帘里，隐约可瞧见条人影，窈窕的人影。

小霸王手扶竹帘，笑道：“此人若再不能入沈兄之目，天下只怕便无可入沈兄之目的人了。”

沈浪微笑道：“既是如此，在下理当一拜。”

他竟真的躬身一揖到地。

小霸王怔了怔，失笑道：“沈兄为何如此多礼？”

沈浪道：“倾城之绝色，理当受人尊敬。”

他朗声一笑，接道：“岂不闻英雄易得，绝色难求，古来的英雄，多如恒河沙数，但倾城之绝色，却不过寥寥数人而已，在下今日能见绝色，岂是一礼能表心意。”

小霸王大笑道：“沈兄当真不愧为天下红颜的知己。”

突然掀起竹帘，轿中端坐的，赫然竟是朱七七。

沈浪委实再也想不到会在这里见着朱七七。

朱七七正是王夫人用来要挟沈浪的人质，王夫人又怎肯将她送到沈浪身侧，怎肯将她送到这里？

刹那之间，就连沈浪也不禁怔在当地。

只见朱七七云鬟高挽，锦衣华丽，低眉敛目，神情端庄，眼波虽瞧着沈浪，但面容却平静如水。

这哪里还是昔日那娇纵、刁蛮、调皮的朱七七？这哪里还是那敢爱得发狂，也敢恨得发狂的朱七七？

但这明明是朱七七，那眉，那眼，那鼻，那唇……

那是半分也不会假的。

那正是纵然化为劫灰，沈浪也认得的朱七七。

那正是任何人易容假冒，都休想瞒得过沈浪的。

沈浪怔了许久，终于勉强一笑，道："多日未见，你好么？"

这虽然是句普普通通的问候之词，但言辞中却满含情意，他知道朱七七是必然听得懂的。

他暗中不知不觉在期望着她热烈的反应。

他毕竟是个男人。

但朱七七面上仍无丝毫表情，竟只是淡淡道："还好，多谢沈公子。"

这冷冷淡淡一句话，就像是鞭子。

沈浪竟不觉后退半步。

他如今才知道受人冷淡是何滋味，他如今才知道自己也是个人，对于失去的东西，也会有些惆怅悲情。

小霸王挥着马鞭，眨着眼睛，笑着，瞧着。

王怜花目中充满了得意的诡笑。

沈浪霍然回首，道："她……她怎会……"

王怜花含笑道："家母突然觉得与其以别人来要挟沈公子，倒不如要沈公子完全出于自愿的好，家母对沈公子之了解，沈公子原该感激才是。"

沈浪道："但……但她此番前来……"

王怜花淡淡笑道："何况，家母自觉也不该再以朱姑娘来要挟沈公子，是以特地令她前来，与沈公子重新见礼。"

沈浪动容道："重新见礼？"

王怜花缓缓道："只因家母已为小侄与朱姑娘订下了婚事。"

沈浪不觉又后退半步，眼睛盯着朱七七，失声道："你……你……"

朱七七淡淡一笑，悠悠道："你难道不觉欢喜？"

沈浪呆在那里，道："我……我……"

这一击实在不轻，但沈浪并未倒下去。

他只是木立半晌，突又展颜一笑，抱拳道："恭喜恭喜。"

朱七七淡淡道："多谢公子……"纤手突然一抬，竹帘"唰"地落了下去，她冷淡的眼波与娇媚的容貌又不复再见，又只剩下一条朦胧的身影。

现在，沈浪心头若还有什么剩下的，那也只不过是一丝苦涩的回忆，以及一大片不可弥补的空虚。

但他身子却挺得更直，笑容也仍是那么洒脱，小霸王在一旁瞧着，目中也不禁露出佩服之意。

王怜花笑道：“我知道沈公子必定还有一句话要问的。”

沈浪道：“不错，我正要问，朱七七既来了，熊猫儿在哪里？”

王怜花缓缓道：“熊猫儿么，他只怕也要做出些沈公子猜想不到的事。”

沈浪一把抓住他的手腕，道：“他在哪里？”

王怜花面颊肌肉一阵痉挛，但毕竟未露出疼痛之态。

他深深吸了口气，道：“他现在正……”

就在这时，只听四下有人呼叫：“沈浪……沈公子，快请出来，王爷有请。”

这呼唤一声接着一声，远近俱有。

王怜花目光闪动，道：“这里已非谈话之地，你快去吧，我自会与你联络的。”

沈浪凝目瞧着他，五根手指，一根根放松，然后霍然转身，头也不回，快步走了出去。

一杯浓浓的，以新鲜西红柿制成的汁，盛在金杯里。

快活王一口气喝了下去。

然后他朗声一笑，道：“病酒，酒病，古来英雄，被这酒折磨的只怕不少。”

沈浪俯身瞧着卧榻上的快活王，微笑道：“英雄若不病酒，正如美人不多愁一般，总令人觉得缺少些风味，只是这病酒之事，史书不传而已。”

快活王抚掌大笑，道：“那些史官若少几分酸气，若将自古以来英雄名将病酒之事历历绘出，那么无论三国汉书，都更要令人拍案叫绝了。”

沈浪微笑道：“曹阿瞒与刘皇叔煮酒论英雄后，是谁先真个醉倒？班定远投军从戎时，是否先饮下白酒三斗？这当真都是令后人大感兴趣之事。”

快活王笑声突顿，目光凝注沈浪，缓缓道：“却不知你此刻最感兴趣之事是什么？”

沈浪沉吟道：“小精灵身轻如叶，不知是否已探出那幽灵宫主的巢穴。”

快活王皱眉道：“此事无趣之极，不提也罢。”

沈浪道：“莫非他还未曾回来？”

快活王叹道：“不错，他还未曾回来。”

突然以拳击案，大声道：“他此刻既不回来，只怕永远也回不来了。”

第三十五章

千钧一发

沈浪无言垂首，心头却不禁暗暗叹息："好厉害的幽灵宫主，但总有一日我会知道你究竟是谁的，而且这一日看来已不远了。"

只见快活王突又展颜一笑，道："此事虽无趣，但本王今日却另有一件有趣之极的事。"

沈浪笑道："但望王爷相告。"

快活王长须掀动，纵声笑道："就在今日，竟又有一人不远千里而来，投效于我。"

沈浪动容道："哦……此人是谁？"

快活王道："此人自也是天下之英雄。"

沈浪轩眉道："天下之英雄？"

快活王道："此人不但酒量可与你比美，武功只怕也不在你之下，独孤伤与他拆了七掌，竟也败在他手下。"

沈浪再次动容，道："此人现在何处？"

快活王抚掌道："他与你正是一时瑜亮，是以本王特地请你前来与他相见，天下之英雄尽在此间，不亦快哉，不亦快哉。"

霍然长身而起，笑道："此刻他仍在与人痛饮不休，你正好赶去和他对饮三百杯。"

拉起沈浪的手，大步向曲廊尽头的花厅走了过去。

只听一阵阵欢呼豪饮之声，透过珠帘，传了出来。

那燕儿正掀着半边帘子，悄悄向里面窥望，听见后面的人声，瞧见了快活王，一缩脖子，一溜逃走了。

珠帘内有女子娇笑，道："芳芳敬了你二十杯，萍儿也敬了你三十杯，现在，我敬你三十杯，你为何不喝下去？"

另一个女子娇笑道："是呀，你若不喝下去，珠铃一发脾气，就要咬你的舌头了。"

一个男子的声音大笑道："区区三十杯，算得了什么，来，倒在盆子里，待我一口气喝下后，再来个三十杯又如何。"

他喝得连舌头都大了，但语声听在沈浪耳里，竟仍似那么熟悉，沈浪忍不住一步赶过去，掀起珠帘。

只见花厅里杯盘狼藉，五六个轻衣少女都已衣襟半解，云鬓蓬乱，晕红的面颊，如丝的媚眼，正告诉别人说她们都已醉了。

一条大汉，箕踞在这些自醉却更醉人的少女间，敞着衣襟，手捧金盆，正在作淋漓之豪饮。

金盆边沿，露出他两道浓眉，一双醉眼，敞开的衣襟间，露出他黑铁般的胸膛，却不是熊猫儿是谁？

熊猫儿，熊猫儿，原来你也到了这里。

一时之间，沈浪也不知道是惊是喜。

无论如何，这猫儿此刻还能痛饮一盆美酒，显见得仍是体壮如牛，总是令人可喜之事。

沈浪但觉眼前有些模糊，这莫非是盈眶热泪。

他就站在门旁，静静地瞧着熊猫儿，瞧着熊猫儿将那盆酒喝得点滴不剩，扬起金盆，大笑道："还有谁来敬我？"

沈浪微微笑道："我。"

熊猫儿目光转动，瞧见沈浪，呆住。

然后突然狂呼一声，抛却金盆，一跃而起，大呼道："沈浪呀沈浪，你还没有死么？"

呼声中他已紧紧抱住沈浪，那扑鼻的酒气、汗臭，嗅在沈浪鼻子里，沈浪只觉比世上所有女子的脂粉都香得多。

朋友，这就是朋友，可爱的朋友。

有了这样的朋友，谁都会忘记忧愁。

一声霹雳，雷雨倾盆而落。

这是干燥的边境少有的大雨，使人倍添欢乐。

沈浪与熊猫儿把臂走在暴雨中，他们的头发已湿，衣衫也湿透，若非这如注大雨，又怎能平静他们沸腾的热血。

庭院中没有人迹，只有碧绿的树叶在雨中跳跃，只有这一双重逢的朋友，他们的心，也在跳跃着。

在方才他们互相拥抱的一刹那中，快活王心目中居然也含有真心的欣慰，居然也会拍着他们的肩头说："多日未见的好朋友，要说的话比多日未见的情人还多，你们自己聊聊去吧，我绝不许别人去打扰。"

在那一刹那中，沈浪突然觉得这绝代的枭雄也有着人性，并不如别人想象中那么恶毒冷酷。

现在，熊猫儿脚步已踉跄，葫芦中的酒所剩已无多。

他挥舞着葫芦，大笑道："朋友，酒……世上若没有朋友，没有酒，自杀的人一定要比现在多得多，第一个自杀的就是我。"

沈浪扶着他，微笑道："猫儿，你又醉了么？"

熊猫儿瞪起眼睛，道："醉？谁醉了？"

沈浪道："此刻你是醉不得的，我正有许多话要问你，许多话要向你说，你我以后能这样谈话的机会只怕已不多了。"

雨打树叶，雷声不绝，他们的语声三尺外便听不清楚，何况在这大雨中的庭园中，三十丈外都没有个人影。

若要倾谈机密，这确是最好的地方，最好的时候。

沈浪道："你非但现在不能醉，以后也永远不能醉的，酒醉时人的嘴就不密了，你若在酒醉时泄露了机密……"

熊猫儿大声道："我熊猫儿会是泄露机密的人么？"

沈浪一笑，道："你自然不是。"

他笑容一现即隐，叹道："她此番竟将你与朱七七放出来，倒当真是大出我意料之外的事，由此可见她计谋之变化运用，的确是人所不及。"

熊猫儿道："你说的她，可是……"

沈浪道："自然是那王……"

熊猫儿笑道："她行事竟能出你意料之外，自然是个好角色。"

沈浪默然半晌，又道："她可当真为朱七七与王怜花订了婚事？"

熊猫儿叹道："女人，女人……简直都不是东西。"

沈浪道："朱七七真的心甘情愿？"

熊猫儿恨声道："见鬼的才懂得女人的心。"

沈浪又默然半晌，叹道："这也难怪朱七七，她见我既与那王……王夫人订了亲事……自然什么事都做得出来了，唉，她的脾气，你应该知道她的脾气。"

熊猫儿眼睛眨了眨，道："但她也该知道你此举别有用意。"

沈浪苦笑道："其实，世上又有谁能真的了解我的心意？有时连我自己都无法了解，愈是我挚爱着的人，我对她愈是冷漠，这是为的什么？"

熊猫儿道："因为你在逃避，你不敢去承受任何恩情，因为你觉肩上已挑起副极重的担子，因为你自觉随时都可能死。"

沈浪黯然道："你说得是。"

熊猫儿道："你既觉如此痛苦，为何不放下那副担子？"

沈浪道："有时我真想放下一下……世上的人那么多，为何独独要我挑起这副担子，快活王纵是恶人，但他待我却不薄，为何我一定要他的性命？我如此做法，又能得到什么？又有谁会了解？谁会同情……"

在这如注的大雨下，在这最好的朋友身旁，沈浪也不觉发出了他积郁着的牢骚、感慨。

他竟吐露了他始终埋藏心底，从未向人吐露的心事。

熊猫儿没有瞧他，只是静静倾听。

过了半晌，沈浪又道："自然，这其中有个原因。"

熊猫儿道："可是就为了这原因，所以你宁愿承受痛苦，也不愿放下那担子？"

沈浪道："不错。"

熊猫儿道："那又是什么原因？"

沈浪道："只因快活王与我实是势难两立，所以我纵然明知王家母子也是人中的恶魔，我纵然明知他们在用尽各种方法来利用我，但为了除去快活王，我宁可不惜一切，也要和他们合作到底。"

熊猫儿道："莫非你与快活王有什么私人的恩怨不成？"

沈浪目中闪动着火花，道："正是。"

熊猫儿道："是为了白飞飞？"

沈浪道："你想我会是为了她么？"

熊猫儿道："那又是为了什么？"

沈浪沉吟半晌，缓缓道："这是我心底的秘密，我现在还不能说。"

熊猫儿道："你何时才能说？"

沈浪道："等快活王死的时候。"

熊猫儿道："他不会比你先死的。"口中这八个字说出，手掌已接连点了沈浪七处穴道，说到最后一字，一个肘拳将沈浪撞了出去。

就算杀了沈浪，沈浪也不能相信熊猫儿竟会向自己出手，甚至直到他跌倒在地，他还是不能相信。

他身子不能动弹，口中嘶声道："猫儿，你……你这是在开玩笑么？"

熊猫儿挺立在雨中，突然仰天狂笑起来。

他醉意似已完全清醒，笑声竟也突然改变。

沈浪面色惨变，失声道："你不是熊猫儿。"

"熊猫儿"狂笑道："你如今才知道，不嫌太晚了么？"

沈浪道："你……你莫非是龙四海？"

"熊猫儿"大笑道："不错，你现在总算变得聪明了些。"

沈浪惨笑道："我早就该想到是你的，我早就觉得你与熊猫儿许多相似之处，世上若有一人能假冒熊猫儿而如此神似，那就是你。"

龙四海道："你为何不早些想到？"

沈浪道："只因我瞧错了你，我实未想到那般英雄气概的龙四海，竟也会是别人的走狗。"

龙四海不怒反笑，道："这次总该叫你得着个教训，无论多么聪明的人，也会上人当的，只可惜这教训你已永远无法享用了。"

沈浪惨然道："不错，任何人都会上人当的。"

龙四海道："但咱们为了要你上当，的确也花了不少心思。"

沈浪叹道："熊猫儿自然已来了，否则快活王纵有无双的易容好手，也是无法将你改扮得与他一模一样的。"

龙四海笑道："你果真是个聪明人，快活王为我易容时，熊猫儿就躺在我身旁，我简直就是自他身下取下来的模子。"

沈浪道："但还有……"

龙四海道："还有声音，是么？"

他一笑道："我模仿别人语声的本事，本就不小，但我还怕被你听出，是以故意装作酒醉，且舌头都大了，其实我一共也不过只喝了三杯酒，其中还有一杯是倒在身上的，真正醉了的，只不过是那些小丫头而已。”

沈浪苦笑道：“果然妙计，无论是谁，见到陪你喝酒的人都已醉了，自然再也不会想到你喝的酒竟是假的。”

龙四海道：“何况，再加上这雷雨扰乱了语声，正是天助我成事，更何况你今日精神不知怎地，本就有些恍惚，我再骗不倒你，那才是活见鬼。”

沈浪黯然，过了半晌，哑声道：“但熊猫儿他……”

龙四海笑道：“这其中只有一件事是真的，那就是熊猫儿来投效快活王确是真的。”

沈浪道：“快活王莫非怀疑了他，所以……”

龙四海道：“快活王倒未怀疑他，怀疑的是你。”

沈浪动容道：“我？”

龙四海道：“他今晨醒来，寻不着白飞飞，也寻不着你，心里便动了怀疑，那时恰巧熊猫儿来了，他正好假借熊猫儿来试试你。”

他狂笑道：“这一试之下，你果然露了原形。”

沈浪苦笑道：“如今你又想怎样？”

龙四海阴森森笑道：“快活王再三吩咐，只要一试出你真相，便立刻下手将你除去，你这样的人多留一刻都是祸害，何况他……他也不愿再见到你。”

沈浪长长叹息，惨笑道：“很好，不想我沈浪今日竟死在这里。”

龙四海大笑道：“不想声名赫赫的沈浪今日竟死在我手里。”

一步掠过去，铁掌已待击下。

沈浪突又喝道：“且慢。”

龙四海狞笑道：“你再想拖延时间，也是无用，此刻再也不会有人来救你的。”

沈浪苦笑道：“我只想再问你一句话。”

龙四海道：“你还有什么话好问？”

沈浪惨然道：“我只要知道，熊猫儿此刻在哪里？”

龙四海大笑道：“好，你和熊猫儿果然不愧为生死过命的交情，直到此时此刻，你还是忘不了他，好，我告诉你……”

他目中笑意变得更恶毒，一字字接道：“你只管放心，你在黄泉路上，是不会寂寞的，熊猫儿会陪着你，说不定他此刻已比你先走了一步。”

沈浪失色道：“他……他……他也遭了毒手？”

龙四海道：“不错。”

沈浪道：“是……是谁下的毒手？”

龙四海道：“告诉你，你难道还想为他报仇不成……只因他一心逞强，拼命胜了独孤伤一掌，所以取他性命的，正是独孤伤。”

沈浪道：“但……但快活王在未知我真相之前，怎会取他的性命？我若是真心投效快活王，快活王岂非杀错了他？杀错了这样的人才，岂不可惜？”

龙四海道：“快活王属下收容的都是智计武功双全之士，熊猫儿匹夫之勇，有勇无谋，他的死活，快活王根本不放在心上。”

沈浪默然半晌，缓缓阖起双目，道：“很好，你现在可以动手杀我了。”

龙四海铁掌已向他咽喉切下。

谁来救他？的确没有人来救他。

大雨滂沱，窗前雨如珠帘下卷。

染香伏在窗前，数着雨珠，等着沈浪。

她也知道自己无论等多久，都是白等的，她有时也会觉得自己很可笑，明知不可能的事，自己为什么偏要去做呢？

她第一个承受的男人，是王怜花。

她对王怜花本来也有着一分幻想，但自从见到沈浪后，她便将这份幻想全部转移到沈浪身上。

她见的男人多了，沈浪却是第一个能拒绝她引诱的，她觉得沈浪的确和世上所有的男人都不同。

她本来认为世上大多的男人都可以呼之即来，挥之即去，她想不到世上的男人还有沈浪这一种。

她痴痴地想着，痴痴地笑着。

突然，一双手自后面掩住了她的眼睛，一张热烘烘的嘴在她耳畔低声轻语，带着笑道："谁？"

染香的心跳了起来，颤声道："沈……沈浪？"

那张嘴在她耳朵上轻轻咬了口，在她耳珠上轻轻舐了舐，笑骂道："小鬼。"

染香失声道："公子……是你。"

王怜花纵经易容，但这轻薄的声音，这轻薄的动作，染香是绝不会弄错的。

王怜花大笑："小鬼，总算被你猜着了。"

一把扳过她的身子，将她那温暖而柔软的身子紧贴在他自己身上，就像是两个已合在一起的样子。

他拼命吻她，就像是猫捉住了鱼，她透不过气，却没有闪避。

然后，他终于放开了她，笑道："我知道你在想我，这就是我给你的补偿。"

染香身子已软了，咬着嘴唇，道："鬼要你这样补偿。"

王怜花眯起眼睛，轻声道："你不想？"

染香跺脚道："不想，不想，偏不想。"

王怜花道："莫非这两天沈浪已喂饱了你。"

染香的脸居然红了，啐道："人家才不像你。"

王怜花大笑道："我就知道他是个正人君子。"

大笑着又一把抱住了染香，脚步在移向床。

染香明明已讨厌死了他，但不知怎地，竟推不开他。

王怜花的嘴就停留在她脖子上。

染香的喘息愈来愈急迫，颤声道："我先问你，你……你……怎会来的……嗯……你可见着了沈浪？"

王怜花笑道："现在不是问话的时候，是么？"

他的手摸索着，咯咯轻笑道："我知道你也想的，你也需要的，是么？"

染香的手立时垂下了，呻吟着道："我……你……嗯……轻……轻……轻轻地……好么……"

她终于崩溃，仰面倒在床上。

但她心上想着的，却是只有沈浪。

女人的最大奇怪之处，就是当她躺在一个男人怀里时，心里还可以去想另外一个男人。

她承受着王怜花的一切，她也在反应着，蠕动着。

但她口中却仍在呻吟着道："沈浪，他……他此刻会回来么？"

王怜花也在喘息着，道："沈浪，见鬼的沈浪，他此刻不会回来的，我希望他死了最好。"

窗外大雨滂沱，窗内怎会有风？

龙四海铁掌已击下。

突然，一人冷冷道，"住手。"

龙四海骇然回首，只见一条颀长枯瘦的黑衣人影，自暴雨下的林木间，幽灵般的飘飘掠出。

龙四海展颜笑道："原来是独孤兄，那猫儿已解决了么？"

独孤伤道："哼！"

龙四海道："那沈浪还等什么？"

独孤伤冷冷道："你不能杀他。"

龙四海失声道："为什么？"

独孤伤咬牙道："要杀沈浪，只有某家亲自动手。"

龙四海松了口气，笑道："既是如此，请。"

他微笑着后退三步，静等着独孤伤出手，他确信独孤伤出手之狠毒残酷，是万万不会在自己之下的。

他确信沈浪在临死前必定还要受许多摧残、折磨。

他安心地静等着来瞧沈浪的痛苦。

他知道独孤伤总是将别人的痛苦视为自己的欢乐。

极乐的狂欢，已渐渐趋于平静。

染香仍在微微喘息着，四肢也仍因方才的狂欢而轻轻颤抖，牙齿轻磨着，像是仍在咀嚼欢乐的余韵。

此刻，她最需要的就是温柔。

温柔的轻抚，温柔的言语，哪怕就是温柔的一瞥也好。

但王怜花却已站了起来，就像陌生人般站了起来，方才的一切，他此刻便似已完全忘怀。

染香仰卧在床上，瞧着他。

瞧着他穿衣，着靴……用手指去梳拢头发。这就是方才与她契合成一体的人，这人的生命，方才还曾进入她的生命，但此刻却连瞧都未瞧她一眼。

染香的心里突然充满了羞侮、悲哀、愤怒。

她突然对面前这男人恨入刺骨。

王怜花已拉平了衣襟，理好了头发，终于回头瞧了一眼，嘴角挂起了一丝残酷的、满足的、得意的微笑。

他微笑着瞧着这似已完全被他征服了的女子，那姿态就像是一个自战场归来的征服者。

他眯着眼笑道："怎么样？你已动不了啦，是么？我的确和别的男人不同，是么？不是我这样的男人，怎能满足你这样的荡妇。"

染香空虚地眯着眼睛，想用枕头盖住脸，但双手却因愤恨而颤抖，颤抖得再也无力抓起枕头。

王怜花瞧着她颤抖的手，笑道："你还想要么？现在可不行了，也许……也许晚上，你放心，我不会让你这小荡妇等得着急的。"

染香咬紧牙，道："你要到哪里去？"

王怜花道："现在有个人还在等着我……"

他突又笑了，笑得更得意，道："你永远想不到她是谁的。"

染香忍不住问道："谁？"

王怜花挺直了身子，道："朱七七。"

染香眼睛吃惊地瞪大了，失声道："朱七七？她也来了？"

王怜花道："当然，告诉你，她已嫁给了我。"

染香身子一阵颤抖，道："嫁……嫁给了你？"

王怜花大笑道："但你放心，她现在还不能用，我还是会来找你的，你那副荡样，有时的确叫人着迷。"

他微笑着弯下身，捻一捻染香的胸膛，眯着眼笑道："有时我真不知你这身功夫是从哪里学来的，只可惜沈浪这呆子，居然竟不懂得来享受……"

染香颤声道："享受……享受……"

突然疯狂般跳了起来，去扼王怜花的脖子，嘶声道："你这恶魔……恶鬼……"

王怜花反手一个耳光，就将她打得飞了出去，他摸着脖子上被她指甲抓破的一丝血痕，怒道："你疯了么？"

染香"砰"地落在床上，捶手顿足，嘶声道："我恨死你……我恨死你了。"

王怜花道："骚婆娘，你怕我以后不来找你了么？"

染香大声道："你以后再来，我就跟你拼命，我……我再不许你碰我一根手指……我死也不许你再碰我一根手指。"

王怜花狞笑道："我想要的时候，还是要来的……"

他又重重一捻染香的胸脯，大笑道："小娼妇，你不许我碰你一根手指么……小娼妇，我不来找你，你受得了么？……"

他大笑着，扬长走了出去。

一声霹雳，震开了窗户。

染香终于伏在床上，放声大哭起来。

她放声哭道："我是荡妇……我真是荡妇么？沈浪……沈浪，你也说我是荡妇么……沈浪，沈浪，你为什么还不回来看看我……"

独孤伤瞪着沈浪，目光冷得像冰。

他这冰冷的目光中，没有狠毒，也没有愤怒，只是空虚的冰冷，龙四海从未见过到任何人的目光像他这样绝对的没有感情。

他暗中思忖："这人的眼睛在杀一个人时，和抱一个人时只怕也是完全一样的，世上只怕再也没有人知道他心里想的是什么。"

他再瞧沈浪，沈浪的脸色居然也没有什么改变。

他又不禁暗中思忖："一个人在即将被杀时脸色还能保持如此平静，世上除了沈浪之外，只怕再也难找出第二个。"

他觉得独孤伤与沈浪实在都是怪人。

现在，一个怪人立刻就要去杀另一个怪人了。

他确信这情况必定有趣得很。

只是，他还是想不出，当独孤伤的铁掌击在沈浪身上时，那双冰冷的眼睛，是否会有些变化。

他也想象不出，当沈浪身上被独孤伤铁掌击中时，那面容难道还能保持如此平静么？

他急着要瞧这一刹那。

王怜花步出门，走入雨中。

他也听见了染香的哭声，他心里充满了残酷的满足。

他喜欢听别人哭，他喜欢看别人痛苦。

也不知道为了什么，他从小就喜欢看别人痛苦，他若瞧见别人欢乐幸福，他自已就会痛苦得受不住。

但他绝不承认自己是在嫉妒别人，当然他更不会承认他自己心底实在充满了自卑，所以对任何人都怀恨、嫉妒。

在这世上他唯一最害怕的人就是他母亲。

他自己对自己说：他对母亲是无比地敬爱佩服，死也不会承认他心底实在对他母亲在暗暗怀恨着。

别人都有家庭、父兄，为什么他没有？

别人的母亲都是那么慈祥和气，为什么她不？

这些问题他在很小时也曾想过，但自从七岁以后，他每想起这问题，就立刻将之远远抛却。

他只要见着女人，就要报复。

他喜欢别人也被折磨、羞侮，而失去幸福、自尊，而自卑、自愧，他喜欢别人家庭离散，无父无母。

现在，他行走在雨中，心里在想着朱七七，他正在想不知该如何才能使朱七七终生痛苦。

他当然也想到沈浪，方才他冷眼旁观，瞧见朱七七对沈浪的模样，他就知道朱七七心中还是只有沈浪。

就算朱七七真的嫁给了他，也是忘不了沈浪。

他紧握双拳，紧咬牙齿，已被这嫉恨折磨得要发狂。

突然间，他瞧见暴雨中的林木间，似有人影闪动，他悄然掠了过去，便瞧见独孤伤、“熊猫儿”和沈浪。

第三十六章

洞内乾坤

王怜花瞧见独孤伤正要下手去杀沈浪，而“熊猫儿”竟只是在一旁瞧着，目中甚至还充满欢悦。

他开始有些奇怪，但瞬即就想到这“熊猫儿”必定是别人伪装的，他知道快活王也是少有的易容妙手。

他不觉突然开心了起来。

沈浪终于也上当了。

在这一瞬间，他心里真是得意得无法形容，但沈浪此刻已是他的同伴，他自然还是要去帮沈浪的。

他衡量地势，准备猝然一击，一击而中。

他知道在这快活林中，自己是唯一能救得了沈浪的人，除了他之外，就算有别人走过来碰上，也是无用的。

但他竟真的恰巧走来碰上了。

他暗中摇头。

“沈浪这小子，当真走运得很。”

只见独孤伤已走到沈浪面前。

王怜花心念突然一转：“我为何要去救沈浪，我为何要让他走运一辈子，我为何不能让沈浪死，沈浪死了，与我又有何关系？”

沈浪若是死了，朱七七表面上纵然没什么，暗中却必定会痛苦得发狂，那岂非是件美妙的事。

沈浪若是死了，于王夫人的计谋虽有妨碍，但那也是别人的事，和王怜花自己又有什么关系。

沈浪死了王怜花只有开心、得意……

王怜花嘴角不禁又泛起一丝残酷的微笑，喃喃道：“我为何要救他？我就在这里瞧着他死不更好么？”

于是他闪入树后，静等着独孤伤出手的那一刹那。

那必将是他生平最愉快的一刹那。

熊猫儿生死不明，朱七七漠然不知，王夫人远在千里外，金无望天涯流浪……

现在，世上再也没有人能救沈浪。

独孤伤终于走到沈浪面前，俯首下望。

沈浪只是静静地瞧着他。

独孤伤缓缓道："沈浪，你此刻还有何话说？"

沈浪淡淡一笑，道："没有话说了，只是……能死在你手上，倒也不错。"

独孤伤道："哦！"

沈浪道："只因你是我所见的，唯一的真正恶人，你从来也不想掩饰你的狠毒残酷，那真要比一些伪善人好得多。"

独孤伤冷冷一笑，道："很好，瞧在你这句话上，某家给你个痛快。"

突然出手，一掌击下。

在这一刹那间，独孤伤目光仍然冷漠如冰。

在这一刹那间，沈浪面上却有了非常奇妙的变化。

然后，他便不再动了。

王怜花不觉在暗中长长松了口气，他知道独孤伤掌下绝不可能再有活口，他终于除却了心腹之恨。

龙四海忍不住拍手大笑道："好……好干净，好利落的一掌。"

独孤伤漠然后退了三步，冷冷道："你且瞧瞧这厮是否已真的气绝了。"

龙四海笑道："独孤兄掌下，还有人能活得了么？"

他嘴里虽这样说，还是忍不住走到沈浪尸身前，垂下头去瞧——他想瞧瞧沈浪死了后的面容如何。

他想瞧瞧沈浪死了后，嘴角是否还能带那懒散的微笑。

但他永远不会知道了。

就在这一刹那间，沈浪身子竟猝然而起，一掌印上了他胸膛，他简直连闪避的机会都没有，便已倒下。

在这一刹那间，他面上的惊骇与不信，真是谁也无法形容，只是他自己永远也无法瞧见自己临死时面容的变化。

王怜花也几乎吃惊得叫出声来。

沈浪明明死了，又怎会复活？

独孤伤站在那里，竟动也未动，目中仍是冰冰冷冷。

只见沈浪长身一揖，微笑道："足下相救，委实大出在下意料之外，但此情在下却是终生难忘。"

独孤伤冷冷道："某家出手相救于你，却不是为了要你相谢的。"

王怜花这才明白，独孤伤方才出手一击，竟不是要取沈浪的性命，竟只是解开了沈浪的穴道。

他更弄不懂了，独孤伤为何要救沈浪？

难道这独孤伤也是别人伪装的？

但那绝不可能，那绝对不像——独孤伤那奇特的模样，那冷冰冰的目光，世上又有谁能伪装。

沈浪心里显然也在这样想。

他凝注着独孤伤，道："足下出手相救，却是为了什么？"

独孤伤冷冷道："出手救人，难道定要有所目的？"

沈浪笑道："足下恕罪，在下方才之言，确是颇有语病，在下只是心中有些不解，足下为什么要出手相救沈浪？"

独孤伤道："某家难道救不得你？"

沈浪叹了口气，道："在下自也知道足下对快活王有些不满，但那也只是为了在下而起，在下若是死了，快活王对足下岂非还和昔日一样。"

独孤伤目光闪动，在这一瞬间，他冷漠的目光，竟有了许多复杂的变化，但他却以仰天长笑而掩饰了。

他仰天笑道："某家救了你，竟生像是救错了似的，还得受你百般盘问，这岂非是从来未见的荒唐之事。”

沈浪笑道：“在下若是对足下之用心怀疑不解，岂能与足下相交为友？”

独孤伤笑声突顿，眼睛瞪着沈浪，一字字道：“你真的有心与我相交为友？”

沈浪道：“若无此意，也就不必问了。”

独孤伤默然半晌，缓缓道：“快活王重武轻人，已令我失望已极，我纵然对他忠心不贰，但他日他若又见着武功强胜于我之人，岂非又要将我视为废物，昨夜我险些为他而死，又何曾换得他一声叹息呢。”

沈浪目光闪动，道：“如此说来，足下莫非想取而代之？”

独孤伤仰面承受着雨水，喃喃道：“取而代之……取而代之……”

突然大喝道：“某家并无此心，我只不过想叫快活王知道，他若弃人，人必弃他，他若无我独孤伤相助，必致一败涂地。”

沈浪默然半晌，叹道：“成事之难，最难便在用人，快活王虽有用人之气概，却无择人之眼，容人之量，他今日弃你，实为致命之伤。”

独孤伤叱道：“听你说来，莫非竟有些为他惋惜不成？”

沈浪长叹道：“眼见一代枭雄之霸业将倾，我委实不能不有所感慨，只是兄台大可放心，快活王与我实势难两立。”

独孤伤厉声道：“我正因知道你与他势难两立，所以才出手救你，世上若有人能取快活王而代之，那人便是你。”

他一把抓住沈浪的手，一字字缓缓道：“只要你有心如此，独孤伤必定全力相助，不遗余力。”

沈浪肃然道：“有兄台相助，实乃沈某之幸，只是……”

独孤伤道：“只是什么？”

沈浪垂目望向龙四海的尸身，缓缓道：“此人一死，快活王岂无怀疑，怎会放得过我……”

独孤伤瞧了地上的尸身一眼，道：“他真的死了么？”

沈浪颔首道：“死了。”他并未去瞧那尸身，只因他确知自己之掌力。他只是叹息接道：“因为事到如今，我已万万不能留下他的活口。”

独孤伤嘴角突然泛起一丝难见的笑容，缓缓道：“他可算是死了，也可算是活着。”

沈浪怔了怔，苦笑道：“这句话我也听不懂了。”

独孤伤道：“他扮熊猫儿而死，死的便是独孤伤，而非龙四海。”

沈浪还是不懂，只有静静地瞧着他，不说话。

独孤伤终于接着道：“龙四海能改扮熊猫儿而死，熊猫儿难道就不能改扮成龙四海而活着……”

他说话的确有一种独特的作风，明明很简单明白的一句话，从他口中说出来，就变得复杂难解。

但沈浪终于还是懂了，抚掌道：“妙极！”

独孤伤道：“龙四海改扮成的熊猫儿既能瞒得过你，熊猫儿改扮成的龙四海难道就不能瞒过那快活王么？”

沈浪笑道：“不错，熊猫儿与龙四海无论在体型上，或是在神态上的确都有许多极为相似之处，只是……唉，这两人之品格却大是不同。”

独孤伤目光闪动，瞧了沈浪半晌，缓缓道：“但你为何不问我是否已杀了熊猫儿？”

沈浪微微一笑，道：“你既然救了我，又怎会对熊猫儿下毒手，这句话自然是连问都不需问的，问题只是熊猫儿此刻在何处？”

独孤伤道：“这句话也是不该问的。”

沈浪笑道：“不错，你既放心来此，熊猫儿自然在极为隐秘之处。”

独孤伤道：“但除此之外，却有个很大的问题。”

沈浪沉吟道：“那是什……”

“么”字还未说出，面色已改变，失声道：“那问题的确颇为严重。”

独孤伤方才说起这“很大的问题”，神情还十分平静，听了沈浪这话，却不禁为之动容，道：“你可知我说的问题是什么？”

沈浪道：“易容。”

独孤伤急急追问道：“你难道丝毫不通易容之术？”

沈浪苦笑道：“在下并不如别人想象中那般事事通晓。”

独孤伤跌足道：“这计谋本是天衣无缝，但若无精通易容之人，所有的计划，俱将成空。”

他语声微顿，突又瞪起眼睛，大声道：“但你若不通晓易容，又怎会破了江左司徒的易容术。”

沈浪道：“那……那另有其人。”

独孤伤道：“此人现在何处？”

沈浪道：“不远。”

独孤伤道：“既然不远，你为何不……”

沈浪叹息截口道：“此人虽在附近，怎奈他不肯出手。”

独孤伤怒道：“你还未问他，怎知他不肯出手。”

沈浪目光闪动，微微笑道：“他若肯出手，此刻早已该走出来了。”

王怜花自觉藏得十分隐秘，正在树后听得十分得意，听见了这句话，才吃了一惊，沈浪，果然是个厉害角色。

只见独孤伤目中已暴射出寒光，这刀一般的目光，似已穿透重重雨帘，正在向四方搜索。

王怜花暗中叹息一声，面上却堆满了笑，大步走了过去。

独孤伤目光如刀，逼视着他，厉声道：“就是此人么？”

沈浪抚掌道：“不错，他终于出来了。”

独孤伤道：“看此人行径，莫非便是传说中的‘千面公子’王怜花？”

王怜花抱拳笑道：“不敢正是区区在下，却不知独孤先生又怎会认得在下？亦不知这‘千面公子’四字是谁人所赐？”

独孤伤冷冷道：“除了王怜花外，又有谁在偷听别人谈话之外，神色还能如此从容？除了王怜花外，谁还能当得起‘千面公子’四字？”

王怜花一笑而揖，道：“多谢夸奖。”

他故意听不懂独孤伤话中的讥刺，他轻轻一句话便将别人的讥刺变成为夸奖，他从来不会使自己受窘。

他的确有这种本事。

沈浪笑道：“王公子既然现身，想必已答应为熊猫儿改扮了。”

王怜花笑道：“易容又有何难，只是……”

他目光扫向独孤伤，缓缓接道："却不知独孤先生可信得过我？"

独孤伤冷冷道："我信不信得过你全都一样，此事只有你做，你也非做不可。"

王怜花笑道："如此说来在下已别无选择。"

独孤伤道："正是如此。"

王怜花大笑道："好，能将熊猫儿的头颅随意搬弄，本是件有趣之极的事，在下本也不会让这良机错过。"

独孤伤道："易容之物，你全都带在身边了么？"

王怜花笑道："熊猫儿的头颅可曾准备好了么？"

独孤伤道："好，既是如此，走。"

王怜花道："但在下还需借用一物。"

独孤伤道："什么？"

王怜花微微笑道："头颅……除了熊猫儿外，还得要另一个人的头颅。"

独孤伤目光闪动，厉声道："谁的头颅？"

王怜花目光垂落，瞧着地上龙四海的尸身，悠悠道："在下要借的头颅，它的主人已经不能反对了。"

要割下一个人的头颅，并非是件易事，那头颅的主人纵已不能反抗，也得要一柄锋利的刀，也得要一双熟练的手。

王怜花的一双手的确熟练得有如屠夫。

于是，龙四海的头被切下，包起，再加上一点粉红色的粉末，那无头的尸身便化成一摊微微渗着血丝的黄水。

大雨，仍落个不住。

大雨正如浓雾，为人们掩饰了许多秘密。

沈浪、王怜花、独孤伤全身虽已湿透，但对这大雨却并无丝毫埋怨之意，反而十分感激。

他们鱼贯走在雨中，自然是独孤伤当先带路。

沈浪终于忍不住问道："你确信熊猫儿的藏身之处不会被人发现么？"

独孤伤冷冷道："纵是弹丸之地，也有许多别人难以寻觅的隐秘之处，何况这偌大的园林。”

沈浪展颜笑道：“不错，我在此园中已住了许久，也曾逛过几次，但你此刻带我走的这条路，我却从未到过。”

独孤伤道：“你再住十年，也未必能寻得到此处。”

王怜花突然道：“真的么？”

独孤伤道：“哼！”

王怜花目光闪动，缓缓道：“但愿你说的地方不是那花神祠后的岩洞。”

独孤伤霍然回身，一把抓住了他，厉声道：“你知道那地方？”

王怜花叹了口气，道：“在下不幸凑巧知道。”

沈浪面色也已微微变了，道：“你去过？”

王怜花苦笑道：“那里不幸凑巧也正是朱七七的藏身之处，朱七七此刻只怕已在那里，所幸那岩洞颇为曲折，他两人未必相遇。”

独孤伤猝然松手，倒退两步。

沈浪却松了口气，笑道：“熊猫儿纵被朱七七遇着，也没什么。”

独孤伤已转身狂奔而去。

沈浪相随在后，叹息道：“无论要隐藏什么，最好都莫要藏在最秘密之处。”

王怜花道：“为什么？”

沈浪道：“最秘密的地方，往往会变得最不秘密。”

王怜花想了想，颔首叹道：“不错，每个人都想找个最秘密的地方来隐藏自己的秘密，而每个人又都以为那地方只有自己知道，却不知别人寻的最秘密之处，也正是那里。”

沈浪道：“但愿此刻知道那地方的人还不太多……”

王怜花道：“我想，那只怕也不会太少。”

染香的激动已渐渐平复，空虚地瞪着门。

王怜花已走了，门外大雨如注，这是否上天知道人间的罪恶太多，所以要借这场大雨来洗个干净？

那么，人身上的罪恶，也能洗得干净么？

染香突然跳起来，披上件衣服，冲入雨中。

雨，立刻打得她全身湿透。

但她却希望雨更大些，更大些……她只觉自己全身都是脏，从来也没有这么样脏过。

她痴痴迷迷地走，什么也不愿去想。

但是她仍不禁怀恨，怀恨……男人，都是猪。

突听一人笑道："醉眼相看月中花，雨中鲜花就是她……哈哈，就是她。"

染香转过头，便瞧见一双眼睛。

那是双疲倦、失神，满布血丝的眼睛。

但此刻这双失神的眼睛却瞪得很大，就像是条饿狗在瞪着块肥肉似的，贪婪地，眨也不眨地瞪着她。

李登龙，这臭男人，正是猪中的狗，狗中的猪。

染香咬着牙，她不用看，也知道自己是何模样。

一个成熟的，美丽的，而又赤裸的女人，仅仅披着件轻衫，在大雨中走过，湿透的轻衫，紧贴在身上……

这岂非正是男人在春天所做的梦中的景象。

李登龙早已醉了，他醉了，所以才会在大雨中游荡。

但他并未醉得连瞧都瞧不见，此刻，他的眼睛像是已凸出来，凸出的眼睛正停留在她身上凸出的地方。

染香没有动，让他瞧。

她的身子已够脏了，再脏些也没关系，何况，单只用眼睛看，是看不脏人的，但是这只猪，这只狗。

他的眼睛为什么像只饿狼。

李登龙的颈子突然粗了，突然咳嗽起来，咳个不停。

染香瞧着他，缓缓道："你着凉了。"

她语声既不冷漠，也不愤怒，更无羞惭，只不过是一种原始的单调声音，谁也听不出她话中究竟有何含义。

李登龙的咳嗽却突然停了。

他想笑，但是欲望已使他脸上的肌肉僵硬。

染香道："你回去吧。"

李登龙突然大声道："我没有着凉，没有，绝没有，我衣服穿得很多，至少比你穿的多得多……多得多。”

染香道：“你醉了。”

李登龙：“我没有醉，从来没有醉过，但为什么每个人都以为我醉了？我老婆以为我醉了，楚鸣琴以为我醉了，现在，你也以为我醉了。”

染香眼睛眨了眨，道：“你老婆……楚鸣琴……”

李登龙道：“不错，我老婆，她是个婊子，不折不扣的婊子，她以为我醉了，以为我不知道，就去陪那臭男人睡觉。”

他不想笑，但偏偏大笑了起来，发狂地笑道：“睡觉，你可知道睡觉是什么意思？”

染香道：“我知道。”

她没有脸红，也没有发怒，她只是简简单单地回答了他的话，就像他问的本是句最普通的话。

李登龙在地上啐了一口道：“他妈的，那婊子陪人睡觉，但我，我却在雨里像只狗似的逛来逛去，却连只母狗都找不到。”

他又瞧着她，喉结上下移动，突然扑过来，扑倒在积着雨水的地上，抱住了染香的两条腿。

那是双修长而结实的腿，虽然已被雨水湿透，但仍是温暖的，李登龙的喉咙像是已被塞住了，讷讷道：“求求你……求求你……”

染香俯首望着他，没有丝毫表情，只是缓缓道：“你想做什么？你想要我陪你睡觉？”

李登龙道：“求求你……”

染香道：“你以为我和你老婆一样，也是个婊子？”

李登龙大声道：“不，不，你比那婊子强得多，你的腿……你的腿……生命……生命……你的腿就是生命。”

染香夹紧了腿，但没有走。

她仍然很平静，道：“我若不肯呢？”

李登龙道：“你肯的，我知道你肯的，你……你明明在引诱我，你的男人只怕也在陪别人睡觉，所以你出来找别人。”

染香的眼睛突然射出了光，道：“好，我答应你。”

李登龙的身子突然颤抖了，道：“那么……现在……你……”

染香道："但是你先站起来。"

李登龙道："为什么要站起来？站着不好。"

染香咬了咬牙，道："不能在这里，要一个秘密的地方，非常秘密，没有人知道，也没有人能看见的地方。"

李登龙喃喃道："秘密的地方……"

突然跳起来，大笑道："我有个秘密的地方，绝没有人知道，在那里无论做什么都没有人知道。"

染香喃喃道："无论做什么……"

她身子已被李登龙拉着向前奔，她也不知道奔跑过的是何路途，也不知究竟奔跑了多久。

最后，她似乎瞧见个小小的祠堂，祠堂后似乎有个岩洞，但是李登龙已等不及进岩洞，就把她推倒在地上。

雨，暴雨，雨中的胴体白得像是雪。

雨声和着李登龙的喘息，像是野兽。

染香的手摸着块石头，她闭起眼睛，举起了石头。

她用尽全身的力气，往李登龙头上击下。

李登龙突然不会动了，永远不会动了。

染香的手仍如雨点般向下击，向下打。

这男子，这猪。

鲜血，溅在她身上，又被雨冲洗干净。

她脸上仍没有丝毫表情，她的身子，她的手，都像是已不属于自己，她只是不停地打，打，打……

她口中不停地喃喃道："无论做什么，都没有人知道，是么，我杀了你也没有人知道，是么……男人……猪……该死的猪……"

突然一人道："不错，男人都是猪，你杀得好。"

这语声是那么娇脆，却又是那么冷漠。

染香猝然住手，回头。

只见一条窈窕的白衣人影，静静地站在岩洞口，雨像珠帘似的挂在她身前，她就像珠帘中的仙子神像。

染香手里的石头落下，失声道："朱七七。"

朱七七木然道："你认得我……你杀得好。"

染香颤抖着站起来想掩起衣襟，但衣裳已全都破碎了，她不怕以赤裸的身子去面对任何男人。

但不知怎地，在女人面前，她却觉得十分羞愧。

朱七七冷冷道："你进来，这里暗些。"

染香不由自主走进去，走入了珠帘后的岩洞，这岩洞自然并不干燥，但至少比雨中温暖得多。

染香的身子却已开始颤抖，抖个不停。

朱七七静静地瞧着她，突然脱下件衣服，披在她身上。

染香就像孩子见了糖似的紧紧握住了这件衣服，紧紧裹住了自己，又像是她从未穿过衣裳似的。

她的头却往下垂，轻轻道："谢谢你。"

朱七七道："你不用谢我，你也是可怜的女子。"

染香垂首道："你认得我？"

朱七七淡淡道："认得。"

染香突然抬起头道："你不恨我？"

朱七七道："恨你？我为什么要恨你？"

染香道："沈浪……沈公子他……"

朱七七突然大声道："住口，不准再提这名字。"

染香倒退半步，瞪大了眼睛瞧着她，道："不准提这名字？为什么？"

朱七七面上又恢复了冷漠，冷冷道："你以后在我面前莫要再提起任何男人的名字……因为我已是王怜花王公子未来的妻子。"

她居然说得十分平静，但染香听在耳里，却又像被鞭子抽了一记，她再退了半步，颤声道："是真的……这居然是真的。"

朱七七道："为什么不是真的？"

染香颤声道："我还是无法相信，你怎么会要嫁给他，你怎么会嫁给这最无耻、最卑鄙的臭男人，你宁可嫁给只猪也不能嫁给他。"

朱七七没有发怒，只是冷笑道："我为什么不能嫁给他？"

染香长长吸了口气，道："你可知道他……"

朱七七冷笑道："你不必在我面前说他的坏话，他是个怎么样的人，我知道得比你清楚，但我不在乎，我全不在乎，就算他刚和你睡过觉我也不在乎。”

染香再也想不到朱七七口中也会说出睡觉这样的字，她发现这纯真的女子已变了，已彻底地变了。

朱七七冷笑道：“你吃惊了么？”

染香道：“我虽然吃惊，但我也知道，你不在乎，只因为你根本不喜欢他，若是你喜欢的男人，你就会嫉妒得发狂。”

朱七七冷冷道：“是么……也许。”

染香道：“你不喜欢他，却要嫁给他，只因为你恨沈浪，你恨沈浪，只因为你喜欢沈浪，爱得发狂，所以恨得发狂。”

朱七七咬紧了牙，道：“你再提他的名字，我就杀了你。”

染香道：“你杀了我吧，没关系，我还是要告诉你，你不该恨他的，你永远不会再遇见一个男人对你，像沈浪对你一样，世上若有个男人这样对我，我……我……我就算立刻为他死，也是心甘情愿的。”

朱七七突然狂笑起来，她狂笑着道：“永远不会再遇见一个男人对我像沈浪对我一样，这话倒不错，世上像他这样狼心狗肺的人并不多。”

染香道：“你以为他对你不好？”

朱七七道：“好，他对我好极了，好极了……”

她狂笑着，眼泪却已流下面颊。染香道：“他究竟对你如何，你永远也不会知道的。”

朱七七转身面对着那冰冷的山石，嘶声道：“不知道最好，我永远也不要知道。”

染香道：“你可知道他为什么要与王夫人订下那亲事？”

朱七七咬牙道：“我是个女人，所以我不知道。”

染香道：“你以为他是禁不住王夫人的诱惑？”

朱七七道：“当然，我只是个女孩子，而她……”

她突然伏在山石上，痛哭起来，她痛哭着道：“她那种样子，我永远也做不出，而男人却都是喜欢那种样子的，她那眼睛，那……那腰肢，都令我作呕。”

染香道：“你错了，虽然有些男人喜欢那样子，但沈浪却不是，世上若只有一个男人能受得住那种诱惑，那人就是沈浪。”

朱七七嘶声道："那他为什么……为什么……"

染香道："他无论做什么，都是为了你，你可知道他若不答应那亲事，你会遭受到什么后果……这只怕你永远也想象不出。"

朱七七身子颤抖，道："但他……他……"

染香道："他为了你不惜牺牲一切，不惜做任何事，但你……却完全不了解他，你却背弃了他，他心中虽然充满了痛苦，却一个字也不肯对别人说，只因他宁可自己受苦，也不愿伤害到你。"

朱七七霍然转身，瞪着她，一字字道："你为什么要帮他说话？难道你和他……"

染香冷笑道："你这样说并没有侮辱我，却侮辱了他，只因为我的确诱惑过他，我曾经不惜一切去诱惑他，无论换了任何一个男人，都会受不住这种诱惑，但沈浪……他……他……根本没有将我瞧在眼里，他心里只有你。"

她长长吐了口气，缓缓接道："所以我佩服他，对这样的男人，无论哪一种女人都会佩服，我虽然很贱，是个荡妇，但我终究还是人，我不能昧着良心说话。"

朱七七的眼泪像是已干了，面上又变得全无表情。

她空洞地、麻木地瞪着她，喃喃道："看起来，人人都很了解沈浪，只有我不……"

染香道："你不能了解他，只因你在深爱着他，这也不能怪你，爱情，原本就会使任何一个女人盲目。"

朱七七茫然坐下来，茫然望着洞外的雨珠，良久没有说话，只有眼泪，不断地顺着面颊流下。

染香缓缓道："但现在还不太迟，一切事还都可以补救……我是个不幸的女人，这一生已注定不能得到快乐，但你……你还来得及，你比我幸福得多……"她咬紧牙，拼命不让自己哭，却还是忍不住放声痛哭起来。

两人就这样相对痛哭，也不知过了多久。

突听一人冷冷道："只会流眼泪的女人，都是呆子，都是饭桶。"

这语声虽然冷漠，但却又有说不出的娇媚。

岩洞中本没有别的人，但这语声却是自岩洞深处传出来的，染香、朱七七猝然回首，便瞧见一条人影。

一条幽灵般的白衣人影，幽灵般伫立在岩洞深处的黑暗中，谁也瞧不清她的面目，只能瞧见一双发亮的眼睛。

这双眼睛中带着一种说不出的妖异的魅力，像是能看破别人的心，像是能令人为她做任何事。

此刻这双眼睛正眨也不眨地凝注着她们，一字字接着道："女人为什么总是受人欺负，只因为女人往往只知流泪，只知痛哭，但眼泪却是什么事也不能解决的。"

染香只被这双眼睛瞧得全身发冷，忍不住蜷曲了身子。朱七七却挺起了胸脯，大声道："你难道从来不流泪的？"

白衣人影道："从不。"

朱七七道："你难道从来未遭遇到痛苦？"

白衣人影冷冷道："我所遭受到的痛苦，你们永远也梦想不到，但我却从来不流泪……从没有任何事能令我流泪。"

朱七七道："你……你难道不是女人？"

白衣人影幽幽道："我不是女人……我根本不是人。"

朱七七忍不住激灵灵打了个寒噤，道："你……你究竟是什么？"

白衣人影一字字缓缓道："我只是幽灵……别人都将我唤作幽灵宫主。"

花神祠，已残破而颓败，虽也在快活林的一个角落中，但却与这新建的园林极是不衬。

显然，这是旧日一位不知名的爱花人所留下的，而非园林的主人所建——新的园林主人，对一切神祇都不热心，也许他们所相信的只是自己，也许他们根本对一切都不相信。

沈浪掠入了花神祠，抖了抖身上的雨水，他身上的雨水自然是抖不干的，他这样做正表示他心里乱得很。

然后，独孤伤与王怜花也掠了进来，他们并没有直接冲入那岩洞，正也表示他们心里的疑惧，不敢骤然面对现实。

独孤伤道："那山洞就在这祠堂背后。"

王怜花道："不知朱七七是否已遇见了熊猫儿。"

独孤伤道："那洞穴甚是深邃，熊猫儿藏在洞窟深处。"

王怜花笑道："女孩子只怕是不会往洞窟里面走的，朱七七虽然和别的女孩子有些不同，但毕竟也是女孩子。"

独孤伤冷冷道："废话。"

王怜花笑道："不错，这的确是废话，但阁下为何还要在这里听，阁下早该过去瞧个究竟了。"

独孤伤面色变了变，正待冲出去。

突听沈浪道："且慢。"

独孤伤道："莫非你也有什么废话？"

沈浪道："你们先来瞧瞧这花神的像。"

神龛自然也已残破，在黝暗的雨天里，这残破的神龛就显得有些鬼气森森，若不走近些，根本瞧不清里面那神像。

那神像竟是个村姑打扮的女子，左手将一朵花捧在心口上，右手则在那花瓣上轻轻抚摸。

这花神祠虽是如此简陋，但这神像的塑工却极精致，在黝黯的光线中，看来就像是个活人。

尤其那手势的轻柔，正象征着这"花神"对鲜花的无限怜惜，奇怪的是，她的眼睛却在凝注着远方，却未去瞧手中的鲜花。

王怜花沉吟道："嗯，这神像的确有些意思，塑这神像的人，似乎别有寓意，但咱们都只怕是猜不出的了。"

沈浪道："也许是猜不出的。"

王怜花道："而且，花神竟是个村姑，这也是件奇怪的事，我记得根据古老的神话传说，这花神本应是……"

独孤伤冷冷道："现在并不是考古的时候，这花神无论是男是女，是老是少，是和尚是尼姑，与咱们都无丝毫关系。"

沈浪缓缓道："但这花神和咱们都有些关系。"

独孤伤道："什么关系？"

沈浪道："你可瞧清了她的脸。"

王怜花已失声道："呀，不错，她的脸……"

独孤伤瞧了半晌，竟也为之动容，道："这张脸，似乎像一个人。”

三个人对望一眼，王怜花道：“像她。”

沈浪道：“独孤兄，你说像么？”

独孤伤沉声道：“不错，的确有七分相似。”

花神的脸，温柔而美丽，眉梢眼角，似乎带着叙不尽的悲伤与怀念，活脱脱正和白飞飞有七分相似。

王怜花出神地瞧了半晌，又道：“不对。”

独孤伤道：“还有什么不对？”

王怜花道：“这祠堂建造了最少也有十年，那么，塑这神像时，白飞飞还不过是个六七岁的小孩子，那么……”

他话未说完，独孤伤已拍掌道：“不错，塑神像的人又不能未卜先知，怎能预知白飞飞长大后是何模样？这神像虽和她有七分相似，看来不过是件巧合而已。”

沈浪道：“这不是巧合。”

独孤伤皱眉道：“不是？”

沈浪缓缓道：“但这神像却也不是照着白飞飞的模样所塑的。”

独孤伤更是奇怪，道：“这神像若非照着白飞飞的模样所塑，这便该是巧合，但你又说这绝不是巧合，那么，这究竟是怎么回事？”

沈浪目光凝注，一字字道：“这神像是白飞飞的母亲。”

王怜花动容道：“呀，她的母亲……”

独孤伤大声道：“白飞飞到这里来还不过一个月，她母亲的塑像又怎会在这里……她母亲又怎会变成这里的花神？”

沈浪悠悠道：“这其中有个绝大的秘密。”

独孤伤道：“秘密？什么秘密？”

沈浪道：“此刻还不能说，此刻我也弄不清。”

王怜花沉思着道：“也许，白飞飞的母亲本是这里的人，白飞飞说不定也是在这里生长的，只是长大后去了中原。”

沈浪点头道：“也许正是这样。”

王怜花道：“但白飞飞的母亲若只是个普通的村姑，别人又怎会将她塑作花神？白飞飞的母亲若不是个普通的村姑，又怎会让她的女儿流落异乡？”

沈浪悠悠道："也许，她的流落并非真的。"

王怜花瞪大了眼睛，道："并非真的？"

沈浪道："也许，白飞飞的母亲本人虽是个村姑，后来却因机缘巧遇，而变成了位奇人……说不定还是位武林奇人。"

王怜花眼睛瞪得更大，道："武林奇人？"

独孤伤道："据我所知，十余年前武林中并无这样的奇人。"

沈浪道："有些武林奇人的面目，你是瞧不见的。"

独孤伤怔了怔，道："但她的名字……"

沈浪道："有些武林奇人真正的名姓，你也是不知道的。"

王怜花忍不住道："她究竟是什么人？你可知道？"

沈浪道："我也许知道。"

独孤伤大声道："你既知道，为何不说？"

沈浪道："也许，她和'幽灵群鬼'有些关系。"

独孤伤面色立刻变了，失声道："你说什么？你……你再说清楚些。"

沈浪微微一笑，道："现在，我也说不清楚了。"

王怜花道："无论如何，这祠堂若和'幽灵群鬼'有些关系，那么，那岩洞岂非……呀，不错，那岩洞如此神秘深邃，正好是幽灵们的居处。"

独孤伤变色道："那么，熊猫儿……"

他话未说完，人已冲了出去。

王怜花望向沈浪，沈浪面上虽有笑容，但显然笑得甚是勉强，目中更是忧虑重重，沉声道："若是我不幸而猜中，那么一切事只怕都已有了非常的变化，你我的麻烦，只怕又多了……"

李登龙的尸身，仍在雨中，他身子半裸，头颅已被击碎，只不过依稀仍可辨出他的面目。

独孤伤动容道："这岂非是那李……"

沈浪道："呀，不错，他正是那李登龙。"

独孤伤道："他……他怎会死在这里？"

王怜花变色道："朱七七不在洞口，这姓李的又是如此模样，莫非他在无意中瞧见了朱七七，竟敢对她无礼，所以朱七七就下了毒手。”

沈浪道：“这绝非朱七七下的手。”

王怜花道：“何以见得？”

沈浪道：“朱七七下手绝不会如此毒辣。”

独孤伤道：“幽灵鬼女……这莫非是幽灵鬼女下的手？”

沈浪沉吟道：“也不会是幽灵鬼女。”

独孤伤皱眉道：“又何以见得？”

沈浪道：“幽灵鬼女行事素来隐秘，这若是幽灵鬼女下的手，绝不会将尸身遗留在这里。”

独孤伤长长叹了口气，道：“不错。”

他这一声长叹中，实有许多倾服之意，他发觉沈浪是高人一筹，总能想到别人想不到的事。

王怜花忍不住道：“这既非朱七七下的手，又非幽灵鬼女，那么，是谁呢？”

沈浪道：“这里显然还有别人来过。”

王怜花道：“别人？”

沈浪道：“我虽不知此人是谁，却可断定必是女子。”

独孤伤沉吟道：“女子……这快活林中，女子并不多，能杀人的女子更不多……”

王怜花笑道：“并不要多，一个就够了。”

独孤伤愤怒地瞪了他一眼，再不说话，一掠入洞。

雨日光暗，入洞十余步，纵然有人对面行来，也难辨面目，独孤伤、王怜花目光四下搜索。

独孤伤道：“那朱七七可是在此处等你？”

王怜花道：“她想必不会到别处去的。”

独孤伤道：“此刻为何不见？”

王怜花耸了耸肩，道：“那熊猫儿可是在此处等你？”

独孤伤道：“他怎敢乱走。”

王怜花道：“但此刻他的人呢？”

两人说话虽仍各带机锋，其实心里已急得要命，明明应该在这里的人竟不在这里，为什么？

独孤伤突然忍不住拉住了王怜花的手，道："你看……你看他两人是否已遭了毒手？"

王怜花淡淡道："我老婆不见了，我都不着急，你着急什么？"

独孤伤切齿道："你……你是人么？"

王怜花笑道："独孤兄看来冷漠，不想却是个热心人……但独孤兄也得知道，在下并不着急，只因在下算定他两人不会死的。"

独孤伤道："为什么？"

王怜花道："幽灵鬼女没理由杀他们。"

独孤伤笑道："杀人有时并不需理由。"

王怜花道："但幽灵鬼女却有不杀他们的理由。"

独孤伤道："哦……"

王怜花道："只因留下他们，实比杀了他们有用得多。"

独孤伤回头去瞧沈浪。

沈浪的一双眸子，在黑暗中闪闪发光。

独孤伤道："此人说得有理么？"

沈浪叹道："想来必是如此。"

王怜花缓缓接道："是以我等此刻也不必再找他们了……你我只要寻出'幽灵鬼女'们的鬼穴，便可找得到他们。"

独孤伤道："但……但那鬼穴却在哪里？此间全无线索可寻。"

王怜花道："那鬼穴想必就在这洞窟之中。"

独孤伤大声道："你知道？你怎会知道？你去过了么？"

沈浪沉声道："王兄说的实有道理，那鬼穴必在这洞窟之中，只因洞口只有进来的足迹，而无出去的足迹。"

独孤伤默然半晌，喃喃道："原来你两人已瞧过了。"

他本觉自己有过人之能，但在这两人面前，他忽然发觉自己不但变成了个呆子，而且还变成了个瞎子。

王怜花道："现在，问题是这洞窟究竟有多大，有多深……"

他嘴里说话，眼睛瞧着独孤伤。

独孤伤缓缓道："这洞窟深处，伸手不见五指，而且阴森潮湿，蛛网密布，直到目前为止，我还未听见有人进去过。"

王怜花道："不错，那鬼窟纵在洞中，想必也另有秘路，而且，必定还有陷阱埋伏，你我若就这样闯进去，只是怕再难出得来了。”

独孤伤道：“若不这样闯进去又如何？”

王怜花道：“必定要先有周密的准备，火把、长索、干粮……都万不可少。”

独孤伤冷笑道：“准备，等你准备好了，已来不及了。”

沈浪道：“不错，此刻时机确已紧迫，快活王处已不可再拖，否则你我种种计划，便将功亏一篑，只是……”

他长叹一声，接道：“这洞窟之中纵无陷阱埋伏，也必定是道路幽秘，千途百径，我等若是迷失了路途，就难免要被困死在其中。”

王怜花道：“正是如此。”

独孤伤冷笑道：“既是如此，咱们就不管他们了么？”

王怜花悠悠道：“要小弟做别的事都可以，但要小弟去送死，小弟却歉难从命。”

独孤伤怒道：“要救的人是谁，你难道忘了？”

王怜花道：“无论谁的生命，都无自己的生命重要。”

独孤伤叱道：“你这……”

他叱声还未出口，沈浪已低喝道：“噤声。”

独孤伤一惊住口，洞窟深处的黑暗中，已现出一点火光。

碧森森的一点火光，有如鬼火。

微弱的，惨碧色的火光中，似有一条人影。

独孤伤、王怜花、沈浪，俱都屏住了呼吸，藏身暗处，哪知这火光在数丈之外，突又停下。

他们不动，这火光也不动。

独孤伤忍不住厉声喝道：“什么人？”

黑暗中没有应声，但火光飘飘荡荡，竟又渐渐远去。

沈浪沉声道：“追。”

王怜花道：“追……怎么能追，你不怕中他们的诡计？”

沈浪道：“这火光想必是‘幽灵鬼女’前来接引我等的，她既然有心相见，在未见着她之前，想必不致有变。”

他口中说话，人已一掠而出。

独孤伤道："你若不去，就等在这里。"

王怜花苦笑道："事到如今，想不去也不行了。"

无边的黑暗，压得人几乎透不过气来。

沉重的黑暗中，只有一点惨碧火光，飘飘荡荡，此外什么也瞧不见了，阴风阵阵吹过，吹得人直打寒噤。

沈浪等根本瞧不见路途，也辨不出方向，只有一步步盲目地随着这火光走，直如被鬼卒带入鬼域。

愈往里走，风愈大。

穿着件湿透了的衣服，行走在阵阵阴风中，这滋味可不好受，但沈浪他们却连"寒冷"这两字也感觉不到了。

要问他们现在心里是何感觉？那么，一个正被鬼卒引往鬼域中的人，又该有何感觉？

那是恐惧，但却是不知名的恐惧，因为他们甚至根本不知道应该恐惧的究竟是什么？

这种恐惧只怕比世上所有的恐惧都要命得多。

沈浪一步步走着，他只是一步步走着。

再走一步会发生什么事，他根本不知道。

黑暗中是否会有无声的毒箭射来？坚冷的石地是否会突然开个杀人的陷阱？阴森森的寒风里是否有销魂的迷药？

他全然无法预测。

他听得到独孤伤的呼吸声已愈来愈粗，愈来愈重。

这个全身里里外外都像是已冷透了的人，难道也会害怕？……沈浪心里不禁发出了一声轻轻的叹息。

黑暗中平时虽可掩饰人类的许多弱点，但在某些时期，却又可将人类在光亮中所瞧不见的弱点暴露出来。

沈浪暗忖道："聪明人虽能发明如何去利用光亮，但却唯有最最聪明的人，才知道该如何利用黑暗。"

那幽灵宫主，无疑是个绝顶聪明的人。

沈浪听不见王怜花的声音。

王怜花就算也在害怕，至少还未紧张得喘气。

沈浪暗暗忖道："王怜花，无疑也是个绝顶聪明的人，自然也知道如何来利用黑暗，这一点，我千万不可忘记……"

忽然，黑暗中一缕香气飘了过来。

沈浪立刻警觉，立刻屏住了呼吸。

随着袭人的香气，一阵银铃般的笑声响起。

她笑着道："你们切莫要屏住呼吸，这香气非但没有毒的，而且贵重得很，你们不闻闻，实在有些可惜。"

王怜花突也发出了笑声，笑道："不错，这只怕就是北京王芳斋名闻遐迩的百花香粉了，不知有多少深闺中的少妇欲求一撮来讨好她们的夫婿，更不知有多少青楼中的红粉欲求一撮去迷惑多金的浪子，姑娘远在此间，居然也有此物，倒真是难得得很。"

那语声笑道："说话的想必是王怜花王公子？"

王怜花道："姑娘怎知是区区在下？"

那语声道："常听人说王公子是少女的宠儿，红粉的知己，那么，除了王公子外，还有谁如此善解人意。"

王怜花大笑道："多谢夸奖。"

他顿住笑声，接着道："姑娘莫非是幽灵宫主？"

那语声道："正是。"

王怜花道："常听人说宫主非但是人间之绝色，也是巾帼的丈夫，但宫主今日，却又如何要如此小气？"

那语声道："小气？"

王怜花笑道："宫主若不小气，为何不肯赐我等一线光明，教我等也好一亲颜色。"

那语声银铃般笑道："想象总是比真实可爱得多，公子现在将我想象成一个绝色美女，若是真的相见，公子便说不定会失望得很，一个聪明的女人，是永远不该令男人失望的，尤其是像王公子这样的男人……"

她声音微顿，接着道："沈公子，你说是么？"

她巧妙地将话题一转，就转到沈浪身上。

沈浪微笑道："在下怎懂得女孩子的心事？"

那语声咯咯笑道："世上的男人都以为自己很了解女孩子，但唯有最聪明的男人，才肯承认自己不懂得女孩子的心事，沈公子果然和别的男子不同，难怪有那么多女孩子死心塌地地喜欢你。”

独孤伤终于忍不住叱道：“各位若要闲聊，便请换个地方……”

那语声道：“这里难道不可以说话？”

独孤伤道：“依我看来，这里只宜杀人。”

“那么，我问你，你可知道这里是什么地方？”

独孤伤道：“这……”

他无法回答这句话，谁也回答不出。

那一点萤萤绿火虽然就停留在那里，但那惨碧色的火光，甚至还没有萤火那么亮，根本照不出半尺。

四下，仍是一片黑暗，绝望的黑暗。

独孤伤冷笑道：“这里是什么地方？哼，这里总不会是你的闺房吧。”

谁知那语声却柔声道：“谁说这里不是我的闺房，难道你瞧得出么？”

若不是此时此刻，若不是在这种见鬼的地方，沈浪真的几乎忍不住要笑出来——独孤伤居然也会有这种幽默，倒真是难得。

独孤伤怔了怔道：“这……莫非……”

那语声道：“你可瞧得见你对面的是什么？”

独孤伤道：“我……我自然瞧不出。”

那语声道：“告诉你，现在你面对着的，是一幅画。”

独孤伤冷笑道：“画？什么画？鬼话。”

那语声道：“这幅画乃是吴道子的手笔，画的是莲座观音白衣如雪，若有人敢对这幅画出言轻慢，这人必定是个伧夫。”

沈浪笑道：“幽灵宫主也会供奉观音，倒真是难得得很。”

那语声悠悠道：“仙佛殿上，也有祭祀幽灵之地，幽灵为何不能供奉观音？”

王怜花拍手道：“不错不错。”

那语声道：“画的左面，便是我睡的床，床上悬着粉红色的帐子，帐子上绣着春天的杜鹃，夏日的芍药……那正是北京杜七娘的妙手制成的。”

王怜花笑道：“能让在下瞧瞧么？”

那语声道：“王公子怎地也这么俗，杜七娘的神针，纵然不瞧，也能想象得到的……沈公子，你说是么？”

沈浪道：“在下只想盖起被子，在上面好生睡一觉，至于有没有杜七娘的神针刺绣，对在下说来都没什么两样。”

那语声“扑哧”一笑，道：“床的旁边就是我的衣柜，里面有我十几套衣服，其中大多是白色的，只有一套粉红。”

王怜花道：“宫主着起粉红衣裳时，必定美得很。”

那语声笑道：“公子若喜欢，我一定会换上它让公子瞧瞧的。”

王怜花道：“多谢……不知衣柜后面还有什么？”

那语声道：“公子真的想知道？”

王怜花道：“真的。”

那语声咯咯笑道：“……公子若到令堂房中的衣柜后去瞧瞧，就知道是什么了。”

王怜花大笑道：“呀，不错，我知道了。”

那语声亲切动人，正像是个温柔、世故，而略带俏皮的女主人，在和她熟不拘礼的客人们闲聊着家常。

听到这里，独孤伤竟也忍不住问道：“那究竟是什么？”

王怜花大笑道：“可怜的独身汉，你难道不知道，女子闺房的衣柜后面，只有马桶。”

独孤伤呆了呆，也不知是该怒，还是该笑。

王怜花道：“却不知宫主的梳妆之地在哪里？”

那语声道：“画的右面，就是我的妆台，那上面有一面小小的菱花铜镜，也是京城王芳斋的名匠磨成的。”

王怜花道：“自然还有王芳斋精制的刨花头油。”

那语声娇笑道：“我嫌王芳斋的刨花油香气太浓，所以用的只是江南宜芳阁的玫瑰花露，但那套乌木梳子却是王芳斋柳州分号里的精品。”

王怜花叹道：“宫主的选择，果然精雅之极。”

沈浪忽然接口笑道：“香闺之上，岂可无琴？”

那语声笑道："沈公子果然是雅人，这妆台之旁，就是我的琴台……"

她说到这里，竟真的有琴声响了起来。

琴声妩媚，香气醉人。

独孤伤虽然明知她说的是一片鬼话，但不知不觉间，几乎已真的以为自己是置身在一个娇生惯养的少女香闺中，若不是那黑暗，那要命的黑暗，他几乎忍不住要走过去，在那张"床"上舒舒服服地坐下来。

只听沈浪笑道："在下等今日能来到宫主的香闺，当真是三生有幸，但在下却不知犯了什么过错，竟被宫主罚站。"

那语声娇笑道："你正是犯了大错。"

沈浪道："哦？"

那语声道："你偷看了我的脸，我真想罚你站一辈子。"

这语声虽然温柔动人，却带着几分做作。

但这做作却又像是个爱撒娇的少女在情人面前撒娇——她若想以这种手段来掩饰自己真正的语声，她的确成功了。

沈浪纵然十分留意，竟也听不出这究竟是否白飞飞的语声，世上难听的女子声音虽然都十分不同，但动人的女子语声却都有几分相似的。

沈浪微微笑道："宫主的脸，为什么不愿被别人瞧见？"

那语声道："因为我已在幽灵祖师面前发下重誓，凡是瞧见我脸的人，无论他是谁，都只有两条路可走。"

沈浪道："哦，哪两条路？"

那语声道："死。"

沈浪叹了口气，道："在下但愿能走第二条路。"

那语声悠悠道："直到目前为止，还没有人走这第二条路，只因为这第二条路不是人人都可以走得的……世上能走这第二条路的人，并没有几个。"

沈浪道："到底有几个？"

那语声笑道："严格说来，只有一个。"

沈浪叹道："一个？这……这岂非太少了？"

那语声变得更温柔，道："对你说来，一个已不少了。"

沈浪道："为什么？"

那语声道："因为这唯一能走第二条路的人，恰巧就是你。"

沈浪笑道："在下的确荣幸之至，宫主若能告诉在下这第二条路是条什么样的路，在下就更高兴了。"

那语声轻轻道："第二条路，就是和我结为夫妇。"

王怜花怪叫了起来，道："不公平，不公平，为什么人人都要和沈浪结为夫妇？为什么不找我？宫主若找我，我答应得一定比沈浪痛快得多。"

那语声轻轻笑道："沈浪也会答应的。"

沈浪道："宫主怎知在下定会答应？"

那语声悠悠道："熊猫儿是你的好朋友，是么？"

沈浪道："不错。"

那语声道："朱七七也是你的好朋友，是么？"

沈浪道："嗯。"

那语声道："那么，你就该知道为什么一定要答应我了。"

独孤伤厉声道："他……他两人已落在你手上？"

那语声悠悠道："不幸正是如此。"

独孤伤道："用此等手段来要挟别人成亲，岂非无耻之极？"

那语声笑道："若有个女子也用这种手段来要挟你成亲，你只怕要高兴得三天三夜睡不着觉……沈公子，你说是么？"

独孤伤怒吼着要扑上去，却被沈浪一把拉住。

独孤伤怒道："放手，你为何……"

沈浪道："你纵待和她拼命，也该先弄清她在哪里。"

独孤伤道："她在那里说话，人自然在那里。"

沈浪道："你可瞧得见她？"

独孤伤道："我用不着瞧见她。"

沈浪道："你可瞧得见我？"

独孤伤道："瞧不见……但你的眼睛……"

沈浪道："这就是了，你至少可以瞧得见我的眼睛，但却瞧不见她的眼睛，这是为什么……这自然也许因为她是闭着眼睛的；但也许她是藏在什么东西后面，也许便是那张妆台，你闯过去若是打翻了她的桂花油，岂非有些杀风景？”他一面说话，一面却在独孤伤掌心写了几个字。

这时那语声已娇笑道：“沈公子究竟是聪明人，你打翻了我的桂花油倒没什么，但我面前若是块刀板，你岂非要撞破了头？”

沈浪笑道：“香闺中出现块刀板，岂非也是件杀风景的事？”

那语声笑道：“你不答应我的亲事，那才真是杀风景哩，一个女孩子主动向人求亲，已经怪难为情的了，若再被人拒绝，她是什么事都做得出的。”

沈浪道：“但我又怎知熊猫儿真的在这里。”

那语声道：“这个容易……”

她的话才说完，远处已有吼声传了过来。

“你这只母狗，你再摸老子，老子就……”

吼声突然中断，但沈浪已听出这的确是熊猫儿的声音。

王怜花笑道：“这猫儿看来非但没有受罪，反倒似乎艳福不浅，只可惜他素来不解风情，若换了在下，无论要摸在下何处，在下都是求之不得的。”

那语声道：“沈公子，你可要听听朱七七的声音？”

沈浪道：“不必。”

那语声道：“现在，你是不是可以答应了？”

沈浪缓缓道：“宫主若真是我前夜瞧见的那人，在下能得如此美人为妻，又何乐而不为……但在下又怎知你真是我所瞧见的？”

那语声笑道：“说来说去，你还是想叫我现身，是么？”

沈浪笑道：“宫主纵不现身，至少也该让我瞧瞧那双眼睛。”

他叹了口气，接道：“那双眼睛当真是明若秋水，在下一见，永远难以忘记。”

那语声也轻轻叹息了一声，道：“你说得这么动人，我又怎能拒绝你。”

黑暗中，果然出现了一双眼睛。

那无疑是双美丽的眼睛。

但就在这双眼睛出现的那一刹那，沈浪与独孤伤的眼睛却突然瞧不见了——沈浪方才在独孤伤掌心写的是："一见彼目，即闭我目，扑！"

他写的自然是最简单的词句，幸好独孤伤是懂得的。

就在这一刹那间，沈浪与独孤伤已扑了上去。

沈浪自然也是绝顶聪明的人，他自然也懂得如何利用这黑暗——他们在黑暗中这闭眼一扑，非但无声无息，简直可说是无迹可寻。

那双眼睛甚至连眨都没有一眨，沈浪根本不让她有丝毫招架、反抗、躲避的机会。

四只铁掌击出，用的是四种不同的手法，砍、劈、点、擒，他们显然已不容这美丽的幽灵再逃出掌下。

无论死活，都不能容她再逃出掌下。

这是竭尽全力的一击，这是势在必成的一击。

世上几乎没有一个人能在这一击下逃脱。

她果然未能逃脱。

四只铁掌，同时击上了她的身子。

她发出一声呻吟的叹息，软软地倒了下去，但那双美丽的眼睛，竟还是张开的。

她非但没有惊呼、惨叫，甚至连眼睛都没有惊惧痛苦之意，这双美丽的眼睛中反似带着种解脱的欢愉。

沈浪张开眼睛，身子突然一震，失声道："你究竟是谁？"

他突然发觉这双美丽的眼睛虽然是那么熟悉，但却绝不是前夕他在掀开的面纱下所瞧见的那一双。

黑暗中没有人说话。

但那双美丽的眼睛却仿佛瞧着沈浪在说："沈浪……沈浪……难道你已不认得我了？"

那幽怨的目光中，已有了泪光。

沈浪骇然去扶她的身子。

那竟是个光润的、赤裸着的身子，冰冷，僵硬，在沈浪还未出手一击前，她显然已被点了穴道。

沈浪的出手委实太快了。

他没有给对方闪避的机会，却也没有给自己一个机会去辨明这双眼睛，他知道自己已在无心中铸下了大错。

他匆匆拍开了那人的穴道，低声道："振作些，你不会死的。"

那双美丽的眼睛中的泪珠终于流下，呻吟般低语道："你用不着安慰我，我知道自己是必死的了，但死……死对我说来，已没有什么可怕……丝毫没什么可怕……"

独孤伤怔在那里，亦不禁失声道："这……这究竟是谁？"

远在一旁的王怜花突然冷冷道："你们杀错人了，你们杀的莫非染香？"

独孤伤悚然道："染香，莫非就是那……"

瞧着这双幽怨的眼睛，他终于忍下了"丫头"两字。

沈浪黯然垂首，道："染香，我对不起你……对不起你……"

染香轻声道："你莫要说这话，千万莫要说这话，能死在你手上，能死在你怀里，已是我这一生最值得开心的事……"

她美丽的眼睛中似乎现出了一丝凄凉的笑意。

然后，她眼睛闭上，永远再也不能睁开……

她终于在微笑中结束了她一生凄凉悲惨的遭遇。

黑暗，令人窒息的黑暗，甚至连那一点鬼火都灭了。

沈浪握着染香冰冷的手，久久不能放下。

突然，幽灵宫主那语声又响起。

她咯咯笑道："沈浪，你如今总该知道，你是再也沾不着我的了，除非你和我成亲，否则你再也沾不着我一根手指。"

沈浪缓缓道："你为何要如此做？你为何要害她？"

他语声似乎很平静，但这平静的语声中，却含蕴着无限的悲哀，无限的愤怒，无限的力量。

幽灵宫主的笑声却像针一般刺人，一字字道："我这样做，只是告诉你，你究竟不是神，你也会有做错的时候，你并不比别人聪明多少。"

沈浪长长叹息一声，黯然道："我的确做错了，我的确有做错的时候……但我希望你仔细想想，你是否也做错了。"

黑暗中寂静了许久。

沈浪道："不错，有些事你的确做得非常成功，你不但骗了我，也骗了所有的人，但你能永远骗下去么？"

黑暗中还是没有人说话。

沈浪道："你一心想骗尽天下的人，所以你没有亲人，没有朋友，只因你不能相信任何人，你只有寂寞孤独地过一辈子，一辈子痛苦。"

幽灵宫主突然大笑道："谁说我痛苦……至少，现在你就比我痛苦得多。"

沈浪道："你瞧见别人的痛苦，就觉得开心，是么？"

幽灵宫主道："不错，尤其是瞧见你痛苦的时候。"

沈浪道："你既然如此恨我，为何还要和我成亲？"

幽灵宫主默然半晌，缓缓道："因为我不能看你得到快乐，就不能让你和别人……"

沈浪截口道："你不愿看见我和别人结合，是么？"

幽灵宫主道："我纵然痛苦一辈子，也要你痛苦一辈子。"

她仿佛突然激动起来，语声也已有些颤抖。

沈浪长长叹了口气，缓缓道："很好，现在，我终于能断定你是谁了。"

幽灵宫主道："我……我是谁？"

沈浪道："你若真的和我素不相识，又怎会如此恨我……唉，我本来以为你是个很善良的人，谁知我竟然错了。"

他短促地发出一声惨笑，继续道："这也许是我一生中所犯最大的错误。"

黑暗中又没有了声音。

沈浪道："我说错了么？"

幽灵宫主道："你纵然说对了又如何？"

她语声突然变了，变得不再温柔，也不再激动，变得平静而冷漠，就像是另一个人发出的声音。

沈浪叹道："我只希望你再想想……"

幽灵宫主道："我不用想了。"

沈浪道："但我……"

幽灵宫主道："你也不用再想了。"

沈浪道："为什么？"

幽灵宫主道："现在，你和我已都没有第二条路可走。"

沈浪道："你为何也没有第二条路可走？"

幽灵宫主道："现在，我已别无选择，只有让你死。"

沈浪道："我……"

幽灵宫主道："你也只有死。"

第三十七章

误会冰消

沈浪默然半晌，缓缓道："你竟有这样的自信，必定能令我死？"

幽灵宫主道："是。"

沈浪道："我死了，你很快乐？"

幽灵宫主道："那也未必。"

沈浪道："既然未必快乐，你为何……"

幽灵宫主道："这道理很简单，我既不能占有你，只有让你死。"

沈浪悠悠道："很好，你不妨试试看……"

独孤伤终于忍不住大吼出来，道："沈浪，我本来以为你是个聪明人，谁知你却是个疯子。"

沈浪道："疯子？"

独孤伤大吼道："到了现在，你还和她谈什么心，说什么话？这地方可是聊天的地方？这时候可是聊天的时候？"

沈浪苦笑道："我和她之间的事，你永远不会知道的。"

独孤伤道："她究竟是谁？……究竟是什么东西？"

沈浪缓缓道："你永远想不到的，她……她就是白飞飞。"

独孤伤几乎要跳了起来，道："看来你真的疯了，白飞飞……白飞飞会是幽灵宫主？那么温柔的女孩子，会是幽灵宫主？"

沈浪道："本来我也不相信的，但此刻事实却令我非相信不可。"

独孤伤怔了半晌，道："你……你真是白飞飞？"

黑暗中，幽灵宫主语声冷冷道："现在，我无论是谁都没有关系了，对一个要死的人说来，我无论是谁，都已没有什么分别。"

独孤伤怒道："放屁，你……"

幽灵宫主道："你最好莫要妄动，否则只有死得快些。"

她冷笑一声，接道："你以为此地真是我的闺房？"

独孤伤道："这是什么地方？"

幽灵宫主道："告诉你，这里是人间的地狱。"

独孤伤突然大声冷笑起来——冷笑的声音本不会大，若是大声冷笑，那自然是装出来的。

他大声冷笑道："某家自十四岁出道闯荡江湖，至今已有四十年，这四十年来，本该已死过无数次了，莫说是人间的地狱，便是幽冥地狱，某家又何惧走上几遭，你若以为某家会被骇倒你便大错了。"

幽灵宫主淡淡一笑，道："我但愿你未被骇倒，我也不想骇你，但我不妨告诉你，人间的地狱，实比幽冥地狱美丽得多。"

独孤伤咯咯笑道："美丽得多？"

幽灵宫主道："不错，美丽得多，所以你瞧不见，实在可惜。"

独孤伤道："哼，嘿嘿，可惜……"

幽灵宫主道："鬼狱中没有灯火，凡人的肉眼到了这里，就变得和瞎子相差无几，我为了弥补你们的损失，不妨将这里的景象描叙给你听听。"

这时，方才那迷人的香气，竟已变了，变成一种混合着血腥与腐尸的味道，令人嗅得又要呕吐，又要发抖。

幽灵宫主温柔的语声也变了，变得飘忽、尖锐、阴森、短促，那几乎真的已不复再似人类的语声。

这两种截然不同的语声，竟是从同一人的嘴里发出来的，这几乎是令人万万难以相信的事。

飘忽的语声，也不知是从哪个方向发出来的。

幽灵宫主幽幽道："你们若能瞧得见，你们就会发觉，就算你们现在站着的这一块地，也可算是世间最美丽的了。那光滑晶莹的地面，看来就像是玉一样，那精美的花纹图案，更是不知花了多少心血的艺术杰作。"

她轻轻一笑，道："但你们可知道这块地是什么做的？"

独孤伤忍不住地冷笑道："就是地，还要用东西做么……这倒是活见鬼了。"

幽灵宫主的笑声突然变得有如冬夜寒山中的狼嗁，那鬼哭般的狼嗁，足以令任何人听了都不禁为之冷汗淋漓。她接着道："你永远想不到的，但我可以告诉你，这块地，是用人的骨头拼起来的，一块块的人骨头，有男人的，也有女人的，有老人的，也有孩子的，有头盖骨，肩胛骨，胸肋骨，也有手骨，腿骨，甚至有脸骨……"

她咯咯笑道："你们现在说不定就是站在一块头盖骨上，那说不定就是一个多情的少女粉靥下的颧骨……"

独孤伤一双腿不知不觉已抽搐了起来，就好像有无数条冰冷的毒蛇爬入他靴子，爬上他的腿。

幽灵宫主突又柔声道："你可知道你们身旁的是什么……那是一幅画，一幅刺绣，上面绣着青的山，白的云，绿的水。"

独孤伤冷笑道："这难道也是神针杜七娘的手笔？"

幽灵宫主笑道："不错！这的确是神针杜七娘亲手绣的，这可说是她杰作中的杰作，但你可知道这是用什么绣的？"

她笑声又变了。

她狞笑着道："这是以白骨为针，以发丝和青筋为线，绣在一张人皮上，整整的一张人皮，就像缎子般光滑，本来是属于一个温柔而美丽的少女的……就像朱七七那么美丽，我剥下她的皮，只因为她不听我的话。"

独孤伤狂笑道："你这是想骇我？你以为抽筋剥皮的事老子没做过？"

幽灵宫主道："你自然是做过的，但你可知道，要用什么法子，才能将一个人的皮完完整整地剥下来……"

独孤伤狞笑道："法子多得很，你可要试试？"

幽灵宫主笑道："法子固然多，但若要使这张皮完美得没有一丝损伤，那却也是件艺术，你只怕是不懂的。"

独孤伤道："老子只懂剥皮，不懂艺术。"

幽灵宫主道："你可愿听听么？"

独孤伤道："哼，你爱说不说。"

幽灵宫主道："我先将她的身子大半埋在土中，然后，再在她头上剥条缝，将水银一滴一滴地倒进去。"

她轻轻接道："这时候，她的身子就开始有了变化，她的嘴被塞住，身子就像蛇一般往上挤，往上挤……但她的皮却已被黏在土上，她的身子就像是个肉球似的挤了出来，告诉你，那白色的肉球到了地上还会跑哩……"

独孤伤全身都抖了起来，嘶声大喝道："住口！住口！"

幽灵宫主柔声道："这你不愿意听么？你害怕了么？"

独孤伤道："你……你这恶魔，你是人么？"

幽灵宫主银铃般笑道："我早就告诉过你，我不是人……对了，我还忘了告诉你，这件事的最后一步，就是将一壶滚水倒在那肉球上。"

独孤伤野兽般嘶声狂吼起来，就好像这壶滚水是淋在他身上似的，他咬紧了牙狂吼道："我……和你拼了。"

幽灵宫主冷冷叱道："站住，莫要动，一动也莫要动，你可知道你前面是什么？"

这语声就像是刀，像是箭，毒箭。

独孤伤身子一震，竟真的停住了脚步。

幽灵宫主柔声道："就在你的前面，有个池塘，但却不是你幼年时，家园前那浮着红莲绿荷，还游着白鹅的池塘，这池塘比那种池塘有趣多了。"

她咯咯诡笑起来，道："这是血的池塘，塘里没有水，只有血，没有绿荷红莲，也没有白鹅，飘浮在这池塘里的只是人心、人肝、人肺，也许还有些刚挖出来的眼睛，刚切下来的鼻子，刚割下来的舌头。"

她尖声接道："你若一不留心跌下去，那滋味可要比你小时候，在池塘里游水时的滋味难受多了，你……你还想往前面走么？"

她的语声千变万化，简直教人弄不清她说的是真是假。纵然明知她说的是假，却又不能不相信她。

独孤伤此刻站着的，明明是和方才同一个地方，但方才听了她那番话便觉是女子的闺房。

此刻这女子的闺房又突然变成了人间的鬼狱。

他站在那里竟真的不敢妄动——在此刻之前，他实未想到，一个人嘴里说出来的话，竟有这么大的力量。

始终没有出声的沈浪突然笑了起来，他方才似是在沉思，又似在倾听，此刻笑的声音却很大。

幽灵宫主道："沈浪，你笑什么？你还笑得出？"

沈浪道："你实在是个聪明人，我不得不佩服。"

幽灵宫主道："哦？"

沈浪道："我知道武林中本有不少喜欢装神弄鬼的人，他们为了要骇人，不惜花费许多工夫，造出些阴森恐怖的地方，还挖空心思，替这些地方起出各种骇人的地名，叫什么'森罗鬼殿'，什么'幽灵鬼狱'。"

幽灵宫主笑道："不错。"

沈浪道："但你却和他们不同，你还比他们聪明得多。"

幽灵宫主道："是么？"

沈浪道："你只要轻轻几句话，全不费工夫就比他们花费不知几多人力物力建造的地方还要骇人得多。"

幽灵宫主咯咯笑道："你以为我说的是假的？"

沈浪笑道："无论是真是假，都没有什么关系，你总该知道，像我们这样的人，是骇不死的，你若真要我们死，还得要别的手段。"

幽灵宫主轻轻叹了口气，道："我只会吓人的，再也没有别的手段了。"

语声未了，四面八方突然响起了无数尖锐的风声，向沈浪与独孤伤站着的地方射了过来。

这绝不是强弩硬箭。

这是无数根小而毒，轻而狠的暗器。纵然在平时，也难躲过，又何况是在这绝望的黑暗中。

沈浪与独孤伤立足在这不可知的神秘鬼狱之中，四面是什么，他们全不知道，他们几乎连动都不敢动。

这样，他们还有什么希望能躲得过？

风声和骤雨，直响了半盏茶时候才停。

沈浪和独孤伤完全没有响动。

他们莫非已无声无息地死了？

良久良久，幽灵宫主轻唤道："沈浪！沈浪……"

黑暗中没有应声。

又是良久良久。

另一个女子的语声轻叹道："这祸害总算除去了。"

幽灵宫主道："只怕……未必。"

那女子道："他们绝对躲不过的，何况，我根本没有听见他们身形闪避时的风声。"

幽灵宫主道："不错，没有风声，但也没有呼声。"

那女子笑道："像他们那样的人，直到死时也不肯叫出声音来的。"

幽灵宫主居然幽幽叹息了一声——这一声叹息，听来竟像是真的从她心底深处发出来的。

那女子道："现在，可以点起灯来瞧瞧了么？"

幽灵宫主道："再等等……"

黑暗中听不到任何声音，也听不见沈浪与独孤伤的呼吸声，一个人停止了呼吸，自然是死了。

幽灵宫主悠悠道："沈浪，你真的死了么……这不能怪我，只能怪你自己，但你虽然死了，却比活着的人要舒服得多。"

突然，王怜花的语声远远传来，笑道："但在下却还是宁愿活着。"

幽灵宫主道："你活着，只因我未要你死。"

王怜花笑道："自然……在下自然知道，否则家母又怎会送你回来，又怎会将那不男不女的人的性命交在你手上。"

幽灵宫主道："你母亲是个聪明人。"

王怜花道："但在下的嘴也严得很，有关宫主的事，在下一个字也未说出来，虽然在下也直到今日才知道姑娘你就是幽灵宫主，但姑娘你非常人，在下却是早已知道了的，在下也早已知道姑娘你……"

幽灵宫主冷冷道："住口，你的嘴若不严，此刻还能活着么？"

王怜花道："是。"

幽灵宫主道："我杀了沈浪，你母亲不知如何？"

王怜花笑道："姑娘你竟能下手除去沈浪，家母也必定佩服得很。”

幽灵宫主冷冷道：“为了自己，我是什么人都会杀的。”

王怜花道：“家母早已瞧出了姑娘你的雄才大略，除了姑娘你，又有谁肯受那样的委屈，又有谁能装得那么动人？”

幽灵宫主道：“哼！”

王怜花道：“是以家母才诚心诚意要与姑娘合作，一来自然是要除去那快活王，二来也是为了要和姑娘共分天下。”

幽灵宫主道：“我去中原，本也大半是为了要寻你母亲，我很小的时候就一心要瞧瞧你母亲是个怎么样的美人，竟能使‘他’遗弃我母亲。”

王怜花干笑道：“昔日之事，姑娘还说什么，反正你我的母亲，都是被‘他’遗弃的人，而你和我本是……”

幽灵宫主叱道：“住口。”

王怜花道：“是，现在……”

幽灵宫主道：“我既没有杀你，你还说什么？”

王怜花道：“只是，现在姑娘不知可否赐下一线光明，令在下能走过去，也令在下瞧瞧沈浪死时是何模样。”

他大笑接道：“在下心里本有个问题，沈浪死了后，脸上不知道还有没有那见鬼的微笑，在下当真不惜一切想知道这问题的答案。”

幽灵宫主默然良久良久，终于缓缓道：“掌灯。”

就像是孩子梦中的奇迹似的，灯光洒了出来，那令人窒息，令人绝望的黑暗，立刻就消失不见。

但这里既非女子的闺房，也非人间的鬼狱。

这里既没有吴道子的观音，杜七娘的刺绣，也没有铜镜妆台，更没有死人的白骨，恐怖的血池。

这里只不过是个阴森的洞窟，四面只不过是黑暗而坚硬的岩石，自然岩石阴影中，有幢幢人影，宛如幽灵般。

而沈浪……沈浪也没有死。

沈浪与独孤伤还好好地站在那里。

他动也不动地站在那里，脸上自然还是带着那见鬼的微笑，而且笑得比平时更要气人。

他和独孤伤背贴着背，身上的长衫都已脱了下来，他们用双手撑着，就像是个帐篷，他们就躲在这帐篷里。

湿透了的衣衫，再加上他们的内家真气，那些轻而狠，小而毒的暗器，自然是穿不透的。

远远站着的王怜花，立刻面如死灰。

阴影中幽灵般的人影，身子也起了一阵阵颤动。

沈浪大笑道："智者千虑，终有一失，姑娘的鬼话琅琅，虽想将在下等骇得魂飞足软，然后再置之死地，却不想在下等却趁姑娘你连篇鬼话时，先筑下了个避箭的软城……这正是'明听鬼话暗修城'了……"

幽灵宫主身影在颤抖，道："沈浪，你……你这个鬼……你简直不是人。"

沈浪笑道："在下却只愿为人，不甘做鬼。"

他目光转向王怜花，接着笑道："此点王兄岂非也和在下深有同感？"

王怜花道："咳咳……咳咳……"

沈浪道："王怜花呀王怜花，你千不该，万不该，不该在还未确定我是否真的已死了时，便将秘密说出来。"

王怜花干笑道："其实那也算不了是什么秘密。"

沈浪道："不错，我早已知道王夫人放走白飞飞必有用意，我也早已知道白飞飞杀死色使并非是无心，这自然不是什么秘密。"

王怜花道："那么你……"

沈浪截口道："但我却直到今日才能确定，王怜花与白飞飞竟是同父异母的兄妹，这才是绝大的秘密。"

王怜花悚然变色，强笑道："你说什么？"

沈浪道："快活王为了那幽灵秘籍，骗上了白飞飞的母亲，却又为了王夫人，遗弃了她，然后，他又为了衡山一役的秘密，遗弃了王夫人，他这两次遗弃，却留下了一子一女，这一子一女就是你和白飞飞。"

王怜花深深吸了口气，将激动平息下来，冷笑道："很好，你还知道什么？"

沈浪缓缓道："我还知道快活王这一子一女，非但全没有将快活王视为父亲，反而恨他入骨，恨不能亲手杀了他。"

王怜花咬牙道："若换了你又当如何？"

沈浪叹道："这是你们自己的恩怨，别人自然不能过问……但贤兄妹心肠之冷，手段之狠，却也当真不愧为名父之子。"

王怜花颤声道："很好……你说得很好……我但愿你还能说下去。"

他苍白的脸已发红，一步步往前走。

"幽灵宫主"的人影突然幽灵般飘出来，轻纱朦胧，她面目仍不可见，只听她一字字道："你让他再说下去。"

沈浪叹道："母恩如山，白飞飞呀白飞飞，我也难怪你要恨你父亲，我更佩服你的忍耐，你竟能一直装得那么像。"

幽灵宫主冷冷道："你要说的只是这几句老话？"

沈浪道："你早已探听出王夫人与王怜花的来历，所以你潜入中原，甚至不惜卖身为奴，只想被那好色的王怜花买去，好趁机为你母亲出气。"

"幽灵宫主"白飞飞悠悠道："只因我也得知他母子的手段，若是力取，我只怕还不是他的对手，所以，我只有智取。"

沈浪道："哪知你的妙计竟被朱七七破坏，她的一番好心，竟反而害了你。"

白飞飞冷笑道："我倒并不恨她，我只怜她是个什么事都不懂的孩子，别人若是卖了她，她只怕还会为那人点银子。"

沈浪苦笑道："但你既已装了，就只有装下去，你一计不成，又生二计，索性跟定了朱七七，因为你知道好心的人，是最容易骗的。"

白飞飞道："我自然什么事都计算好了，只有……只有我那次竟会落入那不男不女的色使手中，却是我未料到的事。"

沈浪道："但那次你反而因祸得福，反而接近了王怜花，谁知那位好心的朱七七又将你带走了，你那时自然只有装到底，自然只有跟着她去。"

白飞飞道："不错，说下去。"

沈浪道："所以，那日在那山顶秘窟中，你才会将王怜花放走，然后再作出那种无知而又无辜的模样，骗过了我，只可笑我反而劝你莫要难受，莫要着急。”

王怜花大笑道：“那日她竟将我放走，我本也吃了一惊，楚楚可怜的白飞飞竟会是这样的人，实是我梦想不到的事。”

白飞飞冷笑道：“男人都是容易受骗的，愈是自以为聪明的男人，愈容易受骗，你只要作出什么都不懂的可怜模样，他们就什么都相信你……只可怜朱七七，她明明什么都不懂，却偏偏要作出女英雄的模样，所以就要上男人的当。”

沈浪叹道：“只可怜朱七七……唉，那日在那客栈中，我还怪她没有小心看顾着你，谁知你竟是故意要被金不换劫走的。”

白飞飞道：“否则我难道不会喊叫么？”

沈浪惨笑道：“更可怜是那倔强的金无望，他……他竟为你而残废，你在暗中只怕还要笑他是个呆子，是么？是么？”

在这一刹那间，他那永远温柔，永不动怒的眼睛里，突然射出了逼人的光芒，就像是刀，又像是火。

白飞飞也不由自主垂下了头，黯然道：“这……这也是我未想到的。”

沈浪长长叹了口气，垂下目光，道：“于是你终于接近了王怜花与王夫人，但那时你已发觉与其杀了他们，倒不如利用他们。”

白飞飞幽然道：“只因那时我已发觉她的遭遇其实也和我母亲一样，她……她其实也是个被人遗弃的可怜的女人。”

沈浪道：“无论如何，你总算利用她的计策，而接近了快活王，而快活王虽然好色，这一次却依从了你，没有强迫你。”

他苦笑接道：“这一点，快活王自己只怕也在暗中奇怪，哪知他对你如此好，只不过是为了还有一点父亲的天性，他虽是绝代之枭雄，他虽不知道你是他女儿，但他终究不是野兽，这一点天性还是在的。”

白飞飞突也长长叹了口气道：“不错。”

沈浪道：“但你对他可有对父亲的天性么？”

白飞飞霍然抬头，厉声道：“没有，丝毫没有。”她咬牙接道，“我不是野兽，但也不是人，我久已不是人了。”

“在我眼瞧着我母亲死于痛苦时，我已发誓不愿做人了。”

沈浪默然半晌，缓缓道："但你想不到我竟也来了。"

白飞飞道："我想得到，我早已知道你会来的。"

沈浪道："所以……你也早已想好法子来骗我。"

白飞飞也默然良久，星光一般清澈的目光凝注着他，穿过了重重轻纱，眨也不眨地一字字道："你以为什么话都是骗你的？"

沈浪道："你……你难道不是？"

白飞飞凄然而笑，道："你不是很了解女人么？为何不知道我的心？"

沈浪惨笑道："我也以为你对我还有几分真意，但……但直到方才，直到此刻。"

白飞飞道："我早已说过，一个女人若是爱上一个男人而又得不到他时，就只有毁了他，何况，你若真的死了，倒比活着的人舒服得多。"

沈浪叹道："不错，你方才总算为我叹息了一声。但……"

他突然大声道："但你以后千万莫说我了解女人，我此刻才知道，你若要害一个男人害得他发狂，最好的法子就是让他自己以为很了解女人。"

王怜花突也叹道："这句话只怕是我今天一整天里所听到的最有道理的话了，若有谁自负他了解女人，那么他眼看就要倒霉了。"

白飞飞缓缓道："很好，你们都是男人，你们又站到一边了，是么？"

王怜花怔了怔道："我……我……"

白飞飞冷笑道："你，你可知道我要用什么法子来对付你们？"

沈浪道："我但愿能知道。"

白飞飞道："女人用来对付男人的法子，常常是最笨的法子，但最笨的法子，却又常常是最有效的法子。"

沈浪道："最笨的法子……"

白飞飞道："已经用过但未成功的法子，你若再用一次，岂非就成了最笨的法子……"

语声中，她人影又幽灵般飘了开去。

沈浪面色突然改变。

王怜花变色喝道："白飞飞，你不能……"

但这时灯光又已突然熄灭，四下又是一片黑暗。

绝望的黑暗。

沈浪沉声道："我已看准退路，快退。"

他身形方自展动，黑暗中已传来白飞飞缥缈的语声道："你退不了的。"

只听"轰隆隆"一声大震，砂石如雨般的飞溅而出，沈浪纵然退得快，还是被打得身上发疼。

独孤伤跺脚道："不好，这丫头竟早已防了这一招，竟断了咱们的退路。"

王怜花大喝道："白飞飞，你怎能如此对我？"

白飞飞道："哦！我为何不能？"

王怜花嘶声道："你方才明明说过……"

白飞飞咯咯笑道："我方才虽说过不杀你，但此刻却已改变了主意，你总该知道，女人的心，是最善变的。"

王怜花道："你杀了我，如何向夫人交代？"

白飞飞突然笑道："她怎知是谁杀的，她又没有请我为你保镖，你死了，岂能怪得着我，你说话怎地也像是个孩子了？"

王怜花怒道："但……但你莫忘了，你和我……"

突然，一双手将他拉了过去。

沈浪的语声在他耳边道："紧贴着石壁，莫出声，我还不想你死在这里。"

王怜花咬牙道："这贱人。"

他自然不是呆子，自然知道在这么黑暗的地方，谁若发出了丝毫声音，谁就要变成箭靶子。

骂了半句，他也紧紧闭起了嘴。

只听白飞飞的语声在远处黑暗中悠悠道："沈浪，你莫要怪我，我本可不杀你的，怎奈你已知道得太多了，一个人若是知道得太多，就绝对活不长的。"

她轻轻一笑，接着道："至于独孤伤，你只不过是个陪葬的。"

语声戛然而止，然后便再无声息。

沈浪、独孤伤、王怜花等三个人，背紧紧贴着那冰冷而坚硬的石壁，几乎连呼吸都不敢呼吸。

三个人嘴里虽然没有说话，心里却不约而同在思忖："白飞飞，只怕已可算是世上最可怕的女子了。"

当然，有许多女孩子可能比她更狠毒，但谁有她的温柔？世上温柔的女子虽也不少，但又有谁比她狠毒？

又温柔，又美丽，又狠毒的女孩子，当真可算是世上所有男人的毒药，花和蜜混合而成的毒药。

沈浪沿着石壁在黑暗中摸索着，摸到方才他早已辨清了方位的出口，但这出口此刻已被块大石堵住。

甚至连旁边那小小的空隙都已被碎石填满。

白飞飞显然早已在这里周密地布置过。

沈浪叹了口气，又摸索着退回去，突然一双手伸过来，摸索着拉住了他的手，在他的掌心写着。

"沈？"

沈浪在他手背上轻轻敲了敲，算作回答。

这只手又写道："独。"

沈浪又敲了敲他的手背，划了三个字："什么事？"

这只手缓缓写道："你看她要如何对付你我？"

他写得很慢，笔画写得很清楚。

沈浪暗中叹了口气，缓缓写下："暂时不知，只有静观待变。"

这只手停了半晌，又写道："不知要等……"

他这"等"字写到第七笔时，一笔突然加长，闪电般扣住了沈浪的穴道，另一只手已直砍沈浪的咽喉。

这变化发生得委实太快，太突然，谁能想得到独孤伤竟会突然暗算沈浪，在这绝望的黑暗中，沈浪完全未防备，岂非已必遭他毒手？

沈浪若是这样死了，岂非冤枉？

若换了任何一个人，必遭毒手再也休想活命了。

但沈浪毕竟是沈浪。

就在这刹那间，他被人扣住了的手腕，突然游鱼般滑脱，掌缘一翻，反而倒扣住了对方的手腕。

他另一只手也似早已在黑暗中等着，对方的左手一动，沈浪这只手出手如风，已点了他臂上的四处穴道。

这人算准了自己暗算必能得手，再也想不到沈浪竟似早有准备，他要别人上当，谁知上当的反而是自己。

他半边身子都已麻了。

沈浪一把将他拉过来，对住他的耳朵，一字字轻轻道："王怜花，我早已知道是你了，你休想弄鬼。"

这人的身子一抖，似乎想问："你怎会知道？"

沈浪似也知道他的心意，冷冷道："你的手指修长，手掌细润，独孤伤没有这样的手。"

黑暗中的王怜花心里直发苦——沈浪呀沈浪，你简直不是人，简直是鬼，难道真的什么事都瞒不过你么？

沈浪道："你以为杀了我，白飞飞就会放过你是么？"

王怜花虽不想点头，但也不能不点头了。

沈浪道："你这黑心的呆子，你杀了我，她也不会放过你的，此时此刻，你我三人只有同舟共济，也许能逃出去，你若再捣鬼，就真的要死无葬身之地了。"

王怜花终于忍不住轻轻叹息一声，拼命地点头。

独孤伤本已摸索着寻找他们，听得这一声叹息，才摸索着找了过来，三个人虽又聚在一起，还是无法可想。

就在这时，只听"噗噗"两声。

接着，又是"轰隆隆"一声大震。

震声中，独孤伤才敢出声说话。

他叹道："看来她又将另一条出路堵死了。"

沈浪失笑道："这一计，就叫作瓮中捉鳖。"

山谷回声又渐渐消散，他们又闭了嘴。

突然间，黑暗中似有一阵窸窣声传来。

独孤伤全身汗毛都悚立起来，在沈浪肩头写道："对面有人！莫非是下手的来了？"

沈浪匆匆写道："知道，我先过去制住她。"

他身子就像鱼得水一般滑了过去，他全身上下每一处此刻都处于绝对警觉的状态之中。

他绝没有发出任何声息。

但对面一个人也恰巧在此时扑了过来，两人身体虽然还没有接触，但本能的警觉却都一惊。

沈浪右掌已斜斜挥了出去。

这一掌虽是他匆匆发出的，但掌势轻捷，所取的部位与角度，更是正确无比，正攻向对方最弱的一环。

哪知对方这人武功竟也可算是绝顶高手，只听“虎虎”声响，拳风激荡，直击了过来。

他竟然以攻为守，绝不肯被沈浪占得先机。

沈浪暗中一惊：“不想此处也有如此高手。”

思忖之间，他又是七八掌攻了出去，沈浪武功之潇洒、脱俗、精妙，自是人人俱知，不用多说。

但这七掌攻出后，对方竟然未落下风。

只听他拳风虎虎，攻势之猛，出手之快，竟是沈浪极少遇见的高手，这人竟是谁？怎会有如此高的武功？

独孤伤与王怜花对沈浪的武功自然放心得很，两人都知道不必过去相助，黑暗中交手，原是人愈少愈好的。

若是人多，反而乱了，一拳击出，说不定会打在自己人头上，此点独孤伤与王怜花自然清楚得很。

此刻两人听得如此猛恶的拳风，也不禁暗暗吃惊。

他们都知道沈浪的武功灵动变幻，并不必以刚猛见长，那么，这猛烈的拳风，自然是对方发出来的。

两人暗中盘算，此人的武功，竟不在自己之下。

他们两人的武功在今日武林中，已都可算是顶尖儿的高手，环顾天下英雄，武功能和他们不相上下的，实已不多。

在这完全绝望的黑暗中，他两人根本什么都瞧不见，但只听这激荡的拳风，两人已觉心惊胆战。他们虽然什么都瞧不见，但却都已觉得这一战战况之紧张猛烈，竟是他们平生未见。

旁观之人心情已是如此，身在战局中的沈浪心情自更可想而知，片刻间百余招已过，两人仍未分出上下。

放眼天下能和沈浪相拆百余招而不落下风的人有几个？拳势如此猛烈迅急的人又有几个？

沈浪一掌拍出，化解了对方的拳势，身子突然飞跃而起，他身犹凌空，口中轻轻叱道："是猫儿么？"

对方这人见他突然跃起，本在吃惊，本在捉摸他的用意，思忖如何攻出下一招，听到这话，也为之一惊，失声道："沈浪？"

沈浪叹了口气，飘然在地，悄声道："幸好我忽然想到世上除了熊猫儿外，别无他人有这么硬的功夫，否则你我若真的拼个你死我活，岂非笑死人了。"

他算准白飞飞此刻不致有什么动作，所以才出声说话——白飞飞的用意，显然正是要他们先拼个死活。

熊猫儿顿足道："该死该死，我早该想到，除了沈浪外，还有谁能逼得我几乎施不开手脚。"

他竟是熊猫儿，王怜花与独孤伤都不禁怔住。

只听熊猫儿又道："你怎么也会到这鬼地方来了？"

沈浪苦笑道："非但我来了，独孤兄与王怜花也在这里。"

熊猫儿怔了怔失笑道："那倒热闹得很。"

两人此刻虽然谁也瞧不见对方，但只要听到对方的声音便已觉得有一阵温暖的友情，充满了身心。

沈浪拉住了熊猫儿的手，往石壁边退，笑道："你还是没有变……唉，看来无论什么样的折磨，都休想使你改变的，无论什么样的折磨，你都未瞧在眼里。"

熊猫儿大笑道："你虽是条铁汉，我却是条铁猫。"

独孤伤着急道："嘘！你怎么能如此大声说话？"

沈浪笑道："暂时已无妨了，白飞飞既将他送来，想必是另有毒计，绝不会再用暗器来攻了，否则她在那里就杀死这猫儿，岂非方便得多。"

独孤伤想了想，道："不错，她花样反正多得很，又何必再用暗器，何况，她心里也明白，区区暗器又怎能伤得了咱们。"

他故意将语声说得很大，像是想要白飞飞听到，他等于在向白飞飞说："暗器是没有用的，你莫要再用了吧。"

其实他若真的不怕暗器，又怎会说这样的话。

他这番话白飞飞幸好没有听见——白飞飞若是听见了他的话，又怎会猜不到他的心意。

白飞飞若听见他的话，不再用暗器才见鬼哩。

那么，白飞飞难道已走了么？

她又到哪里去了？

她竟将这些人留在这里，究竟是什么意思？

王怜花终于忍不住道："猫儿，你又怎会来的？"

熊猫儿道："我本也不知她为何将我送来这里，而且解开我的穴道，又松了包在我头上的黑布，我想，这一定不是好事，也不敢随意乱动，心里正在打着主意，哪知就在这时，沈浪就过来了。"

他突然冷笑一声，又道："王怜花，我这话并非回答你的，而是说给沈浪听的。"

王怜花笑道："不管你是说给谁听的，反正我已听见了。"

他们谁也不知道，除了他们四个人外，还有第五个人听到这话，这第五人早已躲在黑暗里，屏住了声息。

沈浪叹道："她如此做的用意，自然是想你我在黑暗中自相残杀，但除此之外，她必定还另有别的用意。"

他说话时，黑暗中那第五个人已摸索着向他走了过来，此时此地这自然是谁也想不到的事，谁也没有留意。

熊猫儿咬牙道："'幽灵宫主'倒真是个狠毒的女人，而且还会用迷药，竟将我也迷倒了。嘿，她若和王怜花配成一对倒真不错。"

沈浪叹道："你可瞧见了她的面目？"

熊猫儿道："我被她迷倒后，竟被黑布蒙住了头，连嘴也被塞住，只听别人唤她幽灵宫主，她若再让我见到，就是她倒霉的时候到了。"

沈浪道："你可知道她是谁？"

熊猫儿恨恨道："我但愿能知道她是谁。"

沈浪叹了口气，道："你再也想不到的，这'幽灵宫主'就是白飞飞。"

这下子熊猫儿可真吓了一跳，失声道：“白飞飞？不会吧。”

沈浪叹道：“我本来也以为不会，但……但……”

熊猫儿骇然道：“但白飞飞她……她看来连个蚂蚁也不忍踩死，又怎会如此毒辣？又怎会做出这样的事？”

沈浪道：“女人本已难测，而白飞飞却又是女人中最难测的一个，她心计之深，直到如今为止我还未看见能有一个人比得上她。”

突然一个女子声音咯咯笑道：“沈浪，多谢你夸奖，我让你死得快些好了。”

这笑声当真教人听得汗毛直竖。

笑声中，沈浪只觉一道掌风直击他肩后“天宗”大穴。

他翻身回掌连扫带打。

但这“幽灵宫主”招式果然迅急，一双手掌，雨点般直攻出来，攻的无一不是沈浪要穴。

熊猫儿大声道：“沈浪，你将她让给我好么？”

沈浪也不出声，只是闷打。

熊猫儿道：“如若不是女子，我真的也要帮你出手了。”

独孤伤缓缓道：“沈浪用不着你相助的。”

熊猫儿笑道：“嘿，你居然也知道沈浪了，好极好极。”

独孤伤道：“她心计虽毒，武功比起沈浪还差得多。”

熊猫儿大笑道：“一点也不错。”

只听“啪”的一声，接着“幽灵宫主”一声惊呼。

独孤伤大喜道：“你得手了？”

沈浪道：“哼！”

又听得“幽灵宫主”咯咯笑道：“沈浪你敢杀我么？”

沈浪缓缓道：“我不敢，我的确不敢。”

“幽灵宫主”突然嘶声大呼道：“你不敢杀我，你就是懦夫，是孬种。”

沈浪突然长长叹了口气道：“我明明是骗不到的，为什么人人却又偏偏想骗我？”

独孤伤、熊猫儿俱都一怔，道：“骗你？她难道不是‘幽灵宫主’？”

王怜花突也叹道：“她自然不是。”

熊猫儿道：“她……她是谁？”

王怜花道：“她是……”

他话未说出，那语声已大呼道：“谁说我不是……谁说我不是，沈浪，你再不杀我，你就要后悔一辈子，我必定要你后悔一辈子。”

沈浪长长叹息了一声，道：“朱七七，你为何总是要我杀你？”

黑暗中哀呼一声，颤道：“你……你说什么？”

沈浪黯然道：“你以为我不知道？其实你早该想想，若真是‘幽灵宫主’她要来暗算我时，又怎会先说出话来？”

独孤伤以手抚额，道：“呀，不错，我也该想到的。”

王怜花冷冷道：“何况她装的声音根本不像，哪有人像她这样笑的，更何况那‘幽灵宫主’又不是呆子，又怎会自己出手来暗算沈浪？”

朱七七嘶声大呼道：“你……你住口。”

王怜花苦笑了笑，果然不再说了。

朱七七痛哭失声道：“沈浪呀沈浪，你为何不杀我？”

沈浪道：“我怎能杀你？七七……七七，你莫非真的一点也不知道？”

朱七七痛哭道：“我知道……我虽然知道，但现在……现在什么都来不及了，我……我怎能再活下去，我活着还有何生趣？”

沈浪道：“你又怎能死？”

朱七七道：“我只有死，只有死……我只希望能死在你手上，沈浪，沈浪……求求你，你杀了我吧，你让我死得快乐些好么？”

独孤伤听得呆了，忍不住喃喃自语道：“有许多人一心想杀死沈浪，但却又有许多女子竟一心想死在沈浪手上，这倒真是怪事……从来未有的怪事。”

朱七七叫道：“你不懂的，你们都不懂的。”

沈浪道：“我也不懂，你为何要……”

朱七七颤声道：“你不懂？你真的不懂么？”

沈浪温柔地将她拥在怀里，柔声道：“七七……七七……”

他只有温柔地呼唤她的名字，别的话一句也说不出，但就只这温柔的呼唤，却已足够了。

这已足够显出他的体贴，他的谅解，他的宽恕——昔日的一些误会，此刻都已成了过去。

这呼唤纵是最简单的言语，正是情人们专用的言语——在情人们之间，已不需要别的解释。

朱七七的哭声已渐渐停了。

独孤伤只觉这黑暗的山窟似已渐渐温暖起来，他虽然瞧不见他们，但他们的深情，又有谁体会不出。

王怜花突然冷笑道："好一对情人。"

熊猫儿道："你瞧不顺眼么？"

王怜花冷冷道："你莫忘了我至少还是朱七七未来的丈夫，眼见着自己未来的妻子在旁边和别人谈情说爱，心里是什么感觉？"

他大声道："熊猫儿，你若是我，你又如何？"

沈浪"呀"的一声，似已放松了手。

熊猫儿也怔在那里，说不出话来。

王怜花道："沈浪呀沈浪，你们纵要谈情说爱，也该避着我些，是么？"

他突然一笑，接道："你们至少也该等一等。"

熊猫儿奇道："等一等？等什么？"

王怜花大笑道："你们难道真以为我娶不到老婆了么？我难道定要娶她？天下的女人难道只剩下她一个？"

熊猫儿大喜道："你……你说……"

王怜花道："她既然对我无意，我娶了她又有何意思……那岂非和娶块木头回来差不多，我不如真用块木头雕个女人做老婆，还可省些饭钱。"

熊猫儿大声道："你说的是不是真心话？"

王怜花嘻嘻笑道："天下最会说假话的人，偶尔也会说一两句真话的。"

他深深吐了口气，大声道："沈浪，朱七七，你们要谈情说爱，无论要做什么，现在只管做吧，朱七七和我的亲事就算是放屁，臭过了就算了。”

朱七七欢呼一声，竟不禁喜极而涕。

熊猫儿大声道：“好！王怜花，我认识你到现在，这才是你说的唯一的一句人话……只可惜这里没有酒，否则就冲这句话，我也得敬你三杯。”

王怜花道：“三杯？嘿，最少也得三百杯。”

熊猫儿大笑道：“不错不错，你他妈的简直不错极了。”

黑暗中，又寂静了良久良久……

熊猫儿虽然有许多话要说——大家也许都有许多话要说，但此时此刻，又有谁愿意去打扰沈浪与朱七七。

又不知过了多久。

王怜花终于悠悠道：“我现在……正在想……”

熊猫儿忍不住道：“你想什么？”

王怜花笑道：“我在想，不知沈浪和朱七七此刻在干什么，只可惜这里没有灯。”

熊猫儿也不禁失笑道：“坏蛋到底是坏蛋，刚说了句人话后，又不说人话。”

独孤伤突然道：“这里虽然没有灯，却有棵树。”

熊猫儿奇道：“树？什么树？”

独孤伤道：“黄连树。”

熊猫儿怔了怔，大笑道：“不错，咱们此刻正好像是在黄连树下弹琴，苦中作乐。”

他笑声渐渐停住，想到此刻之处境，他实也笑不出来。

独孤伤道：“她此刻竟连一点声息都没有了，这是为什么？”

他这话虽然没有指明问谁，但自然是问沈浪的。

沈浪的嘴上像是刚刚有样东西移开，深深吸了口气，道：“她自然另有计谋。”

独孤伤道：“你想她会用什么样的毒计？”

熊猫儿失声道：“呀，我猜到了。”

独孤伤道：“你说是什么？”

熊猫儿道："火……火？"

独孤伤变色道："不错！她将这里的道路完全堵死，正是要用火攻……不过，这里全是石头，她只怕也难以发起火来。"

熊猫儿叹道："石头虽烧不着，但她又不像你这么笨，她难道不会先将稻草树枝引火之物先抛进来么？"

独孤伤失声道："呀！不错，她若真用火攻，你我简直无路可走。"

王怜花悠悠道："但你只管放心，她若真要用火攻，绝不会等到现在的，早就下手了，她总不会是要让沈浪先谈谈情吧。"

熊猫儿道："沈浪你说她会不会用火？"

沈浪道："她不会的。"

熊猫儿道："那么，难道水？对了，水！她若用水灌进来，咱们也惨了。"

王怜花冷笑道："这山洞里哪里来这许多水？"

熊猫儿道："别人没法子，她定有法子，沈浪，你说是么？"

沈浪缓缓道："她也不会用水。"

第三十八章

英雄肝胆

熊猫儿问道："为什么？"

沈浪道："只因无论火烧水淹都太平凡，太普通了。"

熊猫儿奇道："平凡？普通？"

沈浪叹了口气，道："她纵然是恶魔，但却是恶魔中的仙子，她虽然坏，但却坏得脱俗，这种人人都可想出来的法子，她是不会用的。"

熊猫儿叹道："但愿她不会。"

沈浪道："她此刻用来对付我们的，必定是个奇怪的法子，必定是个任何人都猜不到，也想不出来的法子。"

他叹了口气，接道："她要咱们死，却又要咱们死得口服心服。"

朱七七突然道："你倒很了解她。"

沈浪苦笑道："事至如今我已不能不了解她。"

朱七七道："她真的这么了不起？"

沈浪叹道："她的确是个不平凡的女子，这点谁也不能否认。"

朱七七悠悠道："只可惜她不在这里，否则她听见你的话，一定会很高兴，是么，是么……"突然在沈浪脸上重重咬了一口。

朱七七虽然做出生气的模样，其实却是开心的，此时此刻，唯一真正开心的人就是她。

只要沈浪在她身旁，只要沈浪原谅了她，她心里就充满了欢愉，只因这已是她所企求的一切。

至于处境之凶险，前途之可怕，甚至连生死之事，她都已全不放在心上，只要沈浪陪着她，死又算什么？

但除了她外，别的人却都是心事重重。

独孤伤口中不断地喃喃自语道：“奇怪的法子……别人都想不到的法子？……那究竟是什么法子？”

熊猫儿大声道：“无论是什么法子，我都希望她快些使出来，愈快愈好，我实在等不及了，这样等简直比什么都要命。”

王怜花冷冷道：“快了！快了……你不必着急，她不会让你等太久的。”

独孤伤忽然打了个寒噤，道：“快了！真的快了么？”

话才说完没多久，已有一阵脚步声传了过来。

脚步声虽轻，但在这死一般的静寂中，听来已清楚得很，脚步声虽轻，但听在他们耳里，却已宛如雷鸣。

独孤伤握紧了拳头，哑声道：“谁……来的是谁？”

王怜花叹了口气，道：“猜不出的……你们永远猜不出的。”

熊猫儿道：“你呢？”

王怜花叹道：“我也猜不出。”

脚步声已停了下来，就停在外面。

然后，那些塞空隙的碎石头，竟被移开了两块，一线灯光射了进来，照着独孤伤苍白的脸。

绝望的黑暗中，突然有了光。

独孤伤不由自主以手挡住了眼睛，倒退三步，厉声道：“什么人？”

一人沉声道：“我。”

这低沉而冷漠的语声中，竟带着一种说不出的慑人之力。

接着，石隙外露出了双眼睛，这是双发光的眼睛，碧绿色的眼睛竟全不像是人类的眼睛。

这像是毒蛇、野兽与妖魔的混合。

独孤伤连灵魂都颤抖起来，颤声道：“快……快……活王！”

那语声冷冷道：“很好，你居然还记得本王。”

独孤伤身子不停地往后退，就好像有一根妖魔的鞭子在不停地鞭打着他，打得他身上每一寸肉都在跳动。

他已不能说话，喉咙里却在嘶嘶发响。

快活王道：“想不到吧，本王竟在这里寻着你们。”

独孤伤的指甲已刺进肉里，道：“你……你怎……怎会知道？”

快活王狂笑道：“本王怎会知道……这句话你本不该问的，你早该知道，本王是无所不知，无所不能，普天之下，有什么事能瞒得过本王。”

独孤伤“噗”地坐倒在地上。

灯光移动，照上了熊猫儿的脸。

熊猫儿的脸也已全无一丝血色，身子也在往后退。

快活王厉声笑道：“很好，你还没有死，本王不得不承认这是件出乎意料的事，嗜杀成性的独孤伤竟没有杀你。”

熊猫儿大声道：“这只因他还是人，还有人性，而你，你……你。”

那双妖异的目光瞬也不瞬地盯着他，他竟不敢骂下去。

灯光又在缓缓移动，照着了王怜花。

王怜花背贴着石壁，脸色几乎已和石壁变成同一颜色，冷汗就像是一粒粒露水，沾满了他的脸。

但他的目光却仍是灵动的，狡黠的，此刻正不住在四下搜索，似乎想找出条可以逃生之路。

快活王笑道：“很好，你想必就是大名鼎鼎的王怜花了，除了王怜花外，只怕谁也不会有如此恶毒的眼睛。”

王怜花咧嘴一笑道：“岂敢岂敢。”

快活王道：“本王常听人言，王怜花乃是当今世上少有的聪明人，今日一见，你生得的确也是一副聪明的模样。”

王怜花道：“多谢夸奖。”

快活王冷冷道：“只可惜你做出的却都是傻事。”

王怜花道：“哦？”

快活王厉声道：“任何要和本王作对的人，不是疯子，就是白痴。你这样的人若不和本王作对，本可快快乐乐地活一辈子。”

王怜花叹了口气，道：“其实，我本也不太愿意和你作对的，只要你放了我，我……”

快活王冷笑道：“你现在才说这话，已太迟了。”

灯光再次移动，终于照着了沈浪与朱七七。

朱七七的脸上却全无惧色，她一双眼睛只是痴痴地瞧着沈浪，目中也全无恐惧，有的只是爱与怜惜。

她抚着沈浪的脸，柔声道：“这些天来，你瘦了，瘦了许多。”

快活王纵声大笑道：“伟大，‘爱’竟真的如此伟大，竟真的能令人忘去一切，沈浪呀沈浪，你倒真是个幸运的人。”

沈浪淡淡一笑，道：“爱虽如此伟大，只可惜有些人却偏偏不珍惜，纵有人不惜一切爱上了他，他却弃之如敝屣。”

快活王像是怔了怔，沉声道：“你这话是什么意思？”

沈浪道：“我这话是什么意思，你本该清楚得很。”

快活王默然半晌，突又大笑道：“无论如何，各位居然还都活在这里，当真是可贺可喜之事。”

沈浪道：“可贺可喜？”

快活王道：“各位永远不会知道各位若是死了，本王有多么伤心。”

熊猫儿忍不住大声道：“你在放屁么？”

快活王厉声笑道：“只因本王若不能亲手杀死各位，那当真是平生一大憾事，如今各位既然都还在这里等着，本王自然开心得很。”

熊猫儿大吼道：“你为何还不下手？”

快活王道：“杀人也是种艺术，各位都不是平凡的人，本王若是就这样杀了各位，岂非就变得无趣之极。”

独孤伤道：“你……你究竟想怎样？”

快活王道：“各位真的想听么？”

王怜花忽然一笑，道：“你当真杀了我，你一定会后悔的。”

快活王道：“本王从不后悔。”

王怜花笑得更诡秘，道：“真的？真的不后悔……”

他疯狂地大笑，接道：“那么，你不妨试试，你只管杀吧。”

快活王道：“沈浪，你……”

沈浪淡淡接口道：“我放心得很，我知道你暂时还不想杀我。”

快活王大笑道：“究竟还是沈浪聪明，各位此刻已是本王瓮中之鳖，迟早都要死的，本王又何必如此着急。”

他顿了顿话声，突又悠悠道：“但你们其实还有两条路走。”

熊猫儿道："两条路？"

快活王道："第一条路，自然是死，本王随时都可置各位于死地，各位想必都不会怀疑本王是否还有这本事。"

熊猫儿、王怜花对望了一眼，不再说话——快活王自然有这本事，这自然是不可否认的事实。

过了半晌，王怜花道："那第二条路呢？"

快活王道："第二条路，只要你们答应本王一件事，本王立刻就使各位出去，而且在一个时辰内，绝不追赶。"

熊猫儿动容道："一个时辰？真的？"

快活王道："自然真的，一个时辰内，各位已可逃出很远了，而且，各位只要在三日三夜中不被本王追及，本王便从此不伤各位一根手指。"

众人面面相觑，都不禁喜动颜色。

他们虽然不怕死，但此刻既然有了生机，谁肯放过。何况，快活王纵强，若让他们先逃一个时辰，也是无法追着他们的。

只有沈浪却叹了口气，道："我若想走这第二条路，想必是有条件的，是么？"

快活王大笑道："还是你知道本王的心意。"

王怜花急道："什么条件？"

快活王笑声突顿，道："我只要一个人的人头。"

王怜花道："谁的？"

快活王厉声道："本王平生最最痛恨的，便是有人竟敢背叛于我，他只要再见着本王之面，本王便不能容他多活一时半刻。"

他话未说完，方自站起的独孤伤便又跌倒。

王怜花却松了口气，道："你要杀的是独孤伤……"

快活王吼道："不错，只要你们取下他的人头，本王立刻就放你们走。"

王怜花满怀恶毒的目光已向独孤伤瞧了过去。

熊猫儿突然大喝道："独孤伤有恩于我，谁敢碰他一根手指，我先和他拼了。"

快活王冷笑道："你难道未曾仔细想过，你们若不答应，就一起死，答应了却可留下四条命，这么便宜的事谁再不答应，那真是呆子了。”

熊猫儿咬牙道：“你……你为何定要逼我们做这种绝情绝义的事？”

快活王冷冷道：“本王只是要别人瞧瞧，背叛了本王的人，是如何下场。”

王怜花叹了口气，道：“拿这种法子来儆戒别人的确是再好也没有了，这一点我们不能怪你……我简直可说是赞成得很。”

熊猫儿大吼道：“不行，我宁可和他一起死，也不能让你们杀了他。”

王怜花叹道：“你真是个呆子，幸好，我想沈浪绝不会像你这么傻。”

朱七七大声道：“沈浪也和他一样，不能让你……”

王怜花冷冷道：“我要问的只是沈浪的意见，不是你的。”

当然，只要沈浪赞成了，别人反对又有什么用？

众人的眼睛不觉一齐望向沈浪。

沈浪微微一笑，道：“王怜花，我希望你知道一件事。”

王怜花道：“我在听着。”

沈浪道：“你该知道我并不像你这样怕死。”

王怜花脸色变了，独孤伤却似已热泪盈眶。

熊猫儿拍手大笑道：“沈浪毕竟是沈浪，我熊猫儿总算没有看错。”

朱七七纵身投入沈浪怀中娇笑道：“我更没有看错，我……我……我高兴极了。”笑声未歇，但已哭了起来，也不知她究竟是哭是笑。

快活王冷冷道：“很好，你们都是义气男儿，但本王却要瞧瞧你们这义气能维持到几时。”

他突然一拍手掌。

灯光中，只见七八点金星飞了进来，带进一种奇异的、尖锐的“嗡嗡”声，听得人身子发麻。

沈浪失声道：“不好，金蚕毒蜂。”

快活王笑道：“你总算还识货，这正是普天之下最毒最毒的金蚕毒蜂，只要被它叮着一口，便要痛苦七日七夜后，方自全身溃烂而死。”

熊猫儿也不禁激灵灵打了个寒噤，只是那七八点金星已飞了进来，在眼前闪动着令人作恶的金碧光华。

王怜花轻叱一声，袍袖挥出，两点金星便被他卷在袖中，独孤伤飞身跃起，以鞋底跺死了一只。

熊猫儿手无寸铁，既无长袖，又是赤足，空有一身武功，竟不敢出手，只有连连闪避，额上已见汗珠。

只见沈浪中指轻轻弹了几弹，“哧！哧！”几声尖锐的风声响过，剩下的几只金蚕蜂便立刻笔直跌了下去。

快活王冷笑道：“好个‘弹指神通’。”

熊猫儿大笑道：“你如今才知道厉害么？”

快活王冷冷道：“你如今便得意，还嫌太早了些。这八只金蚕蜂，只不过是本王拿来给你们瞧瞧样子的。”

他大笑接道：“本王蜂房之中，金蚕蜂还有千千万万只，你们纵能杀得了七只，又怎能杀得了千万只，本王若将它全放进去，你还能笑得出么？”

熊猫儿果然笑不出了。

王怜花大吼道：“你还在等什么，难道你还想逞英雄？你还不快快取下他的头颅，难道你真要大家陪他一起死？”

熊猫儿厉声道：“不行，无论如何，我也不能容人伤他。”

王怜花嘶声道：“沈浪你难道真的也和他一样呆？”

沈浪道：“有时我比熊猫儿还呆。”

朱七七道：“我也情愿陪独孤伤一起死！”

王怜花跺脚道：“倒霉倒霉，我竟碰见一群疯子，无可救药的疯子。”

独孤伤突然道：“快活王虽然大奸大恶，但说出来的话倒不会自食其言，他说等一个时辰再追，那便是等一个时辰，他说放了你们，那便是放了你们。”

熊猫儿大声道：“但那是另外一件事。”

独孤伤面色木然，缓缓道：“你两人居然如此待我，我实未想到，我独孤伤一生之中，总算是交着了你们两个朋友，想不到我这样的人居然也能交着真心的朋友，好极，实在妙极。”突然一头向石壁上撞了过去。

熊猫儿长呼一声，飞扑过去，却已来不及了。

血花已飞溅而出，溅得他一身一脸。

独孤伤已倒了下去，面上已血肉模糊，口中犹自喃喃道：“得一知己，死而无憾，何况我竟得两个。”

熊猫儿痛哭失声道：“你这呆子，你何必？”

独孤伤凄然一笑，道：“你们既能做呆子，我为何不能……但你们却莫要忘记，我是为你们而死的，你们就得为我活下去，好好活下去……”

他语声愈来愈弱，终于狂吼一声，再无声息。

朱七七泪流满面，喃喃道：“恶人之中，原来也有善良的……这世上善良的原来并不太少。”

王怜花也回转头去，不愿再看，大声道：“好了，快活王，你还要什么？”

快活王纵声大笑道：“顺我者生，逆我者死。这其间别无选择，各位此刻不妨瞧清楚，各位的下场也正要如此。”

沈浪一字字道：“你座下四使，非死即去，你的左右手已断了，等到你众叛亲离时，下场只怕比他还要惨。”

快活王厉声道：“本王绝世之才，纵然我是一个人独来独去，天下之人又有谁能奈何得了本王，何况……”

他纵声笑道：“何况本王如今又添了个助手，正不知要比这些蠢材强胜多少倍。”

沈浪心头一动，口中却淡淡道：“哦！他是谁？”

快活王狂笑道：“你们永远也猜不到他是谁，多亏了他的妙计，本王才能寻着你们，只要有他为助，本王何愁大事不成。”

众人暗中俱都不禁为之失色，能被快活王如此看重之人，自也是惊才绝艳，也许并不在沈浪之下。

但普天之下，又有谁是这样的人呢？

王怜花轻笑一声，道：“无论如何你总得遵守诺言，先放咱们出去才是。”

快活王笑道：“出来呀，本王又未阻拦你等。”

王怜花变色道：“你……你想……”

快活王道：“这旁边石块都已松动，你们必可找出一个可以容人出入的缺口，本王绝不拦阻你们，自当在洞口相候。”

说话间，他语声已逐渐去远。

王怜花大呼道：“快活王，快活王……慢走。”

只听他自己的回声激荡，却已没有人理他。

幸好，外面的灯光还是亮着的。

王怜花冲上去，用手去扒那石头，扒了扒，松了口气，道：“他们的确未骗咱们，这石块确实已松了。”

熊猫儿满贮热泪的眼睛瞪着他，厉声道：“你真的将生死之事看得如此严重么？”

王怜花悠悠道：“小弟自己实不愿死，但别人若要寻死，小弟也绝不反对的。”

石块虽已松了但却又多又密，而且其中还掺着黏土，众人直费了将近三个时辰，才找出个可以容人出入的缺口。

众人一个个小心地钻了出去，生怕弄熄了那火光。

一盏铜灯放在外面石壁凹处，火仍是亮的。

他们来时就好像瞎子似的被那点鬼火引来，这里究竟是什么模样，他们丝毫也未瞧见。

直到此刻，他们才发觉这洞窟曲折繁复，至少有三条路看来是向外面的，三条路又都是曲折蜿蜒，深不见底。

王怜花失声道：“糟糕，咱们上了他的当了。”

沈浪面沉如水，颔首道：“的确糟透。”

王怜花道：“他虽然放了咱们，但这洞窟有如迷宫，若是无人带路，咱们还是出不去，岂非要被活活困死在这里？”

沈浪长叹一声，道：“是活活饿死在这里。”

熊猫儿背着独孤伤的尸身，失色道：“不错，咱们这几人，到现在为止，至少都有一日未进水米，再饿一两天，只怕就要饿垮了。”

沈浪叹道：“这正是快活王的毒计，他正是要我们饿得半死不活，那时纵能出去，连路都走不动，还能逃么？”

王怜花恨恨道：“那时他莫说让咱们先逃一个时辰，就是让咱们先逃一天，也是无用的，唉，此人心计之深，当真吓死人。”

朱七七倚在沈浪身上，轻叹道：“你们不说倒也罢了，这一说，我的肚子倒真饿了。”

沈浪目光闪动，突然道：“有了。”

熊猫儿道：“你有了主意？”

沈浪道：“拿灯过来。”

他俯下身去，仔细观察，这种岩石之地，虽然不易留下脚步，幸好外面地面泥泞，此地总有痕迹可寻。

但刚刚来过的人不少，地下的脚印很乱。

沈浪喃喃道：“只要能找出这三条路哪一条是活路就好了。”

他自然丝毫不敢大意，别人也不敢打扰他，就连朱七七都走得远远的，只是一双眼波仍片刻不离他左右。

突然间，灯光熄了。

又是一片黑暗，绝望的黑暗。

王怜花将铜灯摇了摇，狠狠抛在地上，跺脚道：“油尽灯枯了。”

熊猫儿恨声道：“好狠的恶贼，他真将每一步都算好了，故意为咱们留下一盏灯，表示大仁大义，却算准了咱们一出来，这灯就要熄。”

沈浪苦笑道：“他这样做，就好像猫捉着了老鼠，先不去吃，先捉弄个够，他算准了咱们已是他爪下的老鼠，再也逃不了的。”

王怜花道：“你……你难道也无法可想？”

沈浪淡淡笑道：“咱们是老鼠么？”

王怜花大喜道：“自然不是，你有法子了？”

沈浪道：“幸好我已找出了我自己来时的脚印，是通向左面一条路的，既然可以进来，自然可以出去。”

王怜花喜道：“既是如此，还不快走？”

沈浪道：“大家用左手扶着石壁，右手互相拉住，一个个拉住，千万莫要走失，我当先开路，朱七七跟在我后面。”

朱七七大声道：“我不要王怜花跟在我后面，我不要拉他的手。”

王怜花苦笑道："自然是我断后。"

朱七七道："但猫儿你可得小心了，有这样的人走在你后面，你……"

熊猫儿冷笑道："你放心，他是个聪明人，在没有逃生之前，他绝不会暗算任何人的。"

朱七七道："但这种事可不能以常理衡度，你还是要小心些好。"

王怜花叹道："女人……唉，女人的心……"

朱七七道："女人的心怎样，总比你好得多。"

王怜花道："你莫忘了，若不是我，你和沈浪……"

朱七七忽然一笑，道："我早就说过，恶人中有善良的，你的心有时也不错，你若能常常这样不错的话，大家都会对你很好的。"

王怜花默然半晌，道："哦……"

朱七七道："我希望你知道，做一个好人，总比做坏人快乐得多。"

四个人在黑暗中摸索着行走，各有各的心事，谁都不再说话。

这见鬼的地方竟真的连一丝光亮都没有。

他们也不知走了多久，在他们感觉中，那几乎长得像是三天三夜了，但前面还是什么都瞧不见。

熊猫儿忍不住道："你真的没有走错？"

朱七七大声道："他绝不会错的。"

王怜花冷冷道："别人对沈浪可没有你对沈浪这么强的信心。"

朱七七道："你不信任他，为何不自己走？"

王怜花果然不再说话了，他自然不会和任何女孩子闹嘴，尤其是朱七七这样的女孩子。

和女孩子斗嘴的人，头脑必定有毛病，而且毛病还不小。

又走了半晌，王怜花终于又忍不住道："沈浪，咱们走进来时，并没有这么久。"

沈浪沉吟道："来时有人引路，自然走得快些。"

朱七七道："是呀，难道这点你都想不到么？"

王怜花只好又闭上嘴。

大家又往前走。

他们瞧不见路，但感觉中却似愈窄，愈闷，其中身子最弱的朱七七已是透不过气来。

王怜花冷冷道："沈浪错了么？"

朱七七道："他……他不会……"

沈浪叹道："错了。"

王怜花冷笑道："大家的性命俱在此，兄台可不能将之视如儿戏。"

熊猫儿怒道："沈浪又不是故意要带错路的，在这种伸手不见五指的地方，谁能担保不出错，你说什么风凉话。"

朱七七道："对了，我早就说过，你可以自己走呀。"

沈浪道："既是如此，不如由王兄你来领路如何？"

王怜花赶紧笑道："小弟一时失言，各位莫要怪罪，沈兄若是不能领咱们出去，天下又有谁能领咱们出去。"

于是大家又摸索着往回走。

他们就这样在里面走来走去，大家的腿都软了，饥饿一时倒好忍耐，但那口渴却真能要人的命。

估量时刻，他们在这里竟已兜了一天多的圈子，脚都没有停过，纵是铁打的金刚只怕也难以支持得住。

朱七七已不住在喘息，像是呻吟般喘息。

熊猫儿叹道："你累了吧，歇歇好么？"

沈浪沉声道："此时此刻，不论是谁绝不能歇下，必定要趁这一口气走到底，一歇下只怕就再也起不来了。"

朱七七道："我不累，不累，真的不累，快走吧。"

沈浪柔声道："好孩子，你真乖。"

朱七七笑道："只要听你这一句话，就算累死也没什么。"

王怜花冷冷道："但却没有人向我说这样的话，我累死岂非冤枉。"

熊猫儿怒道："那么你为何不在这里歇下？"

王怜花口气又软了，叹道："我只是说，像这样盲人骑瞎马似的在这里乱闯，要闯到几时呢，咱们总该想个法子才是。"

熊猫儿也不禁叹了口气，道："此时此刻，又有什么法子好想。"

沈浪黯然道："方才在那里，我明明看准了是左面一条路，绝不会错的，却又怎会偏偏走错了？这其中究竟有什么差错？"

王怜花长叹道："天知道这其中有什么差错。"

沈浪大声道："无论如何，咱们千万不能灰心绝望，更不能停下来，只要继续往前走，迟早总会被咱们走出去的。"

熊猫儿大声道："不错，迟早总会走出去的。"

于是大家又咬住牙往前走。

又不知走了多久，突然"当"的一声，朱七七脚下也不知踢着件什么东西，撞在石头上，发出"当"的一响。

沈浪立刻停住了脚步，道："这是什么？"

王怜花摸索着拾起来，惨然失声道："完了。"

熊猫儿急问道："究竟是什么？为何完了？"

王怜花惨然道："这是我方才抛在地上的铜灯。"

熊猫儿失声道："难道……难道咱们又走回方才的地方了么？"

王怜花惨笑道："不错，看来这已是咱们的葬身之处。"

沈浪突然大声道："谁说完了，咱们有救了。"

王怜花道："有……有救？"

沈浪道："只要再回到这里，咱们就有救了。"

王怜花冷笑道："你说的什么话，我不懂。"

沈浪道："方才咱们路并没有走错，只是方向错了。"

王怜花道："这是什么话，我更不懂了。"

沈浪道："方才咱们以左手扶着石壁走，遇见左面有路就拐弯，所以愈走愈深，走入了死路又兜了回来，其实活路是在右边的。"

王怜花大喜道："不错，真的有救了。"

朱七七娇笑道："你现在才知道沈浪不错么？"

王怜花道："我早就说过，世上若有一个人能将咱们从这见鬼的地方带出去，那人就是沈浪，再没有别人。"

沈浪道："现在大家先用左手扶着石壁往前十七八步，然后再换右手去扶石壁，但左手还是要互相拉住，不能走散。"

众人此刻虽已都是身心交瘁，饥渴难忍，但生机已现，大家的精神都不觉为之一振，走得也像是快了。

这次，只走了顿饭工夫，便可瞧见一片灰蒙蒙的天光自前面洒了进来，愈往前走，光愈亮。

朱七七紧紧抓住沈浪的手，欢呼道："光亮呀！我现在才知道你是世上最可爱的东西。"

熊猫儿也不禁喜极而呼道："咱们总算逃出来了。"

沈浪沉声道："咱们还没有逃出去，这不过刚刚是开始。"

熊猫儿道："刚开始？"

沈浪叹道："你莫忘了，快活王还在洞口等着，咱们的逃亡，此刻正刚开始，真正艰苦的路还在后面哩。"

快活王果然就在洞口。

阳光满地，碧空如洗，是个好天气。

快活王在洞口搭了个竹棚，洞里的风吹出来，洞外的风吹进去，他坐在软软的垫子上，真是凉快得很。

他面前自然摆着丰盛的酒菜，他身旁自然有美丽少女，只要有他在这里，这两样是少不了的。

此外，还有三十多个劲装疾服，英气勃勃的少年，手按长剑，目光炯炯，环绕在他身后。

他瞧见了沈浪，沈浪并不如他想象中那么狼狈。

沈浪的身子仍是笔挺的，眼仍发着光，尤其是他那懒散的、潇洒的微笑，此刻竟仍挂在他嘴角上。

快活王面色微微变了变，但瞬即大笑道："好极好极，各位总算来了。"

沈浪微笑道："在下怎能令阁下失望。"

快活王笑道："本王早就知道，沈浪是绝不致令人失望的，各位若是走不出来，本王就觉太无趣了。"

沈浪笑道："世上还有人走不出的路么？"

他微笑着走了过来，朱七七、熊猫儿、王怜花跟在他身后，也咬紧牙关挺起了胸膛。

他们的身子挺得虽直，心里却苦不堪言，尤是那一阵阵酒菜的香气随风飘来，他们闻得几乎要晕了。

快活王举起金杯，手上的戒指在阳光下闪闪发光，杯中的酒在阳光下看来更像是琥珀。

他举杯大笑道：“本王想请各位在此小饮几杯，怎奈各位想必急着赶路，本王也不便耽误各位的时候，只有留待日后了。”

熊猫儿恨得牙直痒，恨不得咬他一口，他们不闻这酒菜香气倒也罢了，一闻之下，更觉饥饿难忍。

朱七七整个人都又快倒在沈浪身上，咬牙低语道：“咱们快走，快离开这里，我不要看见他这副鬼样子。”

快活王大笑道：“各位要走，本王此刻自然也不便相送，唯有在此敬各位一杯，祝各位一路顺风，走得快些。”

举杯一饮而尽，仰首大笑不绝。

熊猫儿也大笑道：“你独饮岂不寂寞，我不如请你生前的好友来陪陪你，瞧瞧他，他的眼睛还在瞧着你呢。”

他大步走过去，将独孤伤的尸身轻轻放在快活王身旁，独孤伤头骨虽已碎裂，但一双怒突着的眼睛仍似在瞪着快活王。

这双眼睛里犹充满了他生前的悲愤与怨毒。

快活王身畔的少女们，惊呼一声，牙齿咯咯打战，窈窕的身子也不停地发抖。

快活王面上也变了颜色，再也笑不出来。

熊猫儿狞笑道：“独孤兄呀独孤兄，你非但日间要陪着他喝酒，到了夜间，鬼魂也莫要忘了陪着他，免得他寂寞。”

快活王“啪”地将酒杯摔在桌上，大喝道：“住口。”

熊猫儿一双猫一般的眼睛直瞪着他，缓缓道：“到了夜间，来寻你说话的鬼魂必定不少，是么？再多他一人又有何妨，你又何必害怕？”

快活王厉声道：“你……你再不走，就……”

他话未说完，熊猫儿已狂笑着走了过去，狂笑着道：“平生多做亏心事，夜半惊心鬼敲门。”

快活王双拳紧握，一只金杯已被他揉成了饼。

王怜花已走过去，突又回身道：“一个时辰。”

快活王喝道：“一个时辰，绝不会少，也绝不会多，滚吧。”

王怜花笑道：“在别人身上受了气，何苦拿我来出。”

微一抱拳，扬长走了过去。

沈浪瞧着王怜花与熊猫儿，微笑低语道："这两人虽然是一个直肠，一个奸诈，善恶绝不相同，但在如此关头，便可瞧出他们实非常人。"

朱七七笑道："能和你在一起的，自然都不会是普通人。"

沈浪扶着她，走到快活王面前，微笑道："今日一别，不知何时才能相见了。"

快活王狞笑道："你放心，必定快得很。"

沈浪叹道："你虽然如此气恼，但仍不肯食言，还是要等一个时辰，如此看来，快活王究竟是快活王，在下不能不佩服。"

快活王默然半晌，突然纵声大笑道："好，沈浪呀沈浪，看来普天之下，唯有你是本王的知己，天下英雄，除了你沈浪外，本王再无一人瞧在眼里。"

他突又顿住笑声，目光凝注沈浪，厉声道："只是……本王待你不薄，你为何偏偏定要与本王作对？"

沈浪淡淡一笑，道："也许，我生下来便是为了要和你作对的。"

快活王又自默然半晌，仰天笑道："好！若无你这样的人来和本王作对，本王的日子岂非过得太无趣。"换过金杯，再次举起。

沈浪肃然道："无论如何，沈某总敬你委实是个人中之杰，他日你若落在沈浪手上，沈浪绝不会作践你，必定让你安然而死。"

快活王举杯大笑道："已到了此刻这种地步，除了沈浪外，天下人有谁还能有沈浪这样的豪气。沈浪呀沈浪，只此一点，你也已不愧为人中之杰。"

他挥了挥手，道："沈公子当代英雄，本王不可不敬他一杯，来，为沈公子斟酒。"

他身旁的少女们，眼睛本都在瞧着沈浪。

此刻一个圆圆脸蛋，明眸善睐的少女，双手捧着只金杯，盈盈地走过来，举杯送到沈浪面前，嫣然道："沈公子，我瞧你连站都站不起来，又何苦再如此逞强，不如降顺了我家王爷，包你富贵荣华享用不尽。"

沈浪接过酒杯，微笑着还未说话。

快活王已站了起来，反手一掌将那少女掴得飞了出去，远远跌在地上，那少女满面惊恐，颤声道："王爷，我……我说错了什么？"

快活王厉声道："沈公子乃是天下之英雄，你怎能对他说这样的话？你怎对他如此无礼？"

沈浪双手举杯，肃然道："无论如何，阁下知遇之情，沈浪永铭心中。"

快活王亦自举杯道："看来你我之情，已俱在这一杯酒中，看来这已是你我最后一杯，此后再相逢时，只怕已无话可说了。"

他黯然而言，神情间竟似不胜唏嘘感慨。

沈浪缓缓道："你我能饮此一杯，已非易事……"

快活王大声道："不错，你我能并生此世，已属不易，你今日饮此一杯，已胜过凡夫俗子们的千杯万杯。"

沈浪举杯道："既是如此……请！"

快活王举杯道："请！"

两人各自举杯，一饮而尽。

四下的急风骑士与轻纱少女们，不由自主，俱都屏住了声息，大地间似乎充满了一种悲壮苍凉之意。

这是不世英雄的举杯。

这是英雄与英雄间的惺惺相惜。

多少豪情，多少傲意，俱在这一杯酒中。

古往今来，又有几个英雄能饮得这样的一杯酒。

就连朱七七瞧着，心里也不禁泛起一种难言的滋味，胸中似有热血奔腾，目中似已将有热泪涌出。

风吹木叶，风中突似有了寒意。

快活王仰天道："既生本王，为何又生沈浪？"

挥手抛却金杯，叱道："咄，去。"

沈浪微一抱拳，走了过去，再不回头。

朱七七赶过去，幽幽叹道："我真不懂他既然对你这么好，为何还要杀你？"

沈浪黯然道："他既无法选择，我也无法选择，这已是件无可奈何的事，古往今来绝世的英雄们生来便是敌对的。"

朱七七道："绝世的英雄？他也能算英雄？"

沈浪肃然道："他虽然恶毒险诈，但却无疑是个英雄，这一点谁都不可否认。"

朱七七喃喃道："英雄，英雄……有时我真不懂，'英雄'这两字，究竟有没有定义，如果有，谁又能为我解释……"

沈浪微微一笑，道："没有人能为你解释的。"

现在，已瞧不见快活王了。

走出了快活王的视线，王怜花、朱七七，就算熊猫儿的腰，都已再也无法挺起，脚下似有千钧之重。

朱七七道："我渴死了，沈浪，求求你，找点水给我喝好么？"

熊猫儿笑道："还是沈浪好，他总算喝了杯酒。"

朱七七道："你嫉妒？"

熊猫儿大笑道："我为何嫉妒？我只有高兴……我的朋友是如此英雄，连他的敌人都对他如此敬重，我这朋友难道会嫉妒？"

朱七七笑道："猫儿，你真是个好人，我若有个漂亮的妹妹，一定要她嫁给你。"

熊猫儿笑道："你既没有妹妹，看来我只有等你和沈浪生个女儿。"

朱七七脸红了，啐道："猫嘴里终究还是吐不出象牙来。"

王怜花冷冷道："各位还能开得出玩笑，佩服佩服。"

熊猫儿道："你知道什么，现在才是最需要开玩笑的时候。"

王怜花冷笑道："各位还不快逃，只怕就要在快活王的刀口下开玩笑了，在下已无法再等你们，看来只有先走一步。"

沈浪沉声道："此刻我们俱已是强弩之末，若是急急快跑，无论如何也跑不远的，说不定立刻便要倒下，只因跑得愈快，体力愈是难支。"

王怜花叹道："话虽不错，但你我已只有一个时辰。"

沈浪道："只要好生利用，一个时辰也不算短。"

王怜花道："那么，现在……"

沈浪道："此刻第一要务，便是寻着那道小溪，先饱饮一顿，人是铁，水却是钢，只要肚子里装满了水，饥饿也比较容易忍耐了。”

快活王手里拿着金杯，手捋长髯，正在出神。

一个黑衣劲装的少年，快步奔来，翻身跪倒，喘着气道：“启禀王爷，属下已瞧见沈浪了。”

快活王轩眉道：“快说。”

黑衣少年道：“属下和二十九个弟兄，都已遵照王爷的吩咐，寻好藏身之处，有的伏在草丛中，有的爬到树梢头，有的……”

快活王怒道：“这些本王难道不知道，废话少说。”

黑衣少年垂下头道：“属下瞧见他们时，他们都似已走不太动了……但……但那沈浪，却还似精神饱满，一点也瞧不出什么异样。”

快活王握拳道：“沈浪这小子简直不是个人。”

语声微顿，又道：“那熊猫儿如何？”

黑衣少年道：“那熊猫儿看来虽累得很，但却仍不时和那姓朱的女子说笑，属下也听不见他们说的什么，但看来他们却似笑得十分开心。”

快活王皱眉道：“他们难道没有惊慌奔跑？”

黑衣少年道：“他们慢慢走的，像是一点也不着急。”

快活王拍案道：“好厉害呀好厉害，沈浪呀沈浪，你当真不愧为本王生平第一对手。”

他身旁一个少女忍不住问道：“慢慢地走有什么厉害？”

快活王叹道：“以他们此时的体力，若是全力狂奔，只怕用不着一个时辰，便要倒下去，而以他们此时的情况，除了沈浪外，谁会不拼命快跑。”

那少女想了想，动容道：“有沈浪这样的对手，当真可怕得很。”

快活王怒道：“你莫忘了他的对手是谁。”

那少女骇白脸，垂首道：“是……他就算厉害，又怎能比得上王爷。”

快活王默然半晌，道：“此刻他们往哪里去了？”

黑衣少年道：“看来仿佛是走向溪水。”

快活王纵声大笑道：“沈浪呀沈浪，你走到溪水旁便知道本王的厉害了。”

潺潺的流水声，已传了过来。

朱七七雀跃道：“到了到了，幸好这里还有条小溪。”

王怜花沉声道：“快活王若是令人埋伏在溪水旁，暗算我等，你我此刻前去，岂非是飞蛾扑火自投罗网。”

沈浪笑道：“在这一个时辰内，快活王必定遵守诺言，不会向我等出手的，他虽非君子，但这件事我却信得过他。”

熊猫儿道：“为什么？”

沈浪笑道：“只因我既以英雄待他，他便再也不肯自失英雄的身份，何况他正要借此显示显示他的手段，要叫我们死也心服。”

朱七七突又变得愁眉苦脸，道：“他会不会在水中下毒？”

王怜花道：“这点你们可放心，活水之中，是根本无法下毒的。”

熊猫儿笑道：“有关下毒的事，王怜花自然比谁都清楚。”

朱七七叹道：“但我总觉得，他绝不会就这样让咱们好好喝水的，你们虽然都比我强，但我却是女孩子，女孩子总是天生就有一种奇怪的直觉。”

熊猫儿苦笑道：“这一次，但愿你的直觉不灵才好。”

几个人快步走了过去，溪水旁静悄悄的，果然没有丝毫异状，熊猫儿欢呼一声，扑倒在地捧起溪水就要喝，突然上流有人咯咯笑道：“小猪呀小猪，你瞧瞧你的洗澡水都有人喝。”

熊猫儿一惊，转首望去。

只见远处有三个牧女打扮的少女，正在瞧着他嘻嘻拍手而笑，几十条肥猪，正在溪水里打着滚。

此外，还有些牛、羊、鸡、鸭、狗，有的在喝水，有的在洗澡，还有的竟在溪水中排泄。

熊猫儿大怒跳了起来，手里捧着的水洒了一身，大骂道：“混蛋，王八蛋。”

牧女们拍手娇笑，齐声歌道：“快活王，计谋高，小沈浪，上当了，眼看水，喝不了，急得猫儿直跳脚，气得沈浪满地跑……”

朱七七叹道：“我说的不错吧。”

熊猫儿恨得磨牙，果然跳脚道："恶贼，畜生。"

朱七七苦笑道："这么缺德的主意，也亏他想得出。"

王怜花站在那里怔了半晌，突然伏下身子，捧起一掬溪水，喝了下去，而且还喝了很多。

朱七七骇然道："你……你敢喝这种水，这水里有尿你知不知道？"

王怜花站起来，神色不变，缓缓道："若在沙漠之中，有尿喝亦算不错了。"

朱七七道："但……但你……你竟真的……"

王怜花淡淡地说道："大丈夫能屈能伸，这又算什么，淮阴侯能受胯下之辱，我王怜花为何不能喝尿……等到你们走不动时，再想喝这尿也喝不到了。"

朱七七拉着沈浪的手，道："沈浪，你……你若也敢喝这水，我以后再也不理你。"

沈浪叹了口气，道："此刻我虽还不致如此，但你们……你们……"

朱七七跺足道："我宁可死也不喝。"

熊猫儿叹道："我也没有这本事。"

沈浪想了想，沉声道："现在，我们就沿着这溪水走，不必掩饰行藏，他们愈是瞧得见我们，愈是猜不透我们究竟想怎样。"

王怜花道："莫要忘记，时候已不多了。"

快活王一杯又一杯，不停地在喝。

又有个黑衣少年奔来，拜道："启禀王爷，他们已到了溪水旁了。"

快活王大笑道："只可惜我瞧不见他们，他们的脸色必定好看得很。"

黑衣少年赔笑道："那熊猫儿果然气得直跳脚，那姓朱的女子就像是连眼泪都要流了下来，就连沈浪也像呆住了。"

快活王抚掌笑道："本王的妙计，谁能猜得出……他们眼看着水就在前面，既想喝，又不能喝，那滋味必定好受得很。"

黑衣少年笑道："可笑那脸色发白的小子，居然连尿都喝，而且……"

快活王失声道："王怜花喝了？"

黑衣少年骇了一跳，嗫嚅道："他……他喝了不少。"

快活王拍案叹道："好个王怜花，不想他竟如此忍得，看来此人倒也是个角色，本王倒也不能小瞧了他。"

他身侧又有个少女忍不住道："但这小子连尿都喝，有什么出息。"

快活王叱道："你懂得什么，狠时能狠，忍时能忍，这种人才是真正厉害的角色，沈浪唯一的缺点便是脸皮还不够厚，心还不够黑，是以才成不了大事，论这一点，他是万万比不上王怜花的。"

他仰首望天，悠悠道："若换了本王在那情况之下，本王也会喝的。"

少女们垂下头，再也不敢说话。

只见另一个黑衣少年快步奔来，拜道："启禀王爷，他们又往前走了。"

快活王目光灼灼急问道："此番他们又是如何走法？"

黑衣少年道："他们沿着溪水，还是缓缓地在走。"

快活王失声道："他们竟还不躲藏？"

他瞧了身旁的沙漏一眼，皱眉道："时间已过去四分之一，他们居然还不着急逃命？……沈浪呀沈浪，你这小子心里究竟有什么鬼主意？"

第三十九章

危机一发

每隔一段路，溪水中就有些猪羊牛马，叫你喝不得溪水。

沈浪不急不缓地走着，就像是在游山玩水似的，从头到脚，也看不出他有丝毫着急的样子。

朱七七伏在他肩上，昔日那丰润美丽的樱唇，如今早已干裂，昔日那光亮灵活的眼睛，如今已满布血丝。

但就在这干裂的嘴角，仍挂着一丝欢愉的微笑，就在这充血的眼睛里，仍闪动着幸福的光。

只要在沈浪身旁，她已别无所求。

熊猫儿却终于忍不住了，低声道："沈浪，你究竟想怎样？"

沈浪微微一笑，忽然自怀中取出件东西，他捏紧拳头，指缝里似有银光闪闪，却瞧不出究竟是什么。

熊猫儿又忍不住问道："这是……"

沈浪微笑道："你猜猜这是什么？"

熊猫儿摇头道："我猜不出。"

王怜花冷笑接口道："此时此刻，沈兄居然还有心情叫人猜谜语，捉迷藏，这倒真是天真得很，可爱得很。"

沈浪也不理他，微笑道："你可曾瞧见我用过暗器？"

熊猫儿道："从未见过。"

沈浪道："所以，你们便以为我不善于使用暗器，是么？"

熊猫儿一时也猜不透他是何用意，唯有点头道："嗯。"

沈浪大笑道："你错了，想我沈浪自髫龄学武，无论轻功剑术，软功硬功，哪一样不是天下一流的高手，焉有不通暗器之理？"

熊猫儿听见他居然自吹自擂起来，这当真是从来未有的事，沈浪笑得得意洋洋。

熊猫儿唯有苦笑道："不错不错，我……我错了。"

朱七七嫣然道："他行事光明正大，自然不屑以暗器伤人。"

沈浪笑道："这倒有些道理，但也不太对。"

熊猫儿苦笑道："你到底想说什么，说吧。"

沈浪大笑道："我不愿使用暗器，只因我所用的暗器太过狠毒。"

熊猫儿道："哦……"

沈浪扬了扬手，道："这就是我素来不肯轻易施展的暗器。"

他的手一扬，指缝间的银光更亮。

熊猫儿道："这……这究竟是什么暗器？"

沈浪微微笑道："这暗器叫作'九天十地，搜魂神针'，无论是谁，只要沾着一点，半个时辰中便要全身溃烂而死，普天之下，再也无药可救。"

王怜花冷冷道："你这种暗器，只怕未必只有你沈浪会用。"

沈浪笑道："但这暗器还有一样最厉害的地方。"

王怜花道："哦……"

沈浪道："说来别人也许不信，这暗器委实已近通灵，本身已有搜魂的魔力，此刻，只要我的手一扬……"

他忽然抬头瞧了瞧树木梢头，又瞧瞧花丛石后，缓缓接道："这'搜魂神针'脱手飞出后，对方无论躲在多么隐秘的地方，也休想能躲得了。"

熊猫儿动容道："世上真有这样的暗器？"

沈浪笑道："我说话几时骗过你。"

他又瞧了瞧树梢石后，大声接口道："你若不信，我立刻就可以让你瞧瞧。"

话犹未了，树梢头、花丛中，甚至远处的假山岩石后，立刻有十余条黑衣人影掠出，连滚带爬，飞也似的逃了。

沈浪大笑道："你瞧我这暗器如何，还未使出，已将躲着的人吓走了。"

熊猫儿笑道："果然不错，奇怪的是，世上有这样厉害的暗器，我居然连听都没有听人提起过，不知你可以让我瞧瞧么？"

王怜花应声道："在下也正想开开眼界。"

沈浪沉吟道："其实，这也没有什么好瞧的。"

朱七七忍不住笑道："你就让他们瞧瞧吧。"

沈浪笑道："最想瞧的，只怕是你，是么？"

朱七七红着脸垂首道："嗯。"

沈浪目光四下一转，微笑道："让你们瞧瞧，想来也无妨……"

他缓缓摊开了手掌，掌上哪有什么暗器？

他紧紧捏着的，只不过是锭银子。

熊猫儿怔住了，道："这……这……这……是什么？"

沈浪微笑道："这不叫'搜魂针'，这叫作'唬人针'。"

熊猫儿大笑道："我懂了，我懂了……"

朱七七拍手娇笑道："我早该想到，世上哪有像他说的那种暗器，我早该想到这不过只是他说着唬人的。"

熊猫儿笑道："但这'唬人针'，倒的确比世上任何暗器都要厉害，别的暗器至少也得要使出来，这'唬人针'连使都不必使，别人已被吓跑了。"

朱七七笑道："但这种'暗器'，除了沈浪又有谁能使得出来……若是我使出来，就一点也不可怕了。"

王怜花叹道："此计虽妙，但你我反正已无路可走……反正已是跑不了的，纵然将这探子吓跑，又能如何？"

熊猫儿笑声渐渐停止，终于又笑不出来。

快活王皱着眉头，仿佛已开始有些坐立不安。

他刚端起酒杯，便瞧见十余条黑衣大汉，像是一群被狐狸惊散了的兔子似的，狼狈逃了回去。

这些大汉一个个俱是神色惊惶，快活王面色也变了，拍案道："混账，谁叫你们回来的。"

大汉们仆地跪了一片，惶声道："启禀王爷，只因那……那沈浪……"

快活王动容道："本王还未出手，沈浪难道敢先向你们出手？"

那为首一条大汉伏地道："他……他的暗器……"

快活王皱眉道：“沈浪居然也使出了暗器？他使的是什么暗器？”

那大汉道：“属下还不知道。”

快活王厉声道：“为何还不知道？”

那大汉嗫嚅道：“他……他还未使出……”

快活王大怒道：“他暗器还未使出来，你们这些无用的混蛋就逃了么？你……你们居然还有脸回来见我？”

那大汉以首顿地，惨然道：“若等他暗器使出，属下们只怕就不能活着回来见王爷了。”

快活王拍案道：“放屁……简直是放屁。”

那大汉道：“他那暗器叫作‘九天十地，搜魂神针’，暗器本身已有神通，属下等无论躲在哪里，都休想能躲得了。”

快活王皱眉道：“九天十地搜魂神针？你怎会知道？”

那大汉道：“属下听他自己说的。”

快活王怒喝道：“他自己说的，你们居然相信了？”

那大汉道：“属下等不能不信……”

快活王大喝道：“为什么？你可知道这话只不过是沈浪故意说来吓你们的，普天之下，哪有这种见鬼的暗器？”

那大汉以首顿地，额上已流出了鲜血，道：“这话若是别人说的，属下等自然不信，但沈浪……沈浪他……”

快活王道：“你们就如此怕他？”

那大汉颤声道：“属下……属下等委实……委实有些怕他。”

快活王气得脸色铁青，冷笑道：“很好，沈浪呀沈浪，你轻描淡写几句话，居然就将本王设下的埋伏全吓退了，但你还是跑不了的。”

他瞧着案头的沙漏，一字字道：“你可知道本王在这快活林外，还伏下了最后一着棋，一百八十张百石强弓，正在那里静静地等着你哩。”

他厉声狂笑道：“沈浪呀沈浪，你根本就无路可走！否则本王又怎会放你。”

朱七七拉着沈浪的手，道：“咱们立刻就可以逃出这快活林了，快走吧。”

王怜花苦笑道："出了这快活林，虽然也未见得就能逃走，但至少总比留在林中好得多，计算时间咱们的确还可以出得去。"

沈浪缓缓道："咱们不出去。"

王怜花皱眉道："不出去？难道还留在这里？"

沈浪道："不错，咱们只有躲在这快活林里。"

王怜花失声道："为什么？"

沈浪微笑道："你难道真的想不通这道理？"

王怜花冷笑道："这若也有道理，那么世上的道理也未免太多了。"

沈浪沉声道："纵虎容易擒虎难，快活王若非算准你我必定无法逃脱，若非早已十拿九稳，又怎会让咱们走？"

王怜花道："这好像是废话，你好像已说过二十次了。"

沈浪也不理他，缓缓接道："此人能成大业，行事必定十分谨慎，纵然知道我等体力已不支，还是不会放咱们走出这快活林的。"

王怜花道："他既然已将咱们看成他唯一的强仇大敌，行事自然不敢有疏忽……"说到这里，他语气中再无讥诮之意，失声道："呀，不错，他绝不能让咱们走出这快活林，他必定另有部署。"

沈浪道："在这快活林外，他必定另有埋伏，致命的埋伏。咱们若不能出林，也就罢了，只要出林一步，只怕就……"

朱七七失声道："那咱们该怎么办呢？难道就这样被困死在这快活林不成？"

沈浪沉声道："而今你我唯一的生路，便是先在这快活林中寻一个隐秘之地，躲藏起来，等到天黑之后，再设法逃出去。"

王怜花叹道："只是这快活林中，又怎会有咱们的藏身之处？"

熊猫儿也忍不住接口道："此刻这快活林处处都可能是陷阱，处处都可能有埋伏，咱们又到哪里去寻个安全之处？"

沈浪微微一笑，道："我自然算准了这快活林中还有个安全之处，所以才将那些探子骇走，叫他摸不清咱们究竟要往哪条路去。"

王怜花道："这附近的探子虽已被你骇走，但前面说不定还有暗卡。"

沈浪道："咱们不往前走，往后退，原路退回……方才咱们已走过的路，路上的暗卡必定早已撤销，只因快活王绝对想不到咱们会往后退的。”

朱七七道：“但……但咱们究竟要退到哪里？”

熊猫儿道：“究竟什么地方才是这快活林中唯一的安全之处？”

沈浪微笑道：“你们跟着我走，自然就会知道了。”

王怜花仰天叹了口气，道：“但愿你算得不错，现在咱们剩下的只怕已不足半个时辰了。”

快活王筷子蘸酒，在桌上画着。

他画的是快活林的地图，口中喃喃道：“沈浪现在正在这里……这里从第十二道暗卡到第三十道暗卡都已被他骇退，他必定要由这条路继续往前走……”

他忽然抛去筷子，沉声道：“三十一，三十二，三十三，这三道暗卡还在么？”

一条大汉躬身道：“在！”

快活王叱道：“为何到此刻还未有消息报来？”

那大汉道：“属下不知。”

快活王厉声道：“林中暗卡，是谁调派的？”

他身后一个劲装少年抢步而出，躬身道：“乃是弟子调派的。”只见他英俊强悍，护心铜镜上有个“三”字，正是急风三十六骑中的第三骑。

快活王道：“此刻外面还有几道暗卡？”

急风第三骑道：“除了第五至第十二道暗卡已复命交差，第十二至三十道暗卡被骇退之外，此刻还有十四道暗卡在外。”

快活王道：“你派在哪里？”

急风第三骑道：“这十四道暗卡俱都在此林的最外面，沈浪等一行人若想出林，无论他走哪条路，都必定会通过这十四道暗卡所在之地。”

快活王喝道：“你能确定？”

急风第三骑道：“弟子已将园中地势全都仔细衡量过，绝不会错。”

快活王道："既是如此，怎地至今还未有消息报来？此刻所剩时间已不多，他万万不致留在原地不动，他只要往前走便不该没有消息。"

急风第三骑沉吟道："也许，沈浪已走不动了。"

快活王怒道："放屁！他爬也要爬的。"

急风第三骑道："莫非沈浪已出手将暗卡拔了去？"

快活王厉声道："时间未到之时，他怎敢先出手？只要他一出手，本王也可提前出手了，他纵有天大的胆子，也不敢妄动的。"

急风第三骑垂首道："是。"

快活王拍案道："你这不快去查个明白？"

急风第三骑道："是！"连退七步，转身掠去。

快活王瞧着面前的沙漏，恨声道："沈浪呀沈浪，你能往哪里去，你还能往哪里去？本王就不信你能逃得出这天罗地网，除非你能插翅飞出去。"

过了还不到盏茶时分，那急风第三骑便已掠回，他虽然极力作出镇静之态，但仍掩不住神色间之惊惶。

快活王不等他来到面前，便已急急问道："到底是怎么回事？快说！"

急风第三骑躬身道："沈……沈浪并没有往前走，所有外围的暗卡，都没有瞧见沈浪的影子。"

快活王动容道："他……他竟未往前走，难道他竟真的留在原地？"

急风第三骑道："弟子也曾到那里窥探，沈浪也并未留在那里。"

快活王变色道："他到哪里去了？"

急风第三骑垂首道："看来，他好像失踪了。"

快活王大怒道："混账！失踪，他难道有隐身法？他难道真的插翅飞了出去？"

急风第三骑道："弟子本也不信，但……但到处瞧了一遍，确实没有瞧见沈浪的影子，他也竟似突然从地上消失了。"

快活王怒喝道："岂有此理，世上哪有这样的事？"

急风第三骑嗫嚅道："但……但他明明……"

快活王拍案道："混账，住口。"

急风第三骑垂下头去，再也不敢说话。

快活王身后一个少女忽然道：“他既没有往前走，会不会是往后退了？”

快活王道：“往后退？难道他要自投死路不成！难道他……”

突又一拍案子，失声道：“呀，不错！以沈浪之聪明，必已想到不能往前走，是以他才骇退了附近的暗卡，正是要从后退。”

急风第三骑忍不住道：“但……但他怎敢……”

快活王厉声道：“他自然算准了后路的暗卡必已撤销，他自然算准了本王想不到他会往后退的。”

他紧握双拳，重重擂着桌子，恨声道：“这厮委实是个恶魔，本王纵横天下数十年，委实从未遇见到像他这么厉害的对手，竟能令本王也错算一步。”

急风第三骑道：“但他纵然后退，又能退到哪里？”

快活王冷笑道：“他自然先要找个隐秘之处躲起来。”

急风第三骑道：“但在这快活林中，他又能躲在哪里？”

快活王厉声狂笑道：“正是如此，他躲不了的。他纵然躲到地下去，本王也要将他挖出来，他若能活到明天，本王就算他本事。”

他戛然顿住笑声，喝道：“急风第一骑何在？”

一个英悍少年应声抢出，躬身道：“在！”

快活王道：“你与九、十两骑，率领九人前往听涛馆一带搜索，若是发现沈浪等人的行踪，暂时且莫出来，立刻以旗花火箭报来。”

急风第一骑道：“遵命！”

他挥了挥手，立刻有十一人随他快步而去。

快活王喝道：“急风第二骑何在？你与十一、十二两骑，另率九人，前往松香馆一带搜索，只要发现沈浪……”

这武林枭雄委实有旷代之才，此刻虽在愤怒之中仍是调度从容，片刻间便将属下弟子分成十二队，每队十二人，分作十二路搜查，快活林中每分每寸的土地，都绝无遗漏之处。

这十二队俱是久经训练的英悍少年，应命之后，立刻便走了个干净，绝不浪费丝毫时间。

这十二队若再找不出沈浪的下落，世上只怕就再也没有别人能找得出了——沈浪难道真的飞上了天去？

快活王坐镇当地，指挥全局，一有消息，便可赶去，正如蛛网中央的蜘蛛。快活林外仍有一百八十名强弓手在埋伏着，纵是飞鸟，也难渡过，这当真可说是天罗地网，滴水不漏。

快活王仰天长笑道："沈浪呀沈浪，本王倒要看看你能躲到哪里去？"

长笑声中，犬吠之声不绝，那急风第三骑牵着四条狮虎般的狼狗，直奔沈浪方才走过之处。

快活王抚掌道："就凭本王这几条神犬的鼻子，你也是躲不了的。"

沈浪突然拉着朱七七跃入那小溪，溪水并不深，仅淹没了他们的膝头，沈浪拉着朱七七连连纵身，口中轻叱道："下来，都下来。"

熊猫儿毫不迟疑，立刻跟了下去。

王怜花想了想，叹道："沈浪行事果然周密。"

朱七七却忍不住道："好好的路不走，为什么要在水里跑。"

沈浪沉声道："方才我等走过的地方，都难免留下气息，这气味人虽闻不到，却难逃过久经训练的狼狗鼻子，是以我等唯有在水中行走，才能逃过猎犬的追踪，人一入水，纵有气味，也被水流冲走了。"

朱七七嫣然笑道："当真什么事都被你想到了。"

只见沈浪全力纵跃，口中突然轻轻叱咤，将溪水中那些猪牛犬马，赶着和他们一起前走。

朱七七奇道："你这又是在干什么？"

沈浪微微一笑，道："你立刻就会明白了……快活王只怕再也不会想到，他用来气咱们的牛羊犬马，反而变作咱们脱走的工具。"

朱七七更奇怪，皱眉道："脱走的工具，这是什么意思？"

沈浪再不说话，却将那些畜生往岸上赶，马跑得最快，狗跟在后面，羊次之，牛又次之，肥猪蹒跚地留在最后。

沈浪突然抱住了朱七七，飞身而起，跃在猪背上，微一借力，跃上牛背，再由牛背跃至羊背。

熊猫儿与王怜花自然也学着他的模样，等到沈浪跃上马背时，距离那溪水已有七八丈了。

沈浪骑在马上又奔出了七八丈，翻身跃下，将马远远赶走，牛羊猪狗也盲目地跟着马远远跑开。

朱七七道："究竟是在干什么呀？"

沈浪道："猎犬到了溪畔，气味突然中断，他们自然会想到咱们已跃入水中，自然要到对岸继续追踪，但这样一来，他们便再也追不着了。"

朱七七拍手笑道："这么绝的主意，真亏你想得出。"

只见四面林木扶疏，月光掩映，前面一栋精巧的屋宇，红栏绿瓦，画廊曲折，碧纱窗里，静悄无人。

熊猫儿失声道："这……这不是快活王住的地方么？"

沈浪道："正是。"

熊猫儿道："咱们难道……难道要躲在快活王住的屋子里。"

沈浪道："正是。"

熊猫儿道："你不是开玩笑吧？"

沈浪道："自然不是。"

熊猫儿着急道："快活林里地方很多，咱们为何偏偏要躲在这里？"

沈浪道："只因这地方是快活林中唯一安全之处。"

熊猫儿道："安全之处？……这里能算是绝对安全之处？……快活王随时随刻都可能回来，咱们……"

沈浪沉声截口道："他绝不会回来的。"

他此刻已走入了快活王的屋子，熊猫儿也只得跟去，口中仍追问道："你怎知道他不会回来？"

沈浪道："咱们突然失去下落，他能安心回来休息么？此刻他们的搜索，必定密如蛛网，快活王就是那蜘蛛，必定要坐镇中央，蛛网上有响动，他才好立刻赶去，他左右亲近的人，自然全都跟着他，在没有抓到咱们之前，他们是绝不会回来的，此刻这快活林中，想来也唯有这间屋子是空的。"

熊猫儿道："但……但他们……"

沈浪笑道："他们暂时也绝不会到这里来搜索，因为他绝不会想到咱们竟躲在这里，这就是人类心理的弱点。”

熊猫儿道：“但……但万一他们想到了呢？”

沈浪道：“他们在别的地方都搜索不着的时候才会想到此处，但若要将这偌大的园林都搜索一遍，至少需时三个时辰。”

他一笑接道：“所以，他们纵然要来这里，至少已是三个时辰之后的事了，所以，咱们在这里，至少还有三个时辰是安全的。”

熊猫儿道：“这……这还是太冒险。”

沈浪道：“不错，这的确有些冒险，但咱们此刻反正已无路可走，只有行险侥幸了，这终究是比较安全的路。”

熊猫儿苦笑道：“有时你小心得像个老太婆，有时胆子却又大得吓人。”

王怜花悠悠道：“这就是我唯一佩服沈浪之处。”

朱七七笑道：“原来你也有佩服沈浪之处的，你到底还是说了良心话了。”

沈浪忽又一笑，道：“咱们躲在这里，还有样好处。”

熊猫儿道：“什么好处？”

沈浪笑道：“此刻这快活林中，只怕只有这屋子还有食物，因为快活王本是个讲究饮食的人，而且自己吃的东西，也绝不会有毒。”

他早已在四下搜索，说到这里，他双手一举，手里奇迹般出现了一樽美酒，一大盘干脯水果。

朱七七几乎忍不住要欢呼起来，娇笑道：“沈浪，你真可爱极了，你简直是世上最可爱的人。”

快活林里很静，非常静，数百人在林中搜索竟没有发出丝毫声息，只有偶尔可以听见几声犬吠。

快活王已有一个时辰多没有说话了。

他不说话，别人谁敢出声。

暮霭四合，天色渐暗，大地间充满了肃杀之气。

快活王突然一拍案子，厉声道：“蠢材，几百个人找四个人都找不到，还活着做什么。”

又过了约摸一个时辰，已没有一个人再敢瞧快活王的脸，他眉目间的杀气，委实令人胆寒。

这时，才见到那急风第一骑，垂头丧气地走回来——其余十一人都远远跟在后面，不敢过来。

快活王厉声道："还没有找到么？"

急风第一骑伏地道："弟子几乎已将'听涛馆'四周每一寸地都翻了过来，但……但实在找不到沈浪那厮的影子。"

快活王重重一拍案子，怒道："无用的东西。"

急风第一骑跪在地上，再也不敢站起。

过了半晌，急风第二骑也回来了，也是面色如土。

快活王道："你也没有找到？"

急风第二骑伏地道："弟子几乎已将……"

快活王大怒道："你几乎已将'松香馆'四周每一寸地都翻过来了，还是找不着沈浪那厮的影子，是么？"

急风第二骑顿首道："是。"

快活王怒喝道："混账！你们非但一样的无用，连说话也是一样的胚子。"

急风第二骑吓得连头都不敢抬起。

于是急风第四骑、第五骑……全都回来了，黑压压跪了一地，谁都不敢抬头，只因他们的回答都是一样的："找不着沈浪的影子。"

快活王连声大骂道："混账，没用的东西。"

急风第三骑最后牵着猎犬同来，脸色更难看。

快活王道："人没有用，狗总该有用些吧。"

急风第三骑伏地道："弟子牵着它们一路追到溪旁，但……"

快活王冷笑道："沈浪比你们聪明得多，他想必下水去了。"

急风第三骑道："是。"

快活王喝道："但对岸呢？他们总要上岸的。"

急风第三骑道："大黑、二黑在对岸嗅了一个多时辰，还是没有嗅出来。"

快活王怒道："放屁，沈浪难道借水遁走了不成？"

急风第三骑五体投地，不敢出声。

快活王怒声道："混账，全都是混账，偌大的四个人，你们竟会找不着他，沈浪又非鬼怪，难道竟真的突然从地上消失了不成。”

急风第一骑伏地道：“弟子等委实已将这园中每个地方都搜索过了，纵然在园中遗落一根针，弟子们自信也可找到。”

快活王道：“既是如此，为何找不着沈浪……”

他冷笑一声，接道：“只怕你并没有……”

说到这里，目光一闪，话声突然顿住。

急风第一骑接着说道：“此刻园中只剩下一个地方还未搜索，那便是王爷的寝宫。”

快活王突然跳起来，怒吼道：“你早就想到了，是么？”

急风第一骑颤声道：“弟子……弟子……”

快活王喝道：“你为何不早说？”

急风第一骑道：“弟子本想不到沈浪会……”

快活王怒道：“蠢材，他自然要躲到别人想不到的地方，蠢材，你为何不早些说出？”

他不怪自己未想到，反怪别人不早说，其实，在他方才那种情况下，他属下有谁敢在他面前说话。

但急风第一骑哪敢辩驳，唯有连连以首顿地，道：“弟子该死，弟子该死……”

快活王喝道：“此刻还不快去，还等什么？”

沈浪等人都已睡了一个多时辰，他们谁都已倦极，累极，但在这种情况下，有谁能真的睡得沉。

但饶是如此，他们的体力还是恢复不少，尤其是沈浪，他看来更是精神焕发，就像是已睡了三天三夜似的。

朱七七伏在他怀里，就像只小猫似的，简直不想走了。

那熊猫儿却是坐立不安，终于问道：“咱们什么时候闯出去？”

沈浪微笑道：“莫要着急，再等等。”

只听窗外犬吠之声不绝，但却似乎在很远的地方。

熊猫儿叹道：“奇怪，他们真的都没有往这边来，这么多人，竟没有一人想到这里么？”

沈浪笑道：“这只因快活王太厉害的缘故。”

朱七七"扑哧"笑道："他被你骗了，还算厉害？"

沈浪沉声道："快活王素来自恃才干，他才干确实也不错，是以他平日行事，一向独断独行，根本用不着别人进言。"

朱七七道："不错，他实在是个独夫。"

沈浪道："但这次，他却终于有了疏忽，只因这是他自己住的地方，人们对于自己身边的事，都是最容易疏忽大意的，愈是聪明才智之士，愈是如此，是以有些人日断万机，丝毫不乱，却常常忘记自己的鞋袜在哪里。"

朱七七笑道："你对于每种人的心理都了解得很，有时我实在奇怪，你也是一个人，为什么懂得的就比别人多？"

沈浪一笑，接道："若是别人有了疏忽，他手下的人必定会加以提醒，但快活王素来独断独行，别的人根本不敢在他面前说话。"

朱七七叹道："我真该去告诉他，一个人无论多么聪明，总不如一百人加在一起那么聪明的，每个人都难免有疏忽的时候，有时只要疏忽一次，就已够糟了。"

沈浪笑道："所以常言说得好，三个臭皮匠，终是胜过一个诸葛亮。"

熊猫儿道："但……但那人为什么连一个过来瞧瞧的都没有呢？"

沈浪微微笑道："没有快活王之令，谁敢闯入他的寝宫。"

熊猫儿抚掌笑道："不错，只因他太厉害了，所以才害了自己，这样看起来，一个人还是莫要太过厉害才好。"

说到这里，窗外突然奇异地静寂了。

方才窗外虽也很静，但总是还有些风吹草动，有些犬吠声，此刻，却突然静得有如坟墓。

夜色已深，月光自窗外照进来，照着沈浪的脸。

沈浪面色微变，一跃而起，道："现在，他们搜索已过，想必立刻便要到这里来了，咱们走。"

朱七七、王怜花立刻掠了出去。

熊猫儿目光一转，突然自案上拿起支笔，蘸饱了墨，在那雪白的粉墙上，写下了八个大字："多承招待，感激不尽。"

写完了，似乎意犹未尽，又在旁边加了行小字：

“只可惜酒太少了些。”

凄凉的月色，静静地照着这死一般的园林，照着树木、花丛，照着那精雅的亭台楼阁，山石流水。

每一株树木，每一片花丛，每一处亭台楼阁的阴影中，都似乎潜伏着眼睛看不见的危机、陷阱。

朱七七轻轻喘息，悄声道：“咱们此刻往哪里去？”

沈浪悄声道：“等到我一说‘去’字，熊猫儿与王怜花立刻带着你绕过那边的小亭，直奔那花神祠后的岩洞去，但却切莫要入洞太深。”

朱七七骇然道：“那花神祠？那岩洞？但……但快活王不是在那里么？”

沈浪微微一笑，道：“快活王忽然想起咱们可能在这里……甚至是必定在这里，自要立即赶来，他对于自己这疏忽，必定十分羞怒，而羞怒之下，一定会动员所有的力量，绝不会再将主力留在那边，所以……”

他歇了口气，接道：“那边纵然有人留守，凭你们三个人的力量也可对付得了，那里离此甚远，你们动手时纵有响动，这边也听不见。”

朱七七道：“但别的地方……”

沈浪截口道：“别的地方都不如那地方的，第一，那地方终是较为隐秘，可以藏身之处也比别的地方多。”

朱七七想了想，道：“不错。”

沈浪道：“第二，那里已是快活林的外围，出路较多，在这黑夜之中，咱们随时都可以寻找机会冲出去。”

朱七七、熊猫儿齐声道：“不错。”

沈浪道：“第三，快活王雄才大略，究竟非常人可比，他虽将全力扑来这里，但对别的地方，也不会轻易放过。”

他沉声接道：“据我猜想，他必已将属下分为十队至十五队，其中至少有一半要扑来这里，另一半大概要分成扇形在园中搜捕，随时以旗花火讯与主力联络，是以除了那花神祠后的岩洞外，园中到处都有危机。”

这次连王怜花也点头道：“不错，快活王方才的疏忽，是他自己的住所，此刻的疏忽必定就是花神祠后的岩洞。”

熊猫儿也点点头道：“不错，我若是快活王，也不会留意到那花神祠后的岩洞的，因为他自己刚从那地方离开。”

沈浪道：“咱们此刻正是要以己之心，度人之意，一定要把握住快活王的心理，咱们这一战才有制胜的机会。”

朱七七已默然许久，此刻突然道：“但……但你万一算错了呢？”

沈浪道：“这一战已是咱们的生死之战，咱们都已将性命作为孤注，咱们的生死正是要决定于一念之间。”

他仰天长叹一声，接道：“是以咱们计算只要有丝毫错误便得将性命输给别人，这场赌本不公平，但咱们却又偏偏非赌不可，别无选择。”

他说完了话，大家俱都不禁沉默了下来，每个人的心情俱都十分沉重，熊猫儿仰首望天，喃喃道：“以生死为赌博，以性命为孤注……嘿！好一场豪赌。”

王怜花道：“沈浪呀沈浪，但愿你莫要算错，你是错不得的，你赌的非但是你自己的生死，咱们三个人也将性命押在你一边了。”

沈浪苦笑道：“我但愿你们莫要将性命押下，只是……”

朱七七突然道：“你说……你是说我们三个人去那岩洞？”

沈浪道：“不错！你们三个人。”

朱七七道：“你……你呢？”

沈浪道：“我留在这里。”

朱七七骇然道：“你留在这里？为什么？”

沈浪道：“你我若一起去，猎狗立刻便要追踪而至，是以我必须留在这里，将猎犬引开，你们在那里等我。”

朱七七花容失色，道：“但……但他们的主力都已来了，那快活王又是那么……那么厉害，你一个人留下，岂非有危险了么？”

沈浪道：“虽然危险，但却是势在必行。”

朱七七一把抱住了他，颤声道：“不行，我不能让你一个人留下，绝不能。”

沈浪柔声道：“莫要孩子气，乖乖的，在那边等我。”

朱七七跺脚道：“不……不……不……”

她热泪盈眶，抬头瞧着沈浪，颤声道：“求求你，你至少该让我陪着你。”

沈浪轻抚着她柔软的头发，缓缓道：“你陪着我，只能增加我的危险，你愿意增加我的危险么？”

朱七七泪流满面道：“但……但你若万一……”

沈浪道：“我若万一遇险，也比四个人都死的好……我留在这里，咱们四个人才有生路，否则，只怕……”

朱七七几乎痛哭失声，紧咬着嘴唇，道：“你若遇险，我……我……”

沈浪一笑道：“你放心，我不会死的，世上没有人能令我这么容易就死，就算是快活王也不能。你总该信得过我。”

朱七七泪眼凝注着他，良久良久，幽幽道：“我相信你，你不会死的，为了我，你也不能死。”

熊猫儿揉了揉眼睛，强笑道：“为什么人间总有些令人忍不住要流泪的事，为什么……”

突然间，一阵轻微的“沙沙”声传了过来。

沈浪立刻轻叱道：“去。”

朱七七还想抱着他，但沈浪却已将她推开，熊猫儿已拉着她的手，三个人蝙蝠样滑向那小亭。

月光下，只见朱七七含泪的眼睛，犹在望着沈浪，眼睛里含蕴着似水柔情，似乎在说：“沈浪，你要小心，为了我，你要千万小心。”

黑暗中，突然出现了幢幢人影，每个人都走得很轻，几乎没有发出丝毫声音，只是因为人太多，所以才有轻微的“沙沙”声响。

沈浪就像猫一般隐身在黑暗中，静静地瞧着。

数十条人影，到了这栋房子前面，就突然分散了开来，将这栋并不算太大的屋子，密密包围住。

只见这数十人俱都将长刀藏在肘后，像是生怕刀光惊动了屋里的人，每个人的行动都如狸猫般轻捷。

沈浪暗忖道：“快活王门下，果然都是好手。”

转念之间，又瞧见三四十条大汉掩来，每个人手上都拿着强弓强弩，也将这屋子包围了。

后来的四十条大汉武功显然较弱，行动间已有轻微的脚步声，只是此刻屋子已被包围，是以不怕屋中发觉。

沈浪又不禁暗忖道：“快活王果然不同凡响，到了这般时候，调度层次，仍然丝毫不乱，他若一到这里便急着冲进去，就是俗手了。”

这时，他才瞧见了快活王。

快活王的眼睛，就像宝石般在黑暗中闪着光。他虽然只是静静地站着，但那非凡的气势，已足慑人。

突然，他挥了挥手，百十条人影俱都伏下。

快活王大喝道：“沈浪，你出来吧，你已在本王包围之中，再也逃不了的。”

屋子里根本已没有人，自然没有声息。

快活王厉声道：“沈浪，本王敬你是个英雄，是以才让你自己走出来，你难道真的不知好歹，真要本王动手？”

屋子自然是没有回应。

快活王厉声道：“好，既是如此……”

他挥了挥手，便突然有二三十点火光亮起。

火光闪动中，另外二十多人一掠而上，“砰”的一声大震，有人踢开了窗子，有人踢开了门。

二十余人一齐冲了进来，立刻失声道：“沈浪不在这里。”

快活王面色一变，也不见他作势，身子便已飘飘自人丛中掠过，就像是一只沙漠中的鸷鹰。

沈浪也不禁暗赞一声：“好轻功。”

快活王已掠上曲廊，厉声道：“搜！”

他接着又拍了拍手，一条大汉立刻撮口尖哨了一声，接着，黑暗中便传来猛犬的咆哮。

沈浪深深吸了口气，掌中已扣了十余枚制钱。

急风第三骑已牵着四条猛犬，飞步而来。

这四条猛犬，乃是西藏异种，狰狞咆哮，就像是四条饿虎一般，八只眼睛，更像是八盏灯。

沈浪掌中的制钱，突然飞了出去。

那八盏灯立刻灭了。

猛犬狂吼着扑起，急风第三骑再也把握不住，四条瞎了眼的猛犬，疯虎般扑了出去，见人就咬。

刹那间便已有两人被猛犬咬断了咽喉。

大汉们立刻有些乱了。

快活王却仍似神色不变，厉叱道："杀狗！追人。"

只见数十柄刀光闪动，四条猛犬俱已尸横就地。

这时，沈浪已远在数丈外，他只道后面的人已追不上来，猛回头，却赫然发现两丈外有一双发亮的眼睛！

快活王竟亲身追来了。

园林之中，立刻有呼哨之声响起，此起彼落。

快活王一面追赶，一面不断发出短促的哨声，通知四面的埋伏，他追到哪里，沈浪自也在哪里。

沈浪知道自己已身陷重围，随时都可以有人出来阻住他的去路，他并不是怕前面拦路的人。

他只是怕在身后紧追不舍的快活王。

他知道自己的体力损耗许多，在这种情况之下，他若与快活王动手，委实只有死路一条。

而他此刻根本不能逃出快活林，快活林外的强弓火箭，根本不是任何血肉之躯所能抵挡。

情况已愈来愈危急，沈浪已是汗透重衣。

快活王厉声大笑道："沈浪，你还要往哪里逃？为何不停下来，与本王决一死战。"

他自然已算定沈浪此刻万万不是他的对手。

这时朱七七与王怜花、熊猫儿已安全到达了那花神祠的岩洞，有四五个少女正在那里收拾着桌子。

只听其中一人娇笑道："王爷今天可真是发脾气了，我从来没有见过他发过这么大的脾气，沈浪那小子真的有两手。"

另一人笑道："是呀，连王爷今天都算在对手上栽了个跟斗，看他斯斯文文，秀里秀气的，真想不到他是这么厉害的人物。”

那圆脸少女道：“你们看，他今夜能逃得了么？”

那少女道：“他本事虽大，但双拳难敌四手，我看他是逃不了的，你们没有瞧见过王爷的武功，但我知道，王爷的武功简直骇死人。”

另一人叹道：“沈浪年纪轻轻，就这样死了，真有点可惜。”

那少女咯咯笑道：“我看你呀，莫非是看上他了？”

圆脸少女悠悠道：“像沈浪那样的男人，谁不喜欢？”

朱七七暗中听得直咬嘴唇。

熊猫儿哑声道：“冲过去？”

朱七七道：“要不要先打灭那盏灯笼？”

王怜花道：“不行，她们五个人若不能一举杀光，只要有一人放出讯号，咱们就惨了。”

朱七七道：“那……怎么办呢？”

王怜花沉吟道：“你们在这里莫要动，我先出去。”

只见那圆脸少女拿起快活王喝剩下的半杯酒，举杯笑道：“沈浪，我在这里先敬你一杯，希望你死。”

另一少女笑道：“你不是喜欢他么？怎地又希望他死？”

圆脸少女道：“他纵然不死，反正也轮不到我去喜欢他，倒不如索性死了干净，大家都休想能得到他。”

那少女笑道：“你的心真狠。”

圆脸少女道：“女人的心，本来就……”

王怜花突然含笑走了进去，笑道：“你嘴上虽凶，但心却是很好的，是么？”

少女都吃了一惊，想要惊呼，但瞧见王怜花神色安详，脸上又是笑眯眯的，惊慌之情已减了几分。

再瞧见王怜花神情潇洒，居然也是个美少年，她们非但不再害怕，简直连眼睛都有了笑意。

那圆脸少女眼睛直勾勾地瞧着王怜花，叱道：“你敢到这里来，不怕死么？”

她虽然故意装出很凶的样子，但却一点也不吓人。

王怜花柔声笑道：“能死在姑娘们的纤手之下，在下死也甘心。”

另一少女道："你以为你长得很俊，我们舍不得杀你？"

王怜花叹道："在下本也不敢来的，但瞧见姑娘们一个个有如天仙化人，在下委实情不自禁……何况，在下本已没生路，能死在姑娘们的手下，自比死在别人手下好得多，姑娘们就请杀了我吧。"

他一面说话，一面已走过去。

那少女咯咯笑道："你瞧他说得多可怜。"

躲在远处的熊猫儿，也不禁轻笑道："这王怜花对付女人实在有一手。"

朱七七叹道："他知道这些女孩子平时被快活王管得太严，怕得太厉害，所以，快活王只要一不在身边，她们自然就难免要这样子。"

熊猫儿道："不想你也很了解女人的心理。"

朱七七嫣然笑道："我到底也是个女人呀。"

只见王怜花装出一副可怜模样，道："我知道姑娘们好心，不忍下手杀一个可怜的人，但姑娘们若不杀我，就难免要连累自己。"

那少女叹了口气道："你倒很会体贴人，只可惜……"

王怜花道："姑娘不必解释，我很知道姑娘们的处境，我已逃不出去，已要死了，怎能再连累姑娘们，我……我临死前，只求姑娘们一件事。"

那圆脸少女道："你说吧，无论什么我都答应你。"

说完了这句话，脸突然红了起来，另几个少女也偷偷咬住了嘴唇，面颊上也泛起了红霞。

王怜花看在眼里笑在心里，叹道："我只希望姑娘们能陪我喝一杯酒，我死了也甘心了。"

那几个少女听他要求的只不过是喝一杯酒，竟像是有些失望，那圆脸少女咬了咬嘴唇，道："就只这样？"

第四十章

功亏一篑

王怜花惨然道：“就这样我已心满意足了，怎敢再要求别的？”

圆脸少女轻啐道：“胆小鬼。”

王怜花故意装作不懂，道：“姑娘不答应？”

圆脸少女咬着嘴唇，带笑瞟着他，道：“你知不知道，你方才若是要求别的，我姐妹也会答应的。”

王怜花像是一怔，吃吃道：“我……我……现在……”

圆脸少女重重一拧他的脸，笑骂道：“你这小傻子，现在已来不及了，倒酒吧。”

少女们一齐咯咯娇笑起来，瞧着王怜花垂头丧气，为她们各各倒了杯酒，圆脸少女端起酒杯，忽又媚笑道：“莫要伤心，喝完了酒，你或许还有机会的。”

王怜花像是已欢喜得手足失措，手里的酒，也倒了一身，少女们更觉得可笑，更觉得有趣，一个个娇笑着道：“小傻子……胆小鬼……”

于是一个个都将杯中的酒喝了个干净。

王怜花喃喃道：“我愿还有机会，只可惜……”

圆脸少女道：“只可惜什么？”

王怜花道：“只可惜……只可惜……只可惜……”

他一连说了三声“只可惜”，少女们的一双双媚眼突然都变了颜色——黑白分明的眼睛，竟变成一片死灰。

她们想叫，但已叫不出声。

她们想逃，但身子又像是一堆泥似的倒了下去。

王怜花木然瞧着她们，喃喃叹道：“可惜可惜——一个男人若是不得不将对自己有意的女子杀死，这实在是件令人非常不愉快的事。”

他回过头，瞧着迎面走来的熊猫儿与朱七七，展颜一笑，道："你们可知道世上还有什么毒药，毒性发作得比这更快么？我让她们死得如此痛快，总算也对得起她们了吧。"

熊猫儿与朱七七瞪着眼睛，都不知该说什么。

过了半晌，朱七七终于悠悠道："沈浪只怕已该来了。"

王怜花道："但愿他快些来，否则……"

朱七七大声道："否则怎样？"

王怜花一字字道："否则我们便已不能等他。"

朱七七大怒道："放屁，你这没良心的人，若不是他，你能逃到这里来么，而再等片刻，你……你……你竟敢说不等他。"

王怜花冷笑道："若不是他，我根本不会落在那白飞飞手中，更不会落在快活王手中，我根本不必感激他。"

朱七七喝道："这话你方才在他面前为何不说？"

王怜花冷冷道："只因我不敢说，这回答你够满意了么？"

熊猫儿瞪眼道："我只道你已多少有了些人性，哪知你……"

王怜花拉住他的手，沉声道："猫儿，你仔细想想，我们多留在此地一刻，只有多增加一分危险，与其大家一起死在这里，倒不如逃出几个算几个。"

朱七七怒道："你……你怎能说得出这样的话？"

王怜花道："这话本是沈浪自己说的，我相信沈浪在这种情况之下，也必定会这样做。"

朱七七道："猫儿，你……"

熊猫儿断然道："我绝不能抛下沈浪。"

王怜花叹道："你们讲理些好么……现在，快活王的注意力必定全集中在沈浪身上，我们乘机逃出去，希望必定很大。"

他眼珠子一转，又笑道："何况，沈浪若没有我们这些累赘，自己必定也可以逃得出去的，你们难道还信不过他有这力量？"

熊猫儿道："这……"

他心里似乎已有些活动了，只因王怜花说得实在合情合理，朱七七瞪眼瞧着他们突然道："好，你们走吧。"

王怜花道："你呢？"

朱七七抬眼向天，道：“我在这里等他。”

王怜花道：“他，他若永远不能来了呢？”

朱七七道：“我还是要等他。”

王怜花道：“你要等到什么时候？”

朱七七道：“等到死为止。”

王怜花转问熊猫儿，道：“你呢？人家是同命鸳鸯，你难道也要陪着她死？”

熊猫儿道：“我陪你走。”

王怜花抚掌道：“这才是男子汉大丈夫的行径。”

朱七七凄声笑道：“这才是够义气的朋友，熊猫儿，我总算认得你了。”

熊猫儿道：“是么？”

朱七七挥手道：“滚吧，快滚吧，我……”

王怜花狞笑道：“你也得陪我们一起滚。”

语声中，突然出手如风，向朱七七前胸大穴点了过去，以他的武功，朱七七又怎能闪避？

沈浪只觉身后的快活王已愈追愈近了。这绝代的武林枭雄，的确有过人之处，在经过许多年酒色的创伤后，竟仍有如此惊人的轻功。沈浪用尽了身法，竟还是摆不脱他，突然间，前面刀光闪动，拦住了沈浪的去路。沈浪想也不想，挥手暴喝道：“打！”

这一声“打”字当真有霹雳之威，前面的人一惊闪身，等到他们发觉沈浪手是空的，沈浪已自刀光中穿了出去，接着，又是一条人影穿过，每个人的脸上都重重挨了个耳刮子，都被打得滚在地上。

只听快活王怒喝道：“畜生，无用的畜生。”

大汉们捂着脸爬起时，沈浪与快活王已全不见了。

这两条人影就如同鬼魅一般，在园林中飘忽来去，园林中埋伏着的大汉，几乎连他们的影子都摸不到。但沈浪这时额角已现了汗珠，他毕竟不是铁打的人，他终究也会有倒下去的时候。

此时此刻，沈浪若想摆脱快活王的追踪，溜去和朱七七等人会合，简直是绝不可能的事了。

到了这种地步，无论换了任何人，都难免要绝望。但沈浪却不，沈浪的心目中，从没有“不可能”这三个字。园林中，已到处闪动起火光、刀光。快活王的暴怒呼喝之声更响。一支旗杆，高出树梢之上，有旗帜招展，写的是“快活林”三字，正象征着这园林的名声响亮。

这时，旗杆梢头也已爬上了条大汉，手里拿着个红灯，沈浪逃到东，红灯便指向东，沈浪逃到西，红灯便转向西。密密层层的，火光与刀光，自然也随着红灯转移，而且圈子愈缩愈小，沈浪眼看就要被逼得无处可逃。

快活王厉声狂笑道：“沈浪，到了这时，你还想挣扎，你难道还认为可以逃得了么？”

沈浪大笑道：“不见棺材不流泪，在下生来就是这种脾气。”

笑喝声中，他身形突然向上拔起，掠上了树梢。

看来他竟似急疯了，竟将自己的身形暴露，整个人都已变成了箭靶子，箭雨声中，快活王反而不得不顿住了身形。

就在这时，沈浪已再次腾身而起，他借着树枝的反弹之力，这一跃竟高达四丈之外，鹰隼般向那旗杆直蹿过去。杆头的大汉一惊之下，飞起一足，踢向沈浪。

但这只脚被沈浪闪电般抓住，向后一甩，那大汉便惨呼着被甩得飞了出去，远远落在树丛中。

而这时沈浪的手已搭上旗杆，身子立刻像蛇一般滑上了杆头，左腿举起，金鸡独立，站在杆头上。

旗杆高达十余丈，他卓立杆头，衣袂飞舞，似乎要乘风飞去，天下英雄，都似在他足下。

长箭，从地下射上来，到了这里，力量已弱，沈浪脱下衣衫，轻轻一拂，便都挥落了。

快活王厉声道：“沈浪！你怎地也变得如此愚蠢，你在上面又能耽得几时？”

沈浪笑道：“无论我耽得几时，你敢上来么，你看得见我，却无法上来抓我，岂非痛苦之至，我能眼见你在我脚下痛苦，当真是荣幸得很。”

快活王大怒道：“你欺我上不去么？”

他身形突也飞起，在树梢微一借力，直扑杆头，身法之轻灵美妙，当真可说是无人能及。

但沈浪掌中衣衫，已乌云般直盖下来，虽是轻飘飘一件衣服，在沈浪手中，却似挟带千钧之力。

快活王身子凌空，怎敢硬接，双腿一缩，双拳急出，想搭上旗杆，但急风响处，衣衫已扫向他双目。此时此刻，便可看出这武林雄主实有过人的武功，竟在这间不容发的刹那间，反手抓住了衫角。他正待这一抓之力直扑上去，但沈浪的手一抖，"嘶"的一声衣衫已裂，快活王也被这一抖之力，震得飞了出去。但他身法仍然不乱，凌空翻身，飘飘落下。

沈浪大笑道："好身法！只是你身法虽妙，也是万万上不来的。"

快活王面色铁青，一把自他身旁的大汉手中，夺来一柄长弓，张弓搭箭，口中厉喝道："着。"

只听"嘣"的一声，那柄铁弦弓竟被他一拉两断。

他连换三柄长弓，三柄弓竟都被他神力拉断，一支箭也未射上去，沈浪卓立杆头抚掌笑道："快活王神力果然惊人，只可惜力气大了些。"

快活王突然一掠来到旗杆下，纵声狂笑道："好，沈浪，且叫你瞧瞧本王的手段。"

狂笑声中，蹲身坐马，一掌向旗杆拍去。

但闻"叭"的一声，那菜盆般粗细的旗杆，竟被他这一掌震断，沈浪眼看便要直跌下来。

四面大汉，不禁俱都欢呼喝彩。哪知沈浪两条腿竟紧紧盘住了旗杆，旗杆斜斜向南面倒了下去，他身子也紧紧黏在旗杆上。十余丈高的旗杆倒在十丈外的屋顶上。

沈浪大笑道："我正要瞧瞧你这手段。"

"砰！"旗杆打碎了屋瓦，沈浪竟从这打碎了的屋瓦中，将屋顶击开了个大洞，游鱼般钻了进去。这沈浪简直是只狐狸。

快活王又惊又怒，顿足大呼道："围住屋子……看住屋顶……"

呼声中他自己也似风一般掠过去。

那是栋小巧的屋子，三间雅室，窗门都是紧紧关着的，快活王瞧得清楚，屋子里并没有人出来。

而这时数百条大汉已将这屋子团团围住，矫健的弓箭手，也掠上了高处，张弓搭箭，看住了屋顶。

现在，任何人都休想从屋子里逃出来了。

快活王大笑道："沈浪，想不到你居然也会自投死路，不过这也难怪你，你本就已无路可走。"

急风第一骑快步而来，躬身道："可要以火攻？"

快活王目光闪动，厉声道："沈浪，你听着，限你半盏茶工夫，本王数到三，你若还不出来，本王就放火将这屋子烧了，让你化骨扬灰葬身火窟。"

急风第一骑面带微笑，喃喃道："沈浪呀沈浪，这回你若还能逃得，我就从这里爬到姑苏去。"

王怜花手掌急点朱七七胸膛。

他出手非但快如闪电，而且委实也出了朱七七意料之外，朱七七瞧见他的手时，身子已倒了。

王怜花轻轻托住了她，转向熊猫儿笑道："猫兄，小弟并无伤她之意，只不过是不忍见她等死在这里而已，此时此刻，她唯有和我们一起逃走才是上策。"

熊猫儿道："嗯。"

王怜花道："既是如此，咱们快走吧。"

朱七七已完全晕迷，已完全不能反抗。

王怜花抱起她的身子，道："我们就从这小山旁绕出去，有烦猫兄探路了。"

熊猫儿道："我抱她，你探路。"

王怜花面色微变，但瞬即笑道："小弟探路也好。"

熊猫儿走过来，伸手来接朱七七，王怜花只得将朱七七送过去，突然间，他双手一麻。

熊猫儿的一双铁掌，已紧紧扣住了他腕脉。

王怜花整个身子都不能动了，大惊道："猫——猫兄，你这是什么意思？"

熊猫儿一双猫也似的眼睛，就好像将他当作老鼠似的瞪住，既不动，也不说话，但手掌却更紧。

王怜花身子发麻，竟不由自主跪了下去，嘶声道："你……你不是要跟我一起走么？"

熊猫儿厉声道："你若将熊猫儿当作和你一样不仁不义，你便疯了。"

王怜花面上汗珠滚滚而落，颤声道："猫兄，这是你自己愿意的，小弟并未勉强你……你……你为何出尔反尔，反来暗算小弟？"

熊猫儿冷冷道："这是我跟你学的。"

王怜花道："但……但你……"

熊猫儿道："你要别人上当，自己也该上次当了。"

王怜花长叹一声，苦笑道："熊猫儿居然能令王怜花上当，这真是令人想不到。"

熊猫儿道："你若想得到，还会上当么？"

王怜花道："好，我认栽了，你要怎样？"

熊猫儿缓缓道："你若是我又当如何？"

王怜花身子一颤道："我……我……"

熊猫儿大喝道："我本当立刻杀了你，只是，此时此刻，我若杀了你，未免要被那快活王笑咱们自相残杀。"喝声中，突然飞起一足，将王怜花踢得滚出数尺。

然后，他盯着王怜花，一字字道："现在，我要你知道两件事，第一，有些人不愿骗人，并非他不会，只不过是不愿意而已，他若愿意时，随时都可骗人的。"

王怜花惨笑道："这件事我现在已知道得很清楚了。"

熊猫儿道："第二，无论沈浪什么时候回来，咱们都是要等的，沈浪只要有一成逃回来的机会，就值得我们等，世上若有人能令熊猫儿心甘情愿地等他，甚至陪着他死，那人就是沈浪，你明白了么？"

王怜花叹道："明白了，只不过……"

熊猫儿道："不过怎样？"

王怜花道："沈浪只怕连半成逃回来的希望也没有的。"

第四十一章

两眼泪不干

这时，快活王已数到“三”。屋子里连一声响动都没有。

快活王狞笑道：“好，沈浪，你很沉得住气，你很有本事，但若连火也烧不死你，本王就真的算你有本事了。”

他振臂一挥，厉叱道：“放火。”

叱声中，火把已雨点般向那屋子掷了过去。木制的屋子，很快就被火烧着。

快活王喝道：“快将人手分五层，第一层短刀手，第二层弓箭手，第三层急风队，第四层老枪手，第五层还是弓箭手，若又让沈浪逃走，每个人都将首级提来见我。”

喝声完了，数百条大汉也已分层站好。在他如此调度之下，这屋子当真可说是已被围得密不透风，纵然肋生双翅，只怕也难飞渡。世上只怕已再无一个人，甚至一只鸟能从这屋里逃走——世上根本就没有一件活的东西能从这屋里逃走。

熊猫儿刚拍开了朱七七的穴道，朱七七就一拳打了过去，结结实实打在熊猫儿胸膛上，口中大骂道：“畜生，畜生！我宁愿死，也不愿和你们这些畜生一起走。”

她一面骂，一面打。熊猫儿让她打了三拳，才捉住她的手，柔声道：“你回头瞧瞧。”

朱七七挣扎着顿足道：“我不要瞧，偏不要瞧。”

她嘴里说不要瞧，头已回了过去，便瞧见了躺在地上的王怜花，她手脚立刻不再动了，怔在那里，讷讷道：“这……这究竟……”

熊猫儿笑道：“熊猫儿究竟不会像你想象中那么无耻。”

朱七七怔了半晌，缓缓垂下头，幽幽道："猫儿，我错了，你……你莫要怪我。"

熊猫儿含笑瞧着她，柔声道："我怎会怪你。"

朱七七抬起头，目中已然泪光晶莹。

她就这样瞧着熊猫儿，凄然道："我对不起你，为什么我总是对不起你。"

熊猫儿扭转头，不去瞧她，却大笑道："有这样个可爱的妹妹，做哥哥的还不应该吃些亏么？"

朱七七忍不住握住了他的手，道："妹妹一点也不可爱，可爱的是哥哥。"

熊猫儿大笑道："别的女孩子想法若也和你一样，那就好了。"他笑得竟还是那么豪爽，那么洒脱。

朱七七幽幽叹道："别的女孩子若不这样想，她一定是呆子，天下的男人，又有谁的心胸能像你这么开朗。"

熊猫儿笑道："我哪里是心胸开朗，只不过是健忘罢了……对于已经过去的事，我忘记得总是比别人快些。"

朱七七无限仰慕地，瞧着他缓缓道："不错，对于不该回忆的事，你的确忘记得比别人快些，但别人对你的恩爱你却一辈子也忘不了。"

她长长叹了口气，道："一个女孩有你这样的哥哥，她的确也应当心满意足了。"

王怜花突然笑道："既然有了这样的哥哥，还等那样的情人做什么？"

朱七七霍然回首，道："你……你敢说这样的话。"

王怜花笑道："我说的难道不对？"

朱七七咬牙望着他，颤声道："我原谅你，你的心已脏了，你永远也梦想不到，人世间还有一些纯洁的感情，你这一辈子已只能活在黑暗里，再也见不到美丽的事。"

王怜花悠悠道："活在黑暗里，总比死在光明的火里好得多。"

朱七七道："你，你说什么？"

王怜花躺在地上，眼睛仰望着穹苍，喃喃笑道："火……好光明的火……我宁愿做一只终年躲在黑暗中的蝙蝠，也不愿做被火烧死的飞蛾。”朱七七、熊猫儿忍不住随着他目光望去。

只见一片火光已自黑暗中升起，熊熊的烈焰，将黑暗的穹苍都映成了赤红色，就好像鲜血似的。

朱七七扑入熊猫儿怀里，颤声道：“这火会……不会是沈浪……”

熊猫儿道：“不会的，不会的……”

他嘴里虽说不会，但面上却也不禁变了颜色。

王怜花瞧着他们在火光下依偎在一起的人影，嘴角忽然泛起了一丝恶毒的笑容，喃喃道：“可惜可惜，沈浪纵然死了，只怕也是轮不到我。”

火，愈烧愈大，但屋子里还是没有人逃出来，在如此猛烈的火焰中，若不逃出来，只有死。

快活王瞧着这熊熊的火势，突然长长叹息了一声。

急风第一骑笑道：“大患已除，王爷应该高兴才是，为何叹息……”

快活王手捋髯，叹道：“你知道什么……此人活在世上，固是本王心腹之患，本王时时刻刻都想将他除去，但他真的死了，本王倒不免觉得有些可惜。”

急风第一骑垂头道：“是。”

快活王缓缓道：“当今世上，本王若再想找他这样的对手，只怕是再也找不着的了，他一死之后，本王又难免觉得有些寂寞。”

急风第一骑赔笑道：“绝代英雄之心胸，弟子本难了解。”

快活王长叹道：“这种心情你的确是无法了解的……最遗憾的是，他迄今仍未与本王正式交手，本王这一生之中，只怕是再也找不着能抵挡本王三百招的对手，本王空有这绝代武功，却无对手，奈何奈何。”

急风第一骑也自长长叹息了一声，道：“琼楼玉宇，高处不胜寒……人若到了巅峰之上，心情自然难免萧索，但眼见天下英雄俱在足下，王爷也该稍自宽慰些才是。”

快活王哈哈大笑，道：“好，不想你竟也有此才情，本王一向倒小瞧了你。”

急风第一骑躬身道：“那沈浪既未逃出来，必定早已化为枯骨。”

快活王道："你的意思是……"

急风第一骑道："依弟子之见，此刻最好便设法将火势遏阻，否则风助火威，火势蔓延开来，一发便不可收拾了。"

快活王道："好！这大好园林若烧光了，实在也有些可惜。"

他语声微顿，突又沉声道："火势熄灭之后，设法寻出那沈浪的枯骨，以王侯之礼好生埋葬于他，他活着时是英雄，死后咱们也不能慢待了他。"

熊猫儿也瞧出火势更大了，风吹到这里，已有了热意，沈浪仍无消息，他怎能不着急。

朱七七更是急得不知该如何是好，拉住熊猫儿的手，道："你说，这火会不会是沈浪放的？"

王怜花冷笑道："这火势突然而发，一发便如此猛烈，显然是许多人一起放的火，沈浪一个人怎能引发这么大的火势？"

朱七七道："那么……那么……"

王怜花悠悠道："这想必是沈浪被人困住了，所以快活王就……"

熊猫儿喝道："住口……七七，你莫要听他的鬼话。"

王怜花笑道："你嘴里虽叫她莫要听我的话，心里却已承认我说得不错了，是么？"

朱七七颤声道："你……你……"

王怜花悠然笑道："沈浪死了，你两人岂非更开心么？又何苦装出这副着急的样子来，难道是装给我看不成？"

朱七七一步蹿过去，嘶声道："你再说。"

她一脚踢了过去，哪知躺在地上不能动的王怜花突然一跃而起，出手如电，眨眼间便又点了她腰畔三处穴道。

熊猫儿大喝道："放开她。"

他正待冲过去，王怜花手掌已按着朱七七的死穴，冷冷道："你再往前走一步，我就将朱七七的尸身交给你。"

熊猫儿果然再也不敢动了。

王怜花大笑道："现在，你也该明白两件事，第一，我王怜花不是好骗的；第二，若论骗术，你熊猫儿还差得远哩。"

熊猫儿恨声道："我方才为何不杀了你？"

王怜花道："只因你是个呆子。"

熊猫儿仰天长叹一声，道："现在你要怎样？"

王怜花冷笑道："你若还要你这可爱的妹妹活着，此刻就乖乖地去探路，你要记着，你若不能将我从安全的路带出去，那么，第一个死的便是她。"

突听一人笑道："他只怕是无法将你带出去的，要人带路，还是我来吧。"

这独特的笑声一入耳，熊猫儿、王怜花面色俱都变了——一个大喜，一个大惊，两人齐地失声道："沈浪。"

沈浪已飘飘走了过来。

他衣衫虽不整，神情狼狈，但挂在他嘴角的那一丝微笑，却仍是那么懒散，那么潇洒。

他带笑瞧着王怜花，道："放开她好么？"

王怜花只怔了一怔，立刻笑道："沈兄回来了，小弟自然立刻放开朱姑娘。"

他一面拍开朱七七的穴道，一面接着道："小弟只是瞧着沈兄为我等冒险，而这位猫兄却在与朱姑娘亲热，不禁要为沈兄抱不平，是以才阻止了朱姑娘。"

沈浪微笑道："你的好意，我心领了。"

朱七七已扑入他怀里，颤声道："你——你相信他的话？"

沈浪笑道："你说我会么？"

朱七七轻轻叹了口气，整个人都倒在沈浪怀里。

熊猫儿大笑道："沈浪若是如此容易就被人挑拨离间的人，我熊猫儿会将性命交给他么？"

朱七七抚着沈浪的胸膛，柔声道："你为什么回来得这么迟？你知道我们有多着急？"

沈浪道："这园中到处俱是巡哨暗卡，我不能不分外小心。"

朱七七嫣然笑道："你瞧我有多么自私，先不问你冒了多少危险，反而怪你让我们着急，你——你不会怪我吧？"

熊猫儿笑道："你能说出这样的话，就表示你已长大了。"

王怜花终于忍不住道："是是是，大家都长得很大了，咱们可以走了吧。"

沈浪道："不用着急，咱们在这里暂时绝无危险。"

王怜花道："为什么？"

沈浪笑道："只因他们此刻正在忙着烧死我，是以暂时绝不会追到这里。"

朱七七道："忙着烧死你？"

沈浪叹道："那快活王委实有非凡的武功，我险些被他追得无路可走，只有直上了那旗杆，哪知快活王竟一掌将旗杆震断了。"

他此刻虽然明明已来到这里，但熊猫儿与朱七七听了这话，仍不禁为他捏了把冷汗，两人齐地惊呼出声来。

朱七七道："那……那你怎么办呢？"

沈浪笑道："快活王虽是一世之雄，却也未想到我蹿上那旗杆时，正是希望他将旗杆震断，所以才故意激怒于他。"

朱七七眨着眼睛问道："为什么？"

沈浪道："那旗杆高达十丈开外，倒下去时，杆头自然落在十丈外，我只要攀住杆头，那么我便也可落在十丈外了，否则凭我自己的功夫，焉能一掠十丈？"

熊猫儿叹道："这道理听来虽然简单，但若换了我处于你那情况之中，就算砍了我的头，我也是想不出来的。"

朱七七笑道："我早已说过，纵然天下只有一条路可走，那么，第一个走上这条路的人，必定就是沈浪。"

熊猫儿道："但那火又怎么烧起来的？"

沈浪道："当时我落在十丈外的一个屋顶上，旗杆将屋瓦打碎了一片，我便乘机将那屋顶撞开了个大洞。"

他语声微微一顿，熊猫儿与朱七七不住同时接口道："你就从洞里钻进去了是么？"

沈浪笑道："一百个人中，只怕有九十九个要以为我会从洞里钻进去，那快活王也不能例外，只因人在危险时，见到有藏身之处，必定会钻进去的，这本是人的天性，自上古以来便已是如此了。"

朱七七笑道："但你却是例外。"

沈浪叹道："我要与快活王这等人斗智，自然处处都得违反人的本性，这样才能出乎快活王意料之外，让他无法猜中。"

熊猫儿道："你是怎么的呢？"

沈浪道："我将屋顶撞开一个大洞后，人虽钻了进去，但手却仍攀住了屋顶，只听快活王在喝令属下将屋子包围，我就立刻蹿了出去。"

朱七七吸了口气，道："他们没有瞧见你？"

沈浪道："在那片刻之间，正是他们最乱的时候，而快活王必定早已蹿了过来，也瞧不清屋顶的事。"

他一笑接道："那机会正如白驹过隙，稍纵即逝，他们再也想不到在人群都扑过来的时候，我竟有胆子蹿出去。"

朱七七嫣然笑道："不错，这也正是人性的弱点。"

熊猫儿苦笑道："若换了我，我虽有胆量做任何事，但在那一刹那间，我也绝不会蹿出去的，只因在那一刻间，屋子里看来委实比外面安全得多。"

朱七七道："后来呢？"

沈浪道："我蹿出去后，蹿上一株树梢，但立刻又从树梢滑下来，贴着树身，等到人群冲过来时，我就乘机也冲入人群，这时人人都在注意着那栋屋子，谁也没有瞧见我。"

朱七七失声道："但……但你为何不躲在别的地方，反而到人丛里去，这样，这样岂不是太过冒险了么？"

沈浪道："你要知道，快活王的眼睛和别人的眼睛都不同的，我主要是想逃过他的眼睛，别的人就都无所谓了。"

他一笑接道："是以那时我只有挤在人丛中，快活王才不会发现我，何况，那时人群都在往前冲，我只要站着不往前走，立刻就又从人丛中出来了，根本用不着我自己费事，等我落在别人身后，别人更不会瞧见我了。"

朱七七长长叹了口气，笑道："这听来倒好玩得很。"

熊猫儿叹道："这种好玩的事，我可不愿尝试。"

朱七七笑道："这种好玩的事，普天之下，除了沈浪外，只怕谁也做不出。"

沈浪微笑道："当时我虽不觉什么，但此刻回想起来，我也觉得甚是侥幸，当时每一刹那间，我都要作无数个决定，只要一个决定错了，或者迟了分毫，那么，只怕我此刻再也不能站在这里说话了。”

朱七七突然激灵灵打了个冷战，道：“你不说倒也罢了，你一说，我再仔细一想，冷汗都不禁流出来了，沈浪，求求你，下次莫要再如此冒险了好么？”

到了这时，王怜花也忍不住长叹道：“凭良心讲，此刻小弟对你也不得不佩服了，在那种情况下，无论你智慧差一点，或是身手慢一点，都已再难逃出。”

沈浪微笑道：“所以，你就认为我是回不来的了，是么？”

王怜花不敢回答，转过话头道：“此刻快活王属下既然都在留意着那火场，我等为何不乘机冲出去？”

沈浪笑道：“此刻虽已有机会，但最好再等一等。”

王怜花道：“为什么？”

沈浪道：“此刻，沈浪已被烧死，还未传出去，但想必已快传出去了，等到外面的暗卡知道这消息后，防卫必定大疏，我等再冲出去，岂非更容易得多？”

王怜花叹道：“沈兄之智，的确非小弟所及。”

朱七七冷笑道：“哼，你现在拍什么马屁，若依着我，就让你留在这里才是。”

王怜花苦笑道：“小弟至少也有些好处，譬如……”

突然间，一阵呻吟声传了过来。这呻吟之声，似乎是从那小小的花神祠传出来的。

沈浪面色微变，沉声道：“你们方才经过花神祠时，可曾瞧见有人在里面？”

熊猫儿呆了呆道：“这……这咱们倒未留意。”

沈浪微一沉吟，道：“王兄，烦你过去瞧瞧。”

王怜花苦笑道：“这调派的确聪明得很。”

此时此刻，他心里就算一万个不愿意，也只得掠了过去，到了这种时候，他身法仍是轻灵曼妙，令人喝彩。

他先在花神祠外闪电般绕了一圈，一面拾起两粒石子，自窗户里抛进去，人却笔直冲入了门。

沈浪微笑道："此人的确是个人才。"

熊猫儿叹道："我若非也起了爱才之心，方才就宰了他了。"

朱七七道："他虽是个坏人，坏得令人恨之入骨，但却并不坏得令人讨厌，比起金不换一流角色来，他的确高明多了。"

沈浪笑道："当今之世，像他这样的坏人，只怕再也找不出第二个，金不换和他比起来，简直算不得什么，金不换只是个小人，他却可算是坏人中的君子。"

朱七七笑道："不错，他的确并未坏得穷凶恶极，有时候还像个人样，而且，随时随刻都会见风转舵，绝不会和你死皮赖脸地歪缠，譬如说，沈浪一来，他就立刻放了我，若是换了金不换一流角色，想必还要纠缠的。"

熊猫儿笑道："这就是他聪明之处，否则……"

只见王怜花突然箭一般蹿了出来，面上的神情，像是奇怪得很，目光瞟了朱七七一眼，又转向沈浪笑道："你猜里面是谁？"

沈浪微一皱眉，还未说，朱七七已大声道："究竟是谁，快说呀。"

王怜花神秘地一笑，道："我进去时，本未瞧见她，原来她竟已被人藏在神案下，而且还似乎受了很重的内伤……"

他话未说完，沈浪已一掠而去。

朱七七跺脚道："她，她，她，她到底是谁呀？"

王怜花一字字道："幽灵宫主白飞飞。"

淡夜中的花神祠，显得阴森森的。花神，虽是个美丽的神祇，但所有庙宇的阴森却都没什么不同，无论它供奉的是美丽的花神，抑或是丑恶的天魔。

沈浪借着从门外射进来的一线微光，终于瞧见了白飞飞……那几乎已完全不再像是白飞飞。

此刻，神案下的她，既不是昔日那温柔美丽的白飞飞，也不再是那奸险恶毒，令人战栗的幽灵宫主。此刻，她只是个可怜而平凡的女孩子，全心全意地在企求着别人救她，她的脸，苍白得可怕。

她也瞧见了沈浪。

她泪珠夺眶而出，颤声道：“沈浪，你为什么还未死？你为什么还要来？你为什么要在这时候来？”

沈浪静静地瞧着她，道：“你虽然那样对我，但我还可能救你的，我来了，你该开心才是。”

白飞飞嘶声道：“我不要你救我，我宁可死，也不愿意被你瞧见这副样子，在你的心目中，我纵然不可爱，也要让你觉得可恨，可怕……”

她泪流满面，痛哭着道：“我死也不愿意让你可怜，你……你出去吧……出去，快出去。”

沈浪仍然静静地瞧着她，道：“你怎会变成这样子？”

白飞飞凄然道：“你明明知道，何苦还要来问我？”

沈浪道：“我不知道。”

白飞飞以手捶地，嘶声道：“你明知道我不是快活王的敌手，是他打伤了我，是他将我抛在这里，我知道他的意思，他就是要你瞧见我，现在你满意了么？”

沈浪黯然一叹，喃喃道：“我满意了么？”

一只手悄悄揽住了他的臂。

那自然是朱七七的手。

白飞飞道：“走开，你们都走开，不要在我面前做出这副亲热的样子，朱七七，我知道你恨我，你杀了我吧。”

朱七七瞧了她半晌，突然幽幽叹息了一声，道：“不错，我的确恨过你，恨你入骨，但现在……”

她目光转向沈浪，道：“我们带她一起走吧。”

沈浪木然站着，没有说话。

熊猫儿也瞧着沈浪，道：“我不管你怎样，但叫我将一个垂死的女子留在这里，我实在做不到的。”

沈浪还是没有说话。

朱七七顿足道：“你，你为什么不说话？”

王怜花冷冷道：“我知道他为何不说话。”

朱七七道：“为什么？”

王怜花道：“这或许也是快活王的恶计之一，他故意将她留在这里，以防万一我们能逃出去，但若带了她，我们就逃不远了。”

朱七七道：“沈浪，你，你真是这意思么？”

沈浪道：“不是。”

朱七七道：“那么你……”

沈浪叹道：“猫儿，烦你抱起她来吧。”

白飞飞颤声道：“你，你们真的要救我？”

熊猫儿没有说话，只是抱起了她。

白飞飞道：“我千方百计地要害死你们，你们却还是要救我？”

朱七七眨了眨眼睛，目中似已有泪光。

她扭转头，轻轻道：“我只记得你是以前那白飞飞，不记得你是幽灵宫主。”

沈浪温柔地抚摸着她肩头，道：“她说得不错，幽灵宫主已死了，我们都愿意白飞飞活着。”

白飞飞伏在熊猫儿肩头，痛哭了起来。

王怜花叹道：“你们唯一的缺点，就是心太软了。”

朱七七道：“我们的心不软，你还能活着么？”

王怜花的脸居然也红了红，再也不说话。

大家一起走了出去，熊猫儿道：“怎么走？”

沈浪沉声道：“王怜花开路，我与朱七七断后，自中央空旷之处冲出去。”

王怜花道：“空旷之处？为何不贴着山……”

沈浪道：“近山之处，防卫必定最严，中间空旷之处，他们反而会大意，何况此刻火起之后，他们必定难免要到山上看火。”

王怜花叹了口气，道：“这次你又对了。”

伏在熊猫儿肩上的白飞飞突然抬起头来，道：“不对。”

沈浪道：“为什么不对？”

白飞飞凄然一笑，道：“你们这样对我，我……”

王怜花目光一闪，大喜道：“对了，这山窟乃是她的老家，她必定另有秘密的道路出去。”

白飞飞道：“我受的伤虽重，但只要你们将我‘风市’‘环跳’‘阳开’三处穴道拍开，我还是可以走的，至少还能将你们带出去。”

熊猫儿道：“这条路真的……”

白飞飞凄然笑道：“我虽然败在快活王手下，但这条路，他还是不知道的，除了我之外，世上再也没有第二个人知道。”

她笑得虽凄凉，但神色间仍有傲意流露。

她原本是个值得自傲的女孩子。

王怜花喃喃道：“好心必有好报，这话倒真的有些道理。”

山洞中自然更暗。

但白飞飞却自怀中掏出了个极为精巧的火折子，火光虽不甚亮，但已足够照着前面的路了。

她一手扶着山壁，一手举着火折子，在前面带路。

熊猫儿要去扶她，却也被她推开了。

她不是那种要依靠男人的女孩子。

这一段路很长，很曲折，很崎岖——

但在朱七七等人的心目中，只觉这已是他们这两天所走过的最短，最平坦，最舒服的路了。

他们终于已脱离了危险。

朱七七忍不住笑道：“天呀！咱们总算能逃出去了。”

熊猫儿笑道：“也不知怎的，我现在想起来，竟觉得方才也并没有什么危险，我甚至连手都没有和人动过。”

朱七七笑道：“是呀，我也是这么想，但仔细再一想，咱们方才只要走错一步，就是走错半步就都完了，咱们虽然没有和人动手，但那危险，简直没有人能想得到。”

他们说着走着，脚步也像是轻了。

走了约摸半个时辰，只见前面竟已到了尽头，有块石板，挡住了去路，但石板上却有铁梯直通上去。

白飞飞这才松了口气，回头道：“上面就是出口，我先上去瞧瞧。”

朱七七赶过去拉住她的手，嫣然笑道：“我们将以前的事都忘去好么？”

白飞飞幽幽道："只要你不再恨我。"

朱七七柔声道："从今以后，你就是我的好妹妹，我怎会恨你。"她此刻心中充满了欢愉，的确已再没有位置来容纳仇恨了。

白飞飞垂下了头，道："谢谢你。"

朱七七笑道："我真该谢谢你才是。"

白飞飞黯然道："经过这次事后，我再也不会，不会……"抬起头来赧然一笑，向铁梯上爬了上去。

沈浪揽着朱七七的肩头，柔声道："经过这次事后，你也变了。"

朱七七嫣然笑道："只因我现在才知道你是真的对我好，否则我还是会吃醋的……你得小心些，你若对我不好，我还是会变坏的。"

沈浪笑道："我早就知道你是个醋坛子。"

熊猫儿抚掌笑道："酒坛子的妹妹，自然是醋坛子。"

朱七七瞧着白飞飞纤弱的身子爬上去，突然附在沈浪耳畔，悄声道："你看她和我们的酒坛子如何？"

沈浪笑道："酒坛子只怕吃不消她。"

朱七七轻笑道："我看来看去，只有她还配做我的嫂嫂，假如真的有那么一天，那我真是世上最开心的人了。"

白飞飞已掀开了上面一面石板，有光照下来。

外面天已似乎亮了。

王怜花深深吸了口气，道："好香……这外面想必是个鲜花遍地的好地方。"

白飞飞已爬了上去。

过了半晌，朱七七忍不住道："上面会不会有人？她会不会出事？"

沈浪沉吟道："快活王不知道这条路，想来不会……"

他话未说完，白飞飞已探出头来，道："快上来。"

王怜花笑道："这次只怕轮不到我探路了。"

朱七七推着沈浪道："你先上去！你为我们吃了这么多苦，第一个走出去的应该是你。"

沈浪微微一笑，轻巧地爬了上去。

那出口很小，仅容一个人的身子。

他探头出去……

他全身的血液，突然好像结了冰。

这地道外，竟赫然正是白飞飞那间到处都堆满了鲜花的屋子。

难怪王怜花闻到了花香。

难怪白飞飞可以化身为“幽灵宫主”。

难怪快活王追踪不到“幽灵宫主”的下落。

原来白飞飞住的地方，和那“幽灵鬼窟”本就有秘道相通的，她安睡时，不许别人打扰时，就正是她已化身为“幽灵宫主”的时候。

现在，沈浪终于知道了这秘密。

但现在却已太迟了。

快活王，正在那里瞧着他。

数十柄引满待发的长弓硬箭，正对准了他的头。

快活王得意地狞笑着，轻轻勾着手指，沈浪知道他只要稍有迟疑，他的头就要变成刺猬。

他只有苦笑着走了上去。

他的身子刚露出一半，腰后的“京门”“志室”两处大穴，就已被白飞飞的纤纤玉指点中了。

然后是朱七七、王怜花、熊猫儿……

现在，白飞飞斜斜倚在快活王怀里，笑得真甜。

沈浪、朱七七、王怜花、熊猫儿，四个人一排倚在墙上，连手指都动弹不得，心里更不知是什么滋味。

他们竟在最接近自由的时候，落入了别人手里。

他们竟在最接近成功的时候失败了。

朱七七想哭，但却无泪。

白飞飞瞧着他们甜笑道：“想不到吧，无所不能的沈浪，终于还是算错了一步。”

沈浪叹道：“我的确早该想到的，若非有你带路，快活王本就不会找着我们，你将我们送到快活王手上，非但可以借刀杀人，还可以此向快活王卖好。”

白飞飞银铃般笑道："你现在才想到这点，真的已经太迟了。"

快活王捋须大笑道："你们如今总已该知道，本王所说的好助手，就是她，她一个人岂非已比十个金无望加起来都要好得多。"

王怜花苦笑道："她的确是我平生所见到的最厉害的女子，这样的女子若是再多两个，天下的男人只怕都得自杀了。"

白飞飞笑道："过奖过奖。"

熊猫儿厉声道："很好，我很佩服你，但你怎会在那花神祠中，我却实在不懂。"

白飞飞笑道："别人都说沈浪被火烧死了，但我却不信，我知道沈浪不会那么容易死的，于是，我又想，我若是沈浪，我该往哪条路逃呢？……这自然只有一条路，所以，我就到了那里，果然瞧见了你们。"

王怜花叹道："沈浪瞧透了别人的心，但你却瞧透了沈浪的心，看来，沈浪还不如你。"

朱七七突然冷笑道："沈浪并不是不如她，只不过沈浪的心没有她那么黑，也没有她那样忘恩负义、卑鄙无耻。"

王怜花叹道："我早就说过，沈浪最大的缺点，就是心太软了。"

快活王抚掌笑道："此点你们与本王看法相同。"

熊猫儿大声道："你既瞧见我们，为何不令人动手？"

白飞飞柔声道："小猫儿，这点你难道还不懂么？我那时若唤人动手，非但未必能擒得住你们，说不定反而会被你们乘机冲出去……你们的脑袋虽不大十分管用，但武功却到底还是不错的呀。"

熊猫儿恨声道："所以，你就装成重伤的模样？"

白飞飞笑道："是呀，我也是吃了不少苦才能骗到你们的呀，我非但自己点了自己的穴道，而且还打了自己两拳……打得还真的很疼哩。"

熊猫儿大声道："你怎知不会被我们瞧破你并未真的身受重伤？"

白飞飞咯咯笑道："你们都是君子，自然不会来检查一个女孩子的身子，何况，那时天又黑得很，我的脸又真的很苍白……"

朱七七咬牙道："你怎知我们定会救你？"

白飞飞娇笑道："你们非但是君子，也是好人，正如这猫儿所说，他绝不会眼瞧着一个重伤垂死的女子不救的，是么？”

沈浪叹道：“那时我闭口不言，就是生怕你另有诡计，但你实在装得太像了……你若一直求我救你，我反会怀疑，但你却一见面就要我走……”

白飞飞笑道：“男人的心，我早已摸透了，你愈叫他走，他愈不肯走的……朱七七，你真该学学我才是，你若学会了我的一成，以后就不会吃亏了。”

朱七七冷笑道：“我为何要学你？你既然如此了解男人的心，为何沈浪还是不喜欢你？我看你该学学我才是。”

白飞飞面色变了变，但瞬即笑道：“你以为沈浪喜欢你么？”

朱七七昂起了头，大声道：“当然。”

白飞飞柔声道：“好姐姐，你莫要忘记，死人是再也不能喜欢别人的了。”

朱七七怔了怔，泪珠已如珍珠般流下面颊。

她本不想在白飞飞面前流泪，怎奈眼泪永远是最不听话的，你愈不想流泪时，它愈是偏偏要流下来。

快活王搂着白飞飞，捋须笑道：“沈浪既除，本王此后已可高枕无忧，今日当真是……”

熊猫儿突然大声道：“你此时便想高枕无忧，只怕还太早了些。”

快活王道：“哦？”

熊猫儿道：“你可知道你还有个最大的对头？她甚至比我们还要恨你，我们最多只不过是想取你的性命，但她却恨不得食汝之肉，寝汝之皮。”

快活王微笑道：“真有此人么？是谁？”

熊猫儿笑道：“她便是此刻坐在你怀中的人。”

快活王轻抚着白飞飞的肩头，悠然笑道：“你是说她？”

熊猫儿大声道：“你可知道她就是幽灵宫主？”

快活王大笑道：“你以为本王不知道……本王若不知道，她也不会坐在本王怀里了，普天之下，除了幽灵宫主外，还有哪个女子能配得上本王。”

沈浪身子一震，失声道：“你……你要娶她为妻？”

快活王大笑道："本王也该结束这独身汉的生活了。"

沈浪道："但……但你可知道，她本是你的……"

"女儿"两字还未说出口，面上已被白飞飞掴了一掌，白飞飞目光就像刀一般的瞪着他，冷冷道："我刚找着个如意郎君，你敢恶意中伤？"

沈浪道："但……但你……你和他……"

白飞飞厉声道："你再说一个字我立刻就宰了你。"

王怜花突然大声道："幽灵宫主与快活王本是天造地设的一对佳偶，沈兄你委实也不该从中破坏，需知坏人婚姻之事，最是伤阴德的。"

沈浪长叹一声，默然无语。

白飞飞盈盈走回快活王身旁，媚笑道："现在，这几个人已全是王爷的了，王爷你想怎样对待他们？"

快活王道："养痈遗患，愈早除去愈好。"

白飞飞道："王爷现在就想杀了他们？"

快活王道："本王唯恐迟则生变。"

白飞飞眼波一转，嫣然笑道："贱妾先讲个故事给王爷听好么？"

快活王也不问她此时此刻为何说起故事来，却笑道："你若要说的事，本王随时都愿听的。"

白飞飞柔声道："从前有个人，一心只想吃天鹅肉，真正的天鹅肉，但他费尽了所有的心血，却也找不着一块。"

这故事虽然一点也不动人，但以她那独有的温柔语声说出来，却似有了种说不出的吸引力。

快活王大笑道："这世上想吃天鹅肉的人必定不少，却又有谁能真的吃到一块？"

白飞飞道："但他却还算是个幸运的人，找了许久之后，竟终于被他找着了一块，他大喜之下，就一口吞了下去。"

快活王笑道："此人倒也性急。"

白飞飞道："此后人人都知道他吃了天鹅肉，但若有人问他天鹅肉是何滋味，他却连一个字也回答不出。"

快活王道："他一口就吞下去了，自然还未尝出滋味。"

白飞飞默然道："如此辛苦才得来的东西，一口就吞下去，岂非可惜得很？……所以，到后来人们非但不羡慕他吃了天鹅肉，反笑他是个呆子。"

快活王默然半晌，凝注着沈浪，缓缓道："不错，本王如此辛苦才捉住了你，若是一刀就将你杀死岂非也太可惜了么？岂非也要被别人笑为呆子？"

白飞飞悠悠道："何况，他们每个人此刻都还有些利用的价值……咱们还没有榨干甘蔗里的水，为什么先就吐出渣子？"

快活王抚掌笑道："得一贤内助，实乃男人之福……既是如此，这四人反正是你擒来的，本王就将他们交给你吧。"

白飞飞银铃般娇笑道："我想，他们宁可死，也不愿王爷将他们交给我的……"

现在，沈浪等人已被移入一间石室中。

石室中什么都没有，就像是个棺材似的，他们坐的是冰冷的石地，背靠着的是粗糙的石壁，全身都在发疼。

白飞飞手里拿着杯酒，倚在门口，含笑瞧着他们，道："你们就在这里委屈一夜吧，明天，快活王就要将你们带回去了，我虽然没去过那地方，但想来必定是不错的。"

王怜花道："快活王难道要回家了么？"

白飞飞道："明天清晨就动身，这快活林，委实也没有什么值得留恋之处了，是么？"

王怜花喃喃道："能瞧瞧快活王的老窝，倒不错，只是……他为什么不趁这时候进兵中原，反而退回老窝去？"

白飞飞道："你要知道，他是个很谨慎的人，没有把握的仗他是从来不打的，他在进兵中原之前，自然还要许多准备，何况……"

她嫣然一笑，接道："他此番先退回去，主要还是为了和我结婚。"

沈浪终于忍不住道："你……你难道真的要嫁给他？"

白飞飞咯咯笑道："你吃醋么？"

沈浪道："你莫忘了，他究竟是你的父亲。"

白飞飞突然敛去了她那动人的微笑，一字字道：“只因为他是我父亲，所以我才嫁给他。”

沈浪动容道：“你……你难道……”

白飞飞仙子般温柔的眼波，突然变得如同魔鬼般恶毒。

她恶毒地微笑道：“你难道还猜不透我的用意？”

王怜花突然接口道：“我却早已猜到了……当快活王发现他的‘妻子’竟是他亲生的女儿时，那只怕比杀他千百刀还要令他痛苦。”

他哈哈大笑道：“无论如何，他到底也是个人呀。”

白飞飞狞笑道：“还是你了解我……我们身子里流的究竟是同样的血……那正是恶魔的血，那血里是浸过百毒的。”

王怜花大笑道：“不错，这毒血本是他遗传下来的，不想现在却毒死了他自己。”

熊猫儿瞧着他两人，突然激灵灵打了个寒噤，喃喃道：“这样的兄妹……这样的父子……莫非他们身子里流着的当真是恶魔的血？这样的血可不能再遗传下去了。”

朱七七嘶声道：“你恨的既然只是快活王，为什么又要害我们？为什么？……我们究竟又和你有什么仇恨？……”

白飞飞道：“我为什么要杀死你们？……这理由可不止一个。”

朱七七道：“你说！你说呀！”

白飞飞道：“我若不将你们献给快活王，他又怎会如此信任我？如此看重我？……你们正是我晋身的工具，这就是我第一个理由。”

朱七七惨笑道：“你还有别的理由？”

白飞飞道：“自然还有……我是个不幸的人，我这一生的命运，已注定了只有悲惨的结果，我绝不会眼看你们活在世上享受快乐。”

她语声说来虽缓慢，但却含蕴着刀一般锐利的怨毒与仇恨！她恨每一个人，甚至连自己都恨。

她仰首狂笑道：“只恨我力量不够……我若有这力量，我恨不得将世上所有的人全都杀死，全都杀得干干净净。”

朱七七道：“那么，你自己活着又有何乐趣？”

白飞飞道：“我？……你以为我想活着？”

她咯咯笑道：“告诉你，从我懂事的那天起，我就是为了‘死’而活下去的。生命既是如此痛苦，我只有时时刻刻去幻想死的快乐。”

朱七七瞧着她，再也说不出话来。

沈浪苦笑道：“难道你心里只有仇恨？”

白飞飞转了身，将杯中的酒全都洒在地上，大笑道：“不错……死亡，仇恨，在我眼中看来，世上只有这两样事是可爱的；‘死亡’令我生，‘仇恨’令我活……”

她咯咯地笑着，退出了门，石门“砰”地关起。

但在这石室中，似乎还弥漫着她疯狂的笑声。

“死亡……仇恨……死亡……仇恨……”

快活王果然在第二日清晨离开了快活林。

这是个浩浩荡荡的行列，无数辆大车，无数匹马。

快活王属下竟有这许多人，这些人在平时竟是看不到的，由此可知快活王属下纪律之严明，实非他人可及。

快活林的主人李登龙夫妇与楚鸣琴始终没有露面，李登龙固然死了，但那廖春娇与楚鸣琴呢？

这种人自然没有人过问。

快活王所在之地，突然少去几个，甚至几十个人，都是很普通的，何况少的又是这些微不足道的人。

浩浩荡荡的行列，向西而行。

沈浪、朱七七、熊猫儿、王怜花四个人挤在一辆车里，车辕上跨着四条大汉，在监视着他们。

其实，根本无需任何监视，他们也是跑不了的，他们身上都已被点了七八处穴道，根本连动都不能动。

是晴天，道路上扬起了灰尘。

灰尘吹入车窗，吹在沈浪脸上，他的脸看来已无昔日的光彩，但他嘴角笑容，却仍然没有改变。

纵然这是一段死亡的旅途，纵然死神已来到他面前，但沈浪还是要笑的，笑着面对死亡，总比哭容易得多。

车声辚辚，马声不绝，就这样走了一个上午。

突然一匹胭脂马驰来，白飞飞的脸，出现在车窗外，她面上的笑容，又已变得那么温柔，那么可爱。

她挥了挥手，跨在车窗外的大汉立刻跳了下去。

王怜花道："你可是为咱们送吃的来了么？"

白飞飞柔声道："是呀，我怎忍心饿着你们？"

她一扬手，抛进了一个包袱。

包袱里有熏鸡、鹿肉、大肠，还有些烧饼。

王怜花等人这两天简直都可说没有吃什么，此刻一阵阵香气扑鼻而来，当真是令人馋涎欲滴。

王怜花笑道："你真是好心，但你若不解开咱们的穴道，咱们怎么吃？"

白飞飞嫣然笑道："我东西已送来，怎么吃可是你们自己的事了，你总不能要我喂你们吧，快活王会吃醋的。"

她马鞭一扬，竟娇笑着打马而去。

王怜花等人眼睁睁地瞧着这些食物，却吃不到嘴，这种滋味可真比世上任何刑罚都要难受。

熊猫儿更是气得全身都要爆炸了，但他也只有眼睁睁地瞧着，他连手指都不能动，他简直要发疯。

也不知过了多久，只听那清脆的、银铃般的笑声又在窗外响起，白飞飞又探进头来，眼波一转，笑道："哎哟，你们的食量真小，这些东西看来就像动也没有动似的，是嫌它们不好吃么？"自窗子里伸入手，提起那包袱，远远抛了出去。

一路上，沈浪他们就这样受折磨，白飞飞似乎只有瞧着别人这样受苦时，她自己才会开心。

不到两天，他们已被折磨得不成人形，朱七七显然的憔悴了，熊猫儿虽想怒骂，却连说话都已没有力气。

第二日黄昏，夕阳照着道上的黄沙，天地间仿佛已成了一片凄迷的暗黄色，也不知从哪里传来了一阵苍凉的歌声。

"一出玉门关，两眼泪不干……"

熊猫儿惨然一笑，道："我很小的时候，就听见过这两句歌，我想：苍凉的落日，照着雄伟的玉门关，一个孤独的旅人，骑着马在夕阳下踽踽西去，那必是一幅撼人心弦的图画，我总是幻想着自己有一天也能到这里……”

王怜花道：“现在，你总算到这里了。”

熊猫儿黯然道：“不错，现在我总算到这里了，但苍凉的落日在哪里？雄伟的玉门关在哪里……我什么都瞧不见，我只怕永远也瞧不见了。”

朱七七用尽力气，大声道：“猫儿，你怎地也变了，怎地变得如此颓唐？你昔日的勇气到哪里去了？”

王怜花叹道：“你难道不知道，世上只有饥饿最能消磨人们的勇气。”

朱七七默然许久，再也说不出话来。

这时马车突然停顿下来，车窗外却有驼铃声响起。

几条大汉开了车门，把沈浪他们扛了下来。

夕阳映照下，黄沙道上已排列着一行长长的骆驼行列，有的骆驼上还搭着个小小的帐篷。

极目望去，前面风沙漫天，正是出关的第一片沙漠“白龙堆”。到了这里，马车已是寸步难行。

大汉们呼哨一声，就有两匹骆驼伏下身来。

熊猫儿忍不住问道：“这是干什么？”

那大汉冷冷道：“这就叫沙漠之舟，你乖乖坐上去吧。”

说话间，熊猫儿已被塞入驼峰上那小小的帐篷里。

朱七七黯然瞧着沈浪，她想到自己还能和沈浪挤在这小小的帐篷里，度过这人生最后的一段旅途，心里也不知是甜是苦。

突然间，只见白飞飞又纵马而来，咯咯笑道：“坐在高高的骆驼上，走过夕阳下的沙漠，这是否也颇有诗意？朱七七，你想和谁坐在一起呢？”

朱七七咬着牙，不说话。

白飞飞笑道：“你不愿意睬我，是么……好。”

她脸色一沉，以鞭梢指着王怜花道：“将这位姑娘和他放在一匹骆驼上……王怜花，我总算对你不错，是么……”丝鞭一扬，放声大笑，纵马而去。

朱七七心都碎了，嘶声道：“白飞飞，求求你……求求你，这已是我们最后一段路了，你让我和沈浪在一起，我死也感激你。”

但白飞飞头也不回，却早已去远了。

王怜花悠悠道：“算了吧，你喊也没有用的……其实我和沈浪也差不了多少，你就把我当成沈浪又有什么关系。”

朱七七眼波绝望地瞧着沈浪，颤声道：“沈浪……沈浪……沈浪……”

此时此刻，她什么都已说不出来，只有不断地呼唤沈浪的名字，每一声呼叫中，都充满了令人断肠的悲伤与怨恨，就连那些大汉们都似已不忍卒听。深情的恋人临死前还要被人拆散，世上还有什么比这更悲惨的事？

朱七七又怎能不柔肠寸断，痛哭失声？

沈浪温柔地瞧着她，一字字道：“你放心，这绝不会是我们最后一段路的。”

朱七七痛哭着道：“但我现在却情愿死……我现在死了，至少还能瞧着你。”

熊猫儿瞧着他们，心里什么都已忘了，只剩下悲愤，绝没有任何言语可以形容的悲愤。

他突然嘶声大呼道：“苍天呀苍天，求求你让我活着，我绝不能就这样含恨而死。”

风沙卷起，卷没了苍穹。

他悲怆的呼声，也无助地消失在呼号着的狂风里。

一块木板巧妙地架在驼峰间，那小小的帐篷便搭在这木板上，骆驼行在风沙中，帐篷也随风摇动。

沈浪与熊猫儿就像是坐在风浪中的一叶扁舟里，一声声震耳的驼铃，在狂风里听来竟仿佛十分遥远。

而朱七七……朱七七更像是已远在天畔。

熊猫儿没有说话，他甚至连瞧都不敢去瞧沈浪，他怕一瞧见沈浪，就要忍不住流下泪来。

沈浪却在静静地瞧着他，他的脸，距离沈浪还不到一尺，搭在驼峰上的帐篷，自然小得可怜。

夜已很深了，纵然近在咫尺的脸，也渐渐瞧不清楚，快活王似乎急着要回去，竟冒着风沙连夜赶路。

也不知过了多久，熊猫儿终于抬起头来。

朦胧中，他只见沈浪的脸竟安详得很，这种不可思议的忍耐力，几乎已不是人类所具有的。

熊猫儿终于忍不住问道："你在想什么？"

沈浪道："在这种时候，最好什么也不要想。"

熊猫儿道："但……但你想咱们还有机会逃么？"

沈浪微微一笑，道："只要活着，总有机会的。"

熊猫儿嘶声道："但我们又还能活多久？"

沈浪缓缓道："看情形白飞飞并不想杀死我们，否则她就绝不会用言语拦阻了快活王。也许，她觉得还没有将我们折磨够，而我们只有活着时，她才能折磨我们，所以，她绝不会让我们死的……"

熊猫儿惨然道："这样活着，和死又有什么分别？"

沈浪道："有分别的……只要能活着，就和死不同；所以，你我绝不可自暴自弃，我们一定要白飞飞觉得有折磨的价值，我们才能活下去。"

他微微一笑，接道："还有信心，最主要的是信心，人无论在什么时候，都要有活下去的信心，只有生存，才是人类真正的价值。"

熊猫儿瞧着他，瞧着他虽然柔和，但却永不屈服的目光，瞧着他那永远不会在任何折磨下消失的微笑……

这正是值得全人类为之骄傲的典型。

熊猫儿忍不住自心底发出崇敬的一笑，叹道："你和白飞飞，又是多么不同的两种人，她的生存是为了死亡与仇恨，而你，你纵然死，却也是为了别人的生存……"

外面狂风的狂号声更凄厉了，就像是妖魔的呼号，一心要攫取人们的生命，撕裂人们的灵魂。

突然间，前面传来洪亮的呼声。

"停步……扎营……停步……扎营！"

呼声一声紧接着一声，在狂风中从前面传到后面，浩浩荡荡的骆驼队，终于完全停顿了下来。

但沈浪与熊猫儿还是被留在这小小的帐篷里，直过了有约摸顿饭工夫，才有人将他们移出去。

在这段时间里，他们没有听到任何声音，既没有嘈杂的人声，也没有搬运物件声，更没有敲打声。

但此刻，他们却瞧见快活王那豪华的帐幕已在一个避风的大沙丘后支起，还有四五个较小的帐篷分列在两旁。

两条大汉将他们送到最左边的一个帐篷里，帐篷里零乱地堆着些杂物，一人蜷曲在角落中，那正是朱七七。

朱七七早已在期待着沈浪，此刻，她瞧见了沈浪，她目光中充满了悲哀，也充满了渴望。

她渴望能投入沈浪怀中，渴望能与沈浪紧紧拥抱在一起，即使她将在这拥抱中粉身碎骨，她也在所不惜。

只是，沈浪却被放在另一个角落里，他们间相距虽不过咫尺，但在她眼中却仿佛天涯般遥远。

她纵然用尽了所有力量，也无法向沈浪那边移动一寸，她根本无法触及他那纤长的手掌，坚实的胸膛。

她唯一能触及的，只是他那温柔的目光。

她目光已和他融化在一起——那不止是目光的融化，也是生命的融化，灵魂的契合，那正是没有任何力量所能分开的。

那已不需任何言语来表示他们的心意。

王怜花长叹一声道："沈浪，你莫要怪我，那不是我的主意。"

沈浪微微一笑，道："没有人怪你。"

王怜花苦笑道："我虽然和她在一个帐篷里，但那罪却真不好受，她竟始终瞪大了眼睛，瞪着我，她好像恨不得一口咬断我脖子似的。"

他长叹接道："我现在才知道一个人的怨恨竟有这么大的力量，她虽然只不过是瞪眼瞧着我，我却已忍不住要流冷汗。"

熊猫儿忍不住道："你会怕她？"

王怜花道："我自然不是怕她，我只是怕她那目光，怕她那目光中所含蕴的怨毒之意，那种怨毒无论在任何人身上，都是可怕的。"

熊猫儿默然半晌，叹道："不错，仇恨的力量，的确可怕得很。"

王怜花道："我以前听人说过，世上唯一比'爱'更可怕的力量，就唯有'仇恨'，我现在总算已能明了这句话的意思。"

突听帐外一人大声接口道："不错，世上最伟大的力量，就是仇恨。"

语声中，白飞飞已走了进来。

她穿着件织金的厚呢长袍，用一根金带束住了她满头披散的黑发，看来就像是沙漠中最美丽的公主。

她面上的笑容仍是温柔而可爱的，但那双美丽的眼睛里，却闪动着一丝冷酷的、诡谲的光芒。

她目光扫过了每个人的脸，微笑道："现在，你们应该已体会出仇恨是何滋味了吧。"

没有人说话，朱七七已恨得说不出话来。

白飞飞悠悠道："我这样对你们，只是要你们尝一尝仇恨的滋味……在这以前，你们真的恨过什么人吗……"

她飘飘走到朱七七面前，缓缓道："但现在，你是真的恨我了，是么？"

朱七七咬着牙，瞪着她。

白飞飞缓缓笑道："我不许你和沈浪乘一匹骆驼，这在别人眼中看来，只不过是件微不足道的事，但你却已恨我入骨。"

朱七七颤声道："你……你明明知道……"

白飞飞截口笑道："我知道，我自然知道，有许多在别人眼中微不足道的事，但在情人眼中，意义就变得十分重大。"

朱七七突然嘶声大呼道："不错，我恨你，我恨你，我恨得要死。"

白飞飞道："我只不过将你和沈浪分开，你就如此恨我，那么，假如你的母亲被迫终生不能和自己相爱的人相见，只因她被人污辱已无颜再见他，到最后却又被那污辱了她的人无情地抛弃……"

她神情渐渐激动，凄厉地接着笑道："假如你就是她被人污辱时生下的孩子，她只因深恨着那使她生下这孩子的人，所以也将这怨恨移在你身上。"

她嘶声接道："所以你一生下就已被人痛恨着，你一生下来就活在只有仇恨，没有爱的世界里，就连你唯一的亲人，你的母亲都恨你，而你却完全没有任何过错。”

她一把抓住朱七七的衣襟，大叫道：“假如你就是这样长大的，你又如何？”

朱七七动容道：“我……我……”

白飞飞凄然一笑道：“像你这样娇生惯养的千金小姐，自然想象不到这种事的，你只因有人不许你和你的情人共乘一匹骆驼，就自觉已是世上最悲惨的人了，就已恨不得将那人一刀刀杀死，一寸寸割开。”

朱七七垂下了头，顿声道：“我没有这意思。”

白飞飞手指一根根松开，站直身子，长长吐出了口气，面上突又泛起了那温柔而又可爱的笑容。

她回眸向沈浪一笑，悠悠道：“她既然没有这意思，明天就还是让她和王怜花坐在一起吧。”身子一转，盈盈走了出去。

帐篷里许久没有人说话，却有人送来了食物清水，而且喂他们吃了，他们还是无话可说。

也不知过了多久，熊猫儿叹息一声，喃喃道：“这真是个不可猜测的女子，到现在为止，我真不知是应当爱她，还是应当恨她？也许……是该可怜她吧。”

这时，帐篷外，突然射出一根火箭。

火箭直射入黑暗的天空里，鲜红的火花，被狂风吹散，犹如满天流星火雨——这时第二根火箭又已升起。

帐篷里的沈浪等人，自然瞧不见这奇丽壮观的景象。

他们只听见急箭破风之声，嗤嗤不绝，还听见远处隐隐似有呼喝狂叫之声，自狂风中一阵阵飘来。

王怜花皱眉道：“这是怎么回事？”

熊猫儿道：“莫非有人来袭？”

王怜花道：“谁敢来捋快活王的虎须。”

沈浪沉吟道：“话虽如此，但关外民风强悍，多为化外之民，眼见得快活王车马侍从如此之盛，说不定也会来动一动的。”

熊猫儿笑道：“无论如何，这对咱们总是好的。”

王怜花冷笑道："这也未必见得，那些野人，什么事都做得出的，说不定……"

突然间，一人闪身而入，急服劲装，长身玉立，眸子里光芒闪动，却正是那精明剽悍的急风第一骑。

熊猫儿眼睛一瞪，道："你来干什么？"

急风第一骑微笑道："王爷有请各位出去。"

沈浪笑道："深夜之中，有何见教？"

急风第一骑道："外面只怕立刻就要有好戏登场，各位不瞧瞧，实在可惜……同时，王爷更想请沈公子瞧瞧他老人家的手段。"

帐篷之外，却是静悄悄的，大汉们一个个身上都裹着厚重的毡子，睡在沙上，像是已睡着了。

快活王那华丽的帐篷里，虽有灯光透出，但却寂无声息，沈浪他们就坐在帐篷外的阴影里。

这时那呼喝狂叫之声，已愈来愈近。

突然间，马蹄之声也响起，一群人马，手举着长刀，直冲过来，刀光霍霍，马声长嘶，声威十分惊人。

本像是已睡着了的大汉们，突然一跃而起，厚毡里竟早已藏着强弓，弓弦响处，急箭暴雨般射出。

四面的小沙丘后，也有无数条大汉闪出，那一群人马，突然之间便陷入了重围，有的狂叫着舞刀避箭，有的已惨呼着中箭落马，有的却要打马直踏敌营，但快活王阵前却已有两队人迎了上去。

这两队大汉右手拿着雪亮的鬼头刀，左手肘上，却架着藤牌，藤牌护住了身形，鬼头刀直砍马腿。

刹那间，只听健马悲嘶声，狂呼惨号声，刀剑相击声……在狂风中响彻这荒凉而辽阔的沙漠。

黄沙上，也已立刻流满了鲜血。

四周也亮起了火把，被狂风拉得长长的。

闪动的火光下，只见马上的骑士，一个个俱是长皮靴，大风氅，白巾蒙面，手里的长刀，也带着弯曲。

他们虽然在这瞬息之间，便已伤亡惨重，但剩下来的人，却绝不退缩，仍然扬刀向前直冲。

快活王门下一条大汉举着藤牌迎上去，马上的骑士突然自马鞍上拔出一根标枪，狂呼着直刺过来。

标枪竟穿透了藤牌，将那大汉直钉在地上。

马上骑士直冲向快活王的营帐。

只听“嗖”的一声，剑光闪动，急风第一骑自半空中一掠而过，马上的骑士顿时已剩下了半边脑袋。

鲜血有如旗花火箭般直飙上去，马上的骑士却仍不倒，人马继续向前冲，眼见便要冲入快活王的营帐。

只听得又是“嗖”的一声，急风第一骑马又已自那边掠回来，剑光闪处，马腿俱断，狂嘶着向外滚了出去。

熊猫儿动容道：“想来这就是西域的战士了，果然勇猛剽悍。”

王怜花叹道：“但快活王门下也的确不弱，在这种情况下，才可看出他们每一人俱都当真是久经训练的战士，谁也不可轻侮。”

沈浪沉声道：“尤其是那急风第一骑，非但武功显然高出侪辈，而且才智也很高，假以时日，此人绝非池中物。”

王怜花笑道：“此人一经沈浪品题，当真是身价十倍了。”

说话之间，那百余骑西域战士已剩下一半。

突听远处号角之声响动，响彻云霄。

西域战士呼哨一声，俱都掉转了马头。

急风第一骑振臂呼道：“让开道路，给他们回去。”

沙尘漫天，呼喝之声终于远去，染红了的黄沙上，倒满了尸身，数十柄弯刀插在沙里，刀穗犹在风中飞舞。

熊猫儿叹道：“血战！好一场血战。”

只听一人大笑道：“大漠之上，这样的战事又算得了什么。”

笑声中，快活王已大步而出，目光睥睨，捋须笑道：“大漠风光，想来必非中原可比，沈浪，你说是么？”

沈浪叹道：“鲜血染在黄沙之上，颜色也似分外不同。”

快活王高歌道：“黄沙碧血，英雄狂歌不歇，飞刀剑，且将狂奴首级作唾壶，勇士身经千百战，有人来犯，留下头颅。”

歌声歇处，狂笑道：“本王麾下哪一个不是身经百战的勇士，龙卷风呀龙卷风，只要你有胆量，就尽管来吧。”

沈浪道：“龙卷风？”

快活王道：“这一群人正是大漠之上，声势最强的一股帮匪，为首之人，便是龙卷风，也唯有他有这个胆子，来捋本王之虎须。”

熊猫儿忍不住问道：“此人是何模样？”

快活王道：“本王未曾见过。”

熊猫儿道：“难道这是他们第一次？”

快活王大笑道：“这些人认为本王霸占了他们的地盘，一年前便已不断地前来骚扰，只是，那龙卷风想必也听过本王的名声，又怎敢来与本王交手。”

其实这“龙卷风”也是大漠中一个传奇人物，据说此人来无影，去无踪，谁也没有见过他的真面目。

只听快活王沉声又道：“龙卷风虽然常来骚扰，但像今日这般大举来犯，这倒还是第一次，看来他们此刻虽然退去，但绝未死心，今夜想必还要再来的。”

沈浪道：“他们这一次来的人虽多，显然还非主力，他们的主脑人物，必定还留在后面调派人马，是以号角一响，他们立刻就退了回去。”

快活王抚掌大笑道：“沈浪究竟不愧是沈浪……不错，他们第一次进击，显然只不过是为了试探本王的实力，并未存心求胜，是以号角一响，不论胜负，都得退回。”

熊猫儿叹道：“以这么多条性命来作试探，这代价岂非太高了么？”

快活王大笑道：“战场之上，但求能胜，何择手段，这区区几十条人命，又算得了什么？”

熊猫儿长叹道：“这运筹定计之人，心肠也未免太冷酷了。”

王怜花道：“一将功成万骨枯，心肠若不冷酷，岂是大将之才；看来这龙卷风非但剽悍善战，智计也颇不弱哩。”

快活王睥睨狂笑道：“本王正是要瞧瞧他究竟有多大的手段。”

笑声顿处，突然厉声道：“检点伤员。”

急风第一骑快步奔来，躬身道：“启禀王爷，伤员已点过了。”

快活王道："情况如何？"

急风第一骑道："弟兄死了七个，伤十三个，伤亡共计二十人，但对方却共计死了一百十七个，多出我们九十七人。"

快活王沉吟半晌，忽然又道："白姑娘哪里去了？"

急风第一骑道："弟子未曾见着。"

快活王道："阵式安排好了么？"

急风第一骑道："弟子依王爷之命，分成十六队，四队弓箭手，四队刀斧手，四队藤牌手，四队长枪手，各由急风队中七人率领。"

快活王道："步哨放出去了？"

急风第一骑道："三弟率领步哨二十人，早已去了。"

快活王挥手道："很好，退下去吧。"

火光闪动，黄沙在狂风中卷舞，四面人影幢幢，刀光闪动，沙上尸身纵横，血迹才干。

天地间，正是充满了萧索肃杀之气。

快活王负手立在营帐前，喃喃道："战场……这就是战场；这就是能使自古以来的英雄俱都沉醉之地，本王……本王看来也不能例外的。"

朱七七忍不住道："这种鬼地方，有什么好沉醉的。"

快活王大笑道："战场上的刺激与乐趣，又岂是小小女子能了解……当你握重权，千百人的性命俱都决定于你一刹那之间时，你心里的感觉，再无任何言语所能形容，你所得的快乐，也再无任何事所能替代。"

话声未了，突见远处一条人影如飞掠来。

大汉们纷纷厉喝道："什么人？停步。"

又有人喝道："再不停步，就放箭了。"

那人影咯咯笑道："混蛋，连我都不认识了么？"

银铃般的笑声中，白飞飞苗条的身影已落在快活王面前，她已换上了件紧身衣衫，面上也蒙起了片轻纱。

快活王展颜笑道："你到哪里去了？本王正在为你着急哩。"

白飞飞掀起面纱，笑道："王爷猜猜看。"

快活王目光闪动，道："你莫非去刺探龙卷风的军情去了？"

白飞飞拍掌笑道："王爷真是绝世之才，什么事都瞒不过王爷的。"

快活王柔声道："龙卷风并非寻常盗匪可比，你孤身前去，若有万一，那如何得了，你……你又何苦为本王如此涉险。"

这一代枭雄，在白飞飞面前，居然也变得温柔起来——白飞飞呀白飞飞，你的确有令男子沉醉的魔力。

只听白飞飞娇笑道："我身子都已是王爷的，就算为王爷死了，又有何关系……何况，就凭那些人，能杀得死我么？"

快活王抚掌大笑道："本王竟忘了咱们的'幽灵宫主'来去无踪，神鬼难测，区区龙卷风，又怎会放在她的眼里？"

白飞飞道："可怕的本不是龙卷风。"

快活王笑道："可怕的是你，是么？"

白飞飞娇笑道："王爷怎地也开起玩笑来了。"

快活王道："血战之暇，本该轻松轻松。"

白飞飞道："但我说的是另外一个人。"

快活王微微动容道："是谁？"

白飞飞道："是他们的军师。"

快活王皱眉道："军师？……龙卷风居然还有个军师？这我怎地从未听人说起过……你却又怎会知道的？"

白飞飞道："我自然是听龙卷风属下弟兄说的。"

快活王道："他们如何说法？"

白飞飞道："我在暗中听他们的口气，固然将'龙卷风'看成个了不起的英雄，但对那军师，却更是敬如神明。"

快活王道："此人是何模样？"

白飞飞道："龙卷风与那军师所在的帐幕，外面警戒甚是严密，任何人都休想闯进去，我自然也没有见着他。"

快活王道："你可曾探出他的姓名？"

白飞飞道："我将他们的暗哨诱出来一个，那汉子倒也骨头很硬，无论我怎么威逼利诱，他都不肯开口。"

快活王笑道："你自然有令他开口的法子的。"

白飞飞嫣然一笑，道："于是我就掀起面纱，向他一笑……他就什么话都说了。"

快活王抚须大笑道："自然要说的，天下的男人，有谁能抵挡你的一笑？"

朱七七忍不住大声道："这里最少就有两三个。"

快活王却不理她，又道："他说了什么？"

白飞飞道："据他说，这位军师是个神秘人物，加入龙卷风一伙，并没有多久，不但龙卷风对他百般信任，别的人也都对他佩服得很。只是，此人终日都披着件黑披风，还用黑巾蒙着脸，谁也没有瞧过他的真面目。"

快活王道："他的名字呢？"

白飞飞一字字道："他没有名字，却自称'复仇使者'。"

快活王动容道："复仇使者？……莫非他与本王也有什么仇恨？龙卷风此番大举来攻，莫非就是被他说动的？"

白飞飞道："看来只怕是如此了。"

快活王沉声道："他自称'复仇使者'，隐藏了名姓，又不肯以真面目示人，处处故作神秘……莫非是本王认得的人？"

白飞飞道："王爷想不出他是谁么？"

快活王道："他能在短时期中，便令龙卷风那般悍匪如此信任，而且瞧他的行事，也的确是又稳又狠，本王委实想不出他是谁来。"

朱七七忍不住又冷笑道："你的仇人太多了，自然想不出他是谁。"

快活王心事重重，他根本没有听见她的话，又问道："除此之外，你还探出了什么？"

白飞飞道："我瞧他们的人马，除了从这边惨败退回的之外，已不到两百个，看来实力也不算如何强大。"

快活王道："哦，剩下的已不到两百个，本王倒是太高估他了。"

白飞飞道："所以，他们此刻也不敢轻举妄动，像是正在那里等着机会，但一个个都是战志高昂，似乎还要再做第二次进攻。"

快活王目光一闪，厉声笑道："等着机会……哼哼，本王焉有机会给他。"

白飞飞道："王爷想怎样？"

快活王沉声道："先发制人，以攻为守，攻其无备。"

白飞飞拍掌娇笑道："攻其无备，取其必胜，王爷之才，人所难及。"

快活王回头笑道："沈浪呀沈浪，你看本王之计如何？"

沈浪叹道："果然不愧有大将之才。"

快活王大笑道："大将之才……岂止大将之才而已，古来之大将，又有谁比得上本王？想那韩信如有本王之狠，便不致死在妇人手中，那项羽若有本王之忍，也不致自刎于垓下，其余诸子更何足道哉。"

沈浪长叹道："狠、忍两字，的确无人比得上你。"

快活王仰天长笑不绝，道："能得沈浪一言，当真胜过别人恭维万句。"

挥手大喝道："置酒来。"

白飞飞笑道："待贱妾亲为王爷倒酒。"

快活王睥睨狂笑道："待本王饮过这杯酒，便要杀他个落花流水，措手不及。"

金杯满盛美酒，纤手亲自奉上。

快活王一饮而尽，厉喝道："急风第一骑何在？"

急风第一骑应声而来，躬身道："弟子听命。"

快活王道："调度人马，准备攻击。"

急风第一骑道："是。"

他还未退下，突听马蹄之声响动，一骑飞驰而来。

大汉们又自厉喝道："什么人？下马。"

马上那人手舞一面白旗，大呼道："在下奉帮主之令，请降而来。"

急风第一骑笑道："咱们还未打，他们已投降了。"

快活王长眉轩动，喝道："让他进来。"

健马急驰而至，马上人翻身下马，伏地而拜，顿首道："王爷慈悲……王爷慈悲……"

快活王捋须道："你们要降了么？"

那人顿首不已，道："王爷之才，皎如日月，我家帮主，自知萤火之光，难与日月争明，是以命小人前来请降，从此归顺王爷麾下。"

快活王大笑道："龙卷风倒当真不愧是个聪明人，他此刻若是不降，只怕你家弟兄们便无类了。"

那人伏地道："但求王爷开恩。"

快活王大声道："好，你且回去令他列队而拜，本王立即便来受降。"

那人顿首道："多谢王爷天高地厚之恩，小人们永生不忘。"

伏地而退，退后十余步，一跃上马，打马而去。

快活王目送人马远去，微微笑道："龙卷风呀龙卷风，你真是个聪明人么？"

白飞飞含笑瞧着他，悠悠道："王爷是不是……"

快活王大笑道："自然是的。"

笑声突顿，厉声道："准备进攻。"

急风第一骑怔了怔，道："他们既已降了，为何还要进攻？"

快活王厉声道："他们既已准备本王前去受降，必定更无准备，本王正可趁此良机进击，正好杀得他们片甲不留。"

急风第一骑惊喜道："王爷果然高见。"

快活王大笑道："兵不厌诈，除敌务尽，这正是本王素来作风。"

急风第一骑道："对，这种人自然不能再让他活着，自然要斩草除根。"

快活王大步行出，厉声道："十六队留下两队防守，其余都随本王前去，待本王杀光了他们，且让天下人瞧瞧与本王作对的人是何下场。"

快活王、白飞飞统率人马而去，风声更凄厉了。

熊猫儿叹道："好一个快活王，好狠的心肠，好毒的手段。"

沈浪微微一笑，道："但这次他却只怕要上当了。"

熊猫儿奇道："上当？"

沈浪道："他此番前去，必定会扑个空。"

熊猫儿更奇怪问道："为什么？"

沈浪微笑道："龙卷风此番投降，其实乃是假的，你瞧那前来请降之人，虽然装作害怕的模样，但言语便捷，行动间也无惊慌之态，哪里像是真要投降的样子。”

熊猫儿道：“但……但他们……”

沈浪道：“他们一面假作投降，一方面便已在调度人马，只等快活王这边一过去，他们便必定要前来进攻。”

他一笑接道：“这正也是兵不厌诈，以牙还牙。”

熊猫儿笑道：“原来他们使的竟是调虎离山，声东击西之计。”

沈浪道：“不错。”

熊猫儿道：“但他们又怎知快活王……”

沈浪截口道：“看来他们那军师，非但智谋不在快活王之下，而且对快活王的性格，也了如指掌，早已算定快活王必有这一招，是以才布下此计。”

朱七七笑道：“这两人倒是针锋相对，旗鼓相当。”

沈浪道：“只是快活王却不能知己知彼，是以这一仗是输定了的。”

熊猫儿笑道：“不错，他对快活王的事了如指掌，但快活王却连他是谁都不知道，这一仗不必打就已输定了。”

朱七七嫣然道：“快活王若有沈浪这样的军师，就不会输了，你听他自吹自擂，其实他又怎能比得上沈浪的一根手指。”

王怜花忽然冷冷道：“但愿那军师没有沈浪这般聪明，但愿沈浪没有说中。”

沈浪微笑道：“那军师既然自称‘复仇使者’，与快活王交锋，想来定有必胜的把握，否则岂非变成‘送死使者’了么？”

王怜花长长叹了口气，道：“他若真有你所想的这般聪明，咱们就惨了。”

朱七七怔了怔，皱眉道：“咱们怎会惨了？”

王怜花也不说话，只是瞧着前面。

前面不远，正有几个佩刀大汉在往复巡逻，监视着他们的动静，只是却听不见他们在说的什么。

朱七七想了想，面色突然大变，道：“不错，咱们是要惨了。”

沈浪道：“哦，是么？”

朱七七颤声道：“龙卷风的铁骑若攻来，此间守军必定不能抵挡，那‘复仇使者’为复仇而来，杀戮必重，必定要将这里杀得鸡犬不留。”

熊猫儿失声道：“不错，那时咱们也必定会被他一齐宰了的，咱们纵然辩白，他们也必定不会相信咱们的话。”

王怜花一字字笑道：“正是如此，只要龙卷风铁骑一到，快活王营中必定玉石尽焚。”

朱七七惶然道：“沈浪，咱们该怎么办呢？”

沈浪微微一笑，道：“你莫要着急，咱们或许还有生机亦未可知。”说到这里，突然大声道：“那边的朋友，请过来一趟好么？”

巡逻的大汉对望了一眼，嘀嘀咕咕，像是又商量了一阵，终于有两人走了过来，一人高大魁伟，一人瘦削苍白。

那高大的一人吆喝着：“过来干什么？”

沈浪含笑道：“这里风大得紧，不知可否请大哥将咱们移到后面避风处去，再拿几张毡子给咱们盖着。”

那大汉“嗤”的一笑，道：“人家都说你是条铁汉，不想你身子竟如此娇嫩。”嘴里虽这么说，但神情看来却已答应了。

那瘦削的一人冷冷道：“王爷再三嘱咐，说这几人贼得像狐狸，叫咱们千万莫要大意，我看，咱们还是多一事不如少一事的好。”

那大汉笑道：“我瞧他们倒怪可怜的，何况，他们此刻连手指都动不了，还能拿咱们怎么，咱们就行个好吧。”

那瘦子冷冷道：“你要做主？”

沈浪微笑道：“大哥若做不得主，那么也……”

他话未说完，那大汉已大声道：“自然是我做主，出了错也是我的。”

他怒冲冲地走过去，又唤了三条大汉，立刻就将沈浪他们移到帐篷后的避风处，前面的灯光，也照不到这里。

等到大汉们走远了，朱七七忍不住又道：“这里只怕还是不安全吧。”

沈浪叹道：“自然还不十分安全，但总比前面好得多了。”

朱七七道：“咱们还不是在这营区里，前面和后面又能差得了多少？”

沈浪道："这里灯火难以照及，龙卷风铁骑冲来时，必定不会先留意到这里，最重要的是，这帐幕前边扯得很紧，顶在后方，是以后面较重，龙卷风铁骑纵横杀戮时，少不得要将这帐篷砍倒，那么，这帐篷前面绳索一断，必定就要往后倒，就可以将咱们盖住了。"

朱七七嫣然一笑，还未说话。

王怜花已叹道："沈浪之长，便在于心细如发，对每件事都观察得绝无遗漏，除了他之外，我还未见过任何人有他这般细心的。"

朱七七笑道："是呀，谁也不会去留意的事，他却偏偏留意到了，这些事看来似乎一点用都没有，但到了重要关头，却又偏偏是有用的，譬如说这帐篷前轻后重，咱们谁会去注意，但他却偏偏……"

说到这里，突听一片急骤的蹄声响起——马群想必本来走得很慢，快到近前时，才加鞭急驰。

熊猫儿动容道："果然来了。"

朱七七笑道："沈浪果然没有猜错。"

她虽然在笑，笑容中却有惊恐之色，也不知是惊是喜。

留守营地的大汉们，立刻惊慌大乱。

第四十二章

地下古楼兰

这些人只道快活王已必胜，此刻只怕已将龙卷风手下杀光，正是做梦也想不到会有此变。

他们的防守早已松懈，有的甚至已在打瞌睡，此刻纷纷跃起，有的拔刀，有的寻箭，还有的竟惊呼道："这是怎么回事？"

这时杀声已响彻天地，正是对他最好的答复。

只见战马欢腾，刀光如雪，宛如大海中的浪潮涌了过来，快活王门下有的人刀还未及出鞘，头颅已被对方砍断，有的人箭还未上弦，胸膛已被对方穿过，有的人惊慌失足，竟被铁骑踏成了肉泥。

一时间只见刀光与血光混杂，马蹄声、惨呼声、呼救声、喊杀声交织成一阕惊心动魄的死亡之乐曲。

站得最远的本在放哨的三条大汉，只骇得心胆皆丧，哪里还敢过来与这剽悍的铁骑一拼，转身便要落荒而逃。

他们未逃出数丈，突听前面一人冷冷叱道："战阵之前，岂容逃卒，站住。"

叱声虽不甚响，却有一种令人悚栗的冷酷之意。

这三人魂都骇飞了，"噗"地跌在地上，抬眼一瞧，这才瞧见前面一处沙丘上，并肩立着两骑。

这两骑一黑一白，白马上人白披风、白头巾、白布蒙面，人马皆白得全无一丝杂色，宛如白色的幽灵。

黑马上的黑披风、黑头巾、黑布蒙面，除了一双魔鬼般的目光里有些白色，全身都被蒙在神秘的黑色里。

白衣骑士若似幽灵，这黑骑士便是地狱中的鬼魂。

这两人两骑全身都似乎笼罩着一种无法形容的妖异之气，两双亮得发光的眼睛，更充满杀机。

那三条大汉竟连爬都爬不起来了，颤声道："你……你们是什么人？"

白衣骑士咯咯一笑，道："你连我都猜不出？"

一条大汉失声道："你……你莫非是龙卷风？"

白衣骑士大笑道："不错！"

那大汉目光转到黑骑士身上，突然忍不住激灵灵打了个寒战，道："你……你……你……你……"

他一连说了七八个"你"字，竟还是说不出下面的话来，这黑衣骑士的目光，似能令人们连灵魂都冷透。

复仇使者。

这人无疑就是那神秘可怖的"复仇使者"。

大汉们心里虽然知道，但嘴里偏偏说不出来。他们心里虽想逃，逃得愈远愈好，两条腿却偏偏无法移动。

龙卷风笑道："你们已知道他是谁了么？"

大汉们拼命点头，嘴里还是连一个字也说不出。

龙卷风道："你们既然知道，还想活么？"

大汉们突然也不知从哪里来的力气，一齐翻身跪倒，颤声道："饶命……饶小人们一条命吧。"

那黑衣骑士一字字道："你们想我饶你？"

语声冷漠而残酷，也像是自地狱中发出来的。

大汉们顿道："求求你……求求你……"

黑衣骑士突然冷冷一笑，笑声的冷酷，更令人骨髓都结了冻，笑声中他蒙面的黑巾突然飘起了一角。

黑衣骑士一字字道："你且瞧瞧我是谁？"

大汉们目光转处，竟像是真的见了鬼似的，面上立刻再无一丝血色，全身也俱都不停地抖了起来。

三个人一齐惊呼道："是你……你……"

呼声方起，突然有三点寒光，自那黑的披风里射出，"噗！噗！噗！"三响，射入了他们三人的胸膛。

三个人惨呼一声，仰面倒下。

黑衣骑士甚至连眼睛都没有眨动一下，冷酷的目光中，却似乎泛起一丝快意，那神色就像是别人踩死一只蟑螂似的。

龙卷风却大笑道："好快的暗器！好快的手法！"

黑衣骑士瞧也没有瞧他一眼，冷冷道："嗯。"

龙卷风笑道："你虽然从不肯显露武功，但我瞧你这暗器手法，已猜出你必定是个大有来历的人，你为什么偏要隐藏身世？"

黑衣骑士道："嗯。"

三条大汉胸膛本还在微微起伏，此刻却动也不再动了。

龙卷风瞧着他们，又道："看这三人临死前的模样，像是认得你，是么？"

黑衣骑士道："嗯。"

龙卷风道："快活王的属下，又怎会认得你？"

黑衣骑士道："嗯。"

龙卷风忍不住转过头，望着他那冷酷的目光，突然长叹了一声道："这一个多月来，你总该已瞧出我是诚心将你当作朋友的，你为什么事事还都要隐瞒着我？"

黑衣骑士道："嗯。"

龙卷风叹道："到现在为止，我甚至连你的姓名都不知道。"

黑衣骑士冷冷道："你只需知道我可助你击败快活王便已足够了。"

他目光动也不动，笔直地凝注着前方——前面的战场上，正在屠杀，冷血的屠杀，不留情的屠杀。

复仇的火焰，正在他目中燃烧。

龙卷风喃喃笑道："不错，我只知道这一点便已足够了，现在你的确已扼住了快活王的脖子，给了他致命的一击。"

黑衣骑士冷冷道："我还未扼住他脖子，只不过踩住了他的尾巴，这也算不得致命的一击，致命的一击，总要留在最后。"

龙卷风大笑道："无论如何，这下子总够让他疼一阵子的了，快活王出道以来，只怕还从未吃过这么大的亏哩。"

黑衣骑士冷冷道："他运气一直不错。"

龙卷风笑道："但现在，他运气却要转坏了。"

黑衣骑士道：“不错，他运气的确要转坏了，但还不算太坏。”

龙卷风笑道：“为什么？”

黑衣骑士缓缓道：“只因我还未找到一个人。”

龙卷风愕然道：“找一个人？”

黑衣骑士道：“我若能找到他，快活王的运气就真要坏了。”

龙卷风的眼睛发了光，急急问道：“这人是谁？”

黑衣骑士道：“你不会认识他的。”

龙卷风道：“但……但咱们在哪里可以找到他？”

黑衣骑士悠然道：“此人自己若不愿现身，天下谁也找不到他。”

龙卷风叹了口气，但仍不死心，又问道：“他会在这里现身么？”

黑衣骑士道：“也许。”

龙卷风道：“你若见着他，千万求他也来助我一臂之力。”

黑衣骑士冷笑道：“此人如神龙夭矫，不可捉摸，就凭你，也想将他收归门下？”

龙卷风呆了呆，强笑道：“但是你……”

黑衣骑士道：“比起他来，我又算得什么。”

龙卷风道：“但愿他莫要被快活王收买才好。”

黑衣骑士冷冷道：“他若在快活王门下，你我此刻早已死无葬身之地了。”

龙卷风悚然道：“此人真有这么厉害？”

黑衣骑士道：“只恨我不能形容他的智计武功于万一。”

龙卷风急急问道：“他和快活王有无交情？”

黑衣骑士道：“他唯一想杀的人，就是快活王。”

龙卷风又惊又喜，喃喃道：“我真愿意砍下自己一只手，只要能知道他此刻在哪里……”

黑衣骑士缓缓道：“我想，他绝不会在很远的……”

呼啸、惨叫都已渐渐平息。

快活王留守在这里的人，都已变作了尸体。

一骑纵马而过，砍倒了那象征着权威与华贵的营帐，灯笼落下，燃烧！狂风立刻将火焰蔓延。

营地已变成一片火海，一片血海。

胜利的狂呼中，偶尔还可听到几声痛苦呻吟，铁蹄践踏着人们的尸身，踢起了染血的黄沙。

黑衣骑士目中狂热的火焰却渐渐平息，冷冷道：“快活王该已回来了。”

龙卷风道：“收兵？”

黑骑士道：“嗯！”

龙卷风自腰带上拿起个号角。

号角声响，四周的铁骑渐渐拢过来。

这一役他们折损并不多，数百骑齐地扬刀欢呼道：“龙卷风万岁……军师爷万岁。”

龙卷风仰天狂笑，连声道：“好……好。”

黑衣骑士冷冷道：“现在就笑，只怕还嫌太早了些。”

龙卷风立刻顿住笑声道：“此刻该如何行止，但请军师发令。”

黑衣骑士道：“退！”

龙卷风道：“此刻我等士气正盛，怎可退？”

黑衣骑士一字字道：“我说退。”

龙卷风叹了口气，道：“退就退吧，只是……一退之后，军心难免涣散，快活王若是追来……”

黑衣骑士道：“快活王门下用的是骆驼。”

龙卷风道：“骆驼又如何？”

黑衣骑士道：“快活王绝未想到有人会来攻击于他，否则绝不会用骆驼的，只因骆驼虽长于跋涉，但攻击追逐，却绝不如马。”

龙卷风道：“但……咱们此刻为何不与他一拼？”

黑衣骑士冷笑道：“你当快活王是什么人？”

龙卷风道：“无论他是什么人，此番前去扑了个空，必定在羞恼之下，必定军心不振，散漫归来，咱们岂非正好迎头予以痛击。”

黑衣骑士冷冷道：“你若以常理来忖度于他，只怕便死无其所了。”

龙卷风道：“为什么？”

黑衣骑士厉声道：“快活王又岂是常人？”

龙卷风道："但他总是……"

黑衣骑士断然道："他此去扑空，非但不会因羞恼而散漫，反而必将更为小心整顿军威，而你属下经过这一仗后，体力难免有损，也难免有骄敌之心，以劳待逸，已是兵家之大忌，以骄兵对哀兵，更是必败无疑。"

龙卷风失声道："呀……不错。"

黑衣骑士冷冷道："何况，你又是否能对付得了快活王？"

龙卷风惨笑道："若非军师指点，在下当真要死无葬身之地了。"

黑衣骑士道："哼！"

龙卷风默然半晌，又道："咱们此刻又退向何处呢？"

黑衣骑士道："我等明虽是退，其实却还要进击。"

龙卷风大喜道："攻向何处？"

黑衣骑士道："快活王的老窝。"

龙卷风又惊又喜，道："但快活王行迹诡异，他的老窝有谁知道？"

黑衣骑士一字字道："我知道。"

龙卷风忍不住大笑道："妙极妙极，此刻他人在外，老窝必定空虚，咱们攻将前去，正可又杀他个落花流水，鸡犬不留。"

黑衣骑士勒转马头，道："走。"

龙卷风挥手大呼道："走！快走！落后者斩！"

人声呼啸，健马狂嘶又如同浪潮般退了下去。

帐篷果然落下，果然落在沈浪等人的身上。巨大的帐篷，虽然是那么沉重，但他们却松了口气。

然后，蹄声也终于渐渐远去。

又过了半晌，朱七七才长长吐出口气来，轻唤道："沈浪……沈浪……"

她眼前一片漆黑，什么也瞧不见。

幸好这时沈浪的回应已响起，柔声道："我在这里。"

朱七七又松了口气，笑道："你果然什么也没有算错。"

熊猫儿笑道："他怎会算错，他若算错一次，我们岂能活到现在？”

王怜花叹道：“想不到那军师果然是个绝顶厉害的人物，竟能令快活王也上个大当，沈浪，你可猜得他是谁么？”

沈浪道：“此刻还难以确定。”

朱七七忽然又道：“奇怪，他们怎会退了？”

沈浪笑道：“人已杀光，为何不退？”

朱七七道：“他们为何不乘此一股锐气，与快活王决一死战？”

沈浪笑道：“你若是龙卷风的军师，他就惨了。”

朱七七道：“为什么？”

沈浪叹道：“快活王岂是常人可比，此番受挫之后必将更整军容，激励士气，而龙卷风一战得利，其兵必骄，若是真个交手，骄兵必败无疑。”

朱七七失声道：“呀！不错，那位‘复仇使者’居然也能想到这点，当真可算是厉害得很，只是他此番一退，快活王若是追上前去……”

沈浪道：“快活王不会追的。”

朱七七道：“为什么？”

沈浪道：“世上哪有能追上马的骆驼？”

朱七七道：“但马在沙漠中岂非跑不远么？”

沈浪笑道：“他们难道不会换马？”

朱七七也不禁失笑道：“不错，龙卷风久已啸聚大漠，要换马自然容易得很。”

王怜花忽然道：“我想，那‘复仇使者’既然对快活王如此了解，想必也知道他老窝所在，此刻正好乘虚而攻。”

朱七七笑道：“王怜花果然也可算个聪明人。”

熊猫儿也笑道：“若真是如此，快活王当真也惨了。”

沈浪微微笑道：“他们不会惨的。”

朱七七笑道：“他明明很得意时，你说他要惨，此刻他真的要惨了，你却又说他不会……这又是为了什么？”

沈浪道：“那里乃是他的根本，岂容别人动摇，他纵然人在外面，那里他必定留有足以御敌之设施，否则快活王又怎会是快活王？”

王怜花道："但那'复仇使者'说不定也对他的御敌之策了如指掌……"

沈浪道："此等关系重大之事，除了他自己外，快活王绝不会容别人知道的，那'复仇使者'复仇之心太切，操之过急，此去只怕难免要铩羽而归了。"

王怜花冷笑道："只怕未见得。"

熊猫儿笑道："沈浪不言则已，言必有中，你还是听他的话好。"

夜深风急，黄沙狂舞。

快活王一行人，静悄悄地往前走，骆驼的蹄子踏在沙上，也没有多大声音——驼铃自然早已拆下了。

只见一座帐篷孤零零地矗立在一座沙丘前，四面围着幢幢人影，似乎都在席地而坐，但也没有任何声音。

白飞飞悄声道："就是那里。"

快活王振臂厉叱道："下马！杀！"

急风第一骑首先率领着数人急冲而去。

长剑挥处，人头落地。

急风第一骑失声道："不好！咱们中计了。"

那些人竟都是草扎的。

大汉们一个个都怔住了，急风骑士们面面相觑，惶然失色。

白飞飞变色道："调虎离山之计。"

快活王木然而立，面沉如水，就像是个石像似的，既不动也不说话，风吹起他的头发，他神色看来煞是可怕。

别的人也没有一个人敢说话的。

到后来还是白飞飞道："咱们还是快回去吧。"

急风第一骑也终于忍不住道："这必然是他们声东击西之计，此刻营地必已被袭，咱们此刻再不回去，只怕就已来不及了。"

快活王阴森森一笑道："就算此刻回去，也已来不及了。"

急风第一骑道："但此刻立即赶回去，说不定……"

快活王厉喝一声，道："住口！"

急风第一骑身子一震，垂下头去，再也不敢开口。

快活王凝目瞧着远方狂卷的风沙，冷笑道："好一个'复仇使者'……本王倒小瞧了你。"

白飞飞柔声道："胜负乃兵家常事，些许小挫折，王爷又何必放在心上。"

快活王忽然纵声长笑道："本王自幼至今，出生入死，何止千百次，此身早已千锤百挫，这小小的挫折，本王怎会放在心上。"

白飞飞道："那么，咱们就赶紧回去吧。"

快活王笑声戛然顿住，沉声道："此刻咱们若是匆匆赶回去，便真的中了他的计了。"

白飞飞道："为什么？"

快活王声音压得更低，道："你难道未瞧见他们此刻人人垂头丧气的模样，这只因他们跟从本王以来，从未经过此等挫败，是以此刻难免人心惶惶，此刻咱们匆匆赶回去，他们若是迎头痛击过来，我才必然溃不成军。"

白飞飞叹道："王爷所虑，的确不错，只是……"

快活王突又纵声大笑道："你们难道以为本王真的上了他的当么？"

白飞飞心念一转，已知他用意何在，当下也咯咯娇笑道："我自然知道王爷不会上他的当的。"

快活王大声笑道："本王这只不过是故意给他点甜头尝尝而已，好叫他属下生出骄敌之心，那时本王再给他个厉害。"

他笑声更大，接道："他此番纵然偷袭了咱们的营地，又算得什么？本王在营中留下的，只不过都是些老弱之人，精锐都已随本王来到这里了。"

四面大汉听见这话，精神果然一震。

白飞飞娇笑道："王爷自然是永远不会败的。"

大汉们轰然笑道："王爷永远不败的……龙卷风自己以为得计，却不知已经惨了。"

快活王厉声道："他正是已要惨了……兄弟们，随本王杀回去，看他们敢不敢和咱们交锋。"

白飞飞笑道："他们自然不敢的。"

大汉们轰然笑道："他们想必早已夹着尾巴逃了。"

快活王轻描淡写几句话，居然将自己的挫败说成别人的，居然将颓唐涣散的军心说得战志高昂。

古来的大将，只怕也没有几人能如此。

白飞飞面上虽带着笑容，心里却不禁暗暗叹息。

"要除此人，实在不易。"

只见快活王神采奕奕，大汉们更是一个个摩拳擦掌，骆驼队浩浩荡荡转回，军容竟比来时更盛了。

这简直是奇迹。

这奇迹正是快活王造成的。

现在，快活王已瞧见了自己营区的火势。

白飞飞叹道："我别的都不可惜，只可惜一件事。"

快活王微微一笑，道："沈浪？"

白飞飞道："让沈浪这样死了，实在可惜，本来我还想好好利用他，然后再让他受尽痛苦折磨再死的。"

快活王笑道："你放心，他绝不会死。"

白飞飞道："他动也不能动，龙卷风铁蹄过处，想必玉石尽焚，他哪里还能活命……他实在连一丝机会都没有。"

快活王道："别人没有，他却有的。"

白飞飞道："但这实在……"

快活王纵声笑道："沈浪若没有使自己活下去的本事，还能算是沈浪么？"

风沙、烟火迷漫中，满地俱是鲜血淋漓的死尸，闪动的火焰，照着一张张狰狞的面目，凄惨的景象，叫人瞧了一眼便永生也难以忘记。

大汉们面色又变了，有的手足已在发抖。

快活王却大笑道："你看，他们果然已夹着尾巴逃了吧……凭他们这些人，又怎能与本王正式交手？"

大汉们轰然道："咱们追。"

快活王笑道："急什么？他们难道想逃得了么？"

他目光四下转动，突然又道："快掀起那帐篷，沈浪必定在下头。”

白飞飞一笑，道：“但愿他还未被烧死。”

快活王悠悠笑道：“沈浪绝不会这样容易就被烧死的……”

火，慢慢地就被扑灭了，自然是以沙扑灭的。

在沙漠中，水绝不会用来救火，就算火烧着了胡子，也不会用水去救的。

急风第一骑率领着大汉们，正在清点着劫后所剩的食物与水，在沙漠中，水正是人们的命脉。

现在，沈浪正在喝着水。

快活王捋须瞧他，忽然道：“龙卷风还没有来之前，你已设法叫人将你们挪到帐后了是么？”

沈浪微微一笑，道：“不错。”

他此刻模样虽已被折磨得十分狼狈，但笑容却仍是洒脱的，若非亲眼瞧见，谁也不会想象到这种情况下的人，居然还能发出这样的笑。

快活王目光一瞬，缓缓道：“如此说来，你早已算出龙卷风会来的，是么？”

沈浪含笑道：“不错。”

快活王厉声道：“但是你没有说。”

沈浪笑道：“只因你并没有问我。”

快活王盯着他，目光就像是刀，良久良久，突然大声道：“好，我现在问你，你想龙卷风他们此刻逃到哪里去了？”

沈浪微笑道：“他们并不是‘逃’，打胜仗的人，用不着逃的。”

快活王长眉轩起，却又纵声大笑道：“不错，他们不是逃，但他们到哪里去了？”

沈浪道：“你还用得着问我么？”

快活王道：“我现在正在问你。”

沈浪缓缓道：“一个人要打蛇时，打在什么地方？”

快活王道：“七寸。”

沈浪道：“你的七寸在哪里？”

快活王目光闪动，突然大笑道：“好！沈浪果然不愧为沈浪……好一个沈浪！好一个沈浪……本王若非已擒住了你，当真要寝难安枕，食不知味了。”

他狂笑不绝，又道：“但沈浪呀沈浪，你说本王的七寸可是好打的么？”

沈浪微微笑道：“他这一打，只怕要震伤了手。”

快活王抚掌大笑道：“他的手岂止震伤而已……”

突然顿住笑声，厉喝道：“急风第一骑何在？”

急风第一骑飞奔而来，躬身道：“弟子方才已清点出干粮虽无虑匮乏，食水却仅能勉强维持一日，是以必须先绕道洛瓦子……”

快活王沉声道：“这些且莫去管它，我且问你，本王令你设下的七处养马驿，距离此地最近的一处在哪里？”

急风第一骑道：“就在白龙堆中。”

快活王道：“有无可能被龙卷风发现？”

急风第一骑道：“那绿洲乃是新近才出现的，龙卷风纵然对沙漠中每一个绿洲都了如指掌，但这地方他绝不会知道。”

快活王厉声道：“你能保证？”

急风第一骑道：“弟子已将那绿洲用伪装掩护，绝不会被人发现。”

快活王道：“已养马多少？”

急风第一骑道：“只因那绿洲水草并不丰富，是以到目前为止，只不过养了十二匹，但却都是百中选一的千里驹。”

快活王道：“以骆驼的脚力，此去需时多少？”

急风第一骑道：“两个时辰之内，便可到达。”

快活王道：“除你之外，还有谁熟悉路程？”

急风第一骑道：“还有三弟。”

快活王终于展颜一笑，道：“很好……以你之才，的确已可独当一面，本王已可放心，这队伍就交给你带吧，沈浪等人也交给你了。”

急风第一骑道：“那么，王爷你……”

快活王道：“你且令老三选派九人随行，本王立即动身，先赴养马站。”

急风第一骑不敢再问，躬身道：“弟子遵命！”倒退三步，轻身而去。

快活王拉起白飞飞道："你也随本王去吧。"

白飞飞媚笑道："王爷要去哪里？"

快活王纵声长笑道："咱们先赶回去，打断那只讨厌的手。"

盏茶工夫之内，快活王便已上道，行动之迅速确实，当真绝未浪费片刻时间，朱七七轻叹道："看来那'复仇使者'此番非但要铩羽而归，只怕连归都归不得了。"

沈浪微笑道："这一仗他虽然操之过急，而有失策，但快活王若想将他除去，只怕还未必有如此容易。"

朱七七笑道："我也愿他能和快活王……"

语声戛然而顿，急风第一骑已大步而来，瞧着沈浪微笑道："王爷已将这副千斤担移在弟子肩上，弟子虽然力有未逮，也只有勉力挑起，这一路上公子若能不吝指教，弟子感激不尽。"

沈浪笑道："你说得太客气了。"

急风第一骑正容道："弟子说的无一不是肺腑之言，对公子之一切，弟子都早已佩服得很，一路上只要公子惠予合作，若有所需，弟子必当从命。"

沈浪叹道："快活王能有你这弟子，实乃他之大幸，一个能对自己阶下之囚也如此谦恭的人，将来何患不成大事。"

急风第一骑微笑抱拳道："能得公子一字之赞，实乃弟子此生最大欣慰之事。"

沈浪道："你贵姓大名？"

急风第一骑道："一入王爷门下，我辈早已全都将姓名忘却，只是，公子既然垂询……弟子方心骑，不是奇怪之奇，而是骑射之骑。"

沈浪含笑道："以心为骑，何愁不能驰骋万里。"

急风第一骑躬身道："多谢公子美喻。"

沈浪道："不知可否请教，我等要往何方行走？"

方心骑道："先赴洛瓦子补充食水，再转西北。"

王怜花忽然接口道："西北？那要走到什么地方？"

方心骑微微笑道："罗布淖尔一带。"

王怜花动容道："罗布淖尔？……是否就是江湖传言中那鸟兽绝迹的沼泽地带，还有一部分人称之为'罗布泊'？"

方心骑笑道："不错，正是那里。"

朱七七忍不住插口道："那里既然连鸟兽都不能生存，人又怎能住下去？"

方心骑道："有人能的。"

朱七七道："别的人也许能，但快活王一向最注重享受，就算在行旅中使用的帐篷，都那么豪华，那里又怎会有他住的地方？"

沈浪微笑道："快活王乃非常之人，非常人自然有非常之居处。"

方心骑抚掌道："难怪王爷常说沈公子乃是他平生第一知己，如今看来，果然不错。"

洛瓦子乃是白龙堆外最大的一处绿洲，许多年来，渐渐已成市集，关外的牧民、关内的商旅，在这里进行着各种交易，出关入关的骆驼队，也都在这里驻扎打尖，只因附近百里，这里是唯一有水的地方。

方心骑率领的骆驼队，在这里以高价补充了食水。

于是，他们便进入飞鸟不渡的"罗布淖尔"沼泽地区。

这一段路途，自然是十分艰苦，若非方心骑对沼泽里的一石一木都了如指掌，简直令人无法想象这许多人畜怎能通过去。

纵然在如此艰苦的环境中，他们的队伍仍保持着整肃的军容，蜿蜒走向"库鲁克河"的干河床。

现在，朱七七终于能和沈浪共乘一匹骆驼，行程虽然艰苦，但她的心里却始终是甜甜的。

她从未能与沈浪互相依偎如此之久，她的精神一松懈，死亡的阴影，也似愈来愈远，愈来愈淡了。

却不知他们每走一步，便距离死亡近了一步——这正是一段死亡的旅途，而他们此刻正已接近终点。

进入沼泽之后，风沙倒小了。

天地间，仿佛静得很，只有清脆的驼铃，不时发出一两声悦耳的声响，给这枯燥的旅途，平添了许多诗趣。

朱七七悠悠叹道："快活王怎会住在这种地方？难道他不怕受罪

么？”

沈浪笑道：“大漠之中，处处都有不可思议的神秘地方，我想，在这沼泽之中必定也有一处，快活王想必就住在那里。”

朱七七道：“神秘地方？……难道在这沙漠之中，也会有那古墓一样的地方不成？”

沈浪叹道：“天地间的神秘，有谁能猜测？”

朱七七悠悠地出了会儿神，嘴角泛起了甜笑，缓缓道：“你记不记得，我们在那古墓中……”

沈浪叹道：“那正是我们第一次见到金无望的时候。”

朱七七嗔道：“我在想着你的事，你却在想别人。”

沈浪柔声道：“你就在我身旁，我又何必再想，而金无望……”叹息一声悠然住口，故友之情最是令人神伤。

朱七七面上突也现出伤感之色，幽然叹道：“金无望固然是生死下落不明，但我八弟，他……他小小年纪，那天失踪之后，又会到哪里去了？”

沈浪展颜一笑，道：“你那八弟活泼聪明，谁也舍不得杀死他的，他无论落在什么人的手上，那人都必定会好好地看待他。”

朱七七黯然道：“但他若落在恶人手中，岂非……”

突听一阵驼铃震耳，方心骑在外面沉声唤道：“沈公子……”

沈浪应声道：“方兄有何见教？”

方心骑掀开了那小小的帐篷，笑道：“两位请恕弟子打扰，弟子要对两位无礼了。”

朱七七动容道：“无礼？”

方心骑扬起手中两块黑巾，笑道：“目的地已将到，弟子不得不蒙起两位的眼睛。”

朱七七叹道：“咱们在这里反正什么也瞧不见，你还要蒙住咱们的眼睛，我……我岂非连沈浪都瞧不见了。”

方心骑歉然笑道：“抱歉得很，王爷令严，弟子不得不分外小心。”

于是沈浪他们就什么也瞧不见了。

那黑巾扎得虽不十分紧，但却十分小心。

又走了段路程，远方突然有一阵嘹亮的呼声响起。

一人曼声大呼道：“万丈高楼。”

又听得对方轻呼道：“深谷幽兰。”

然后，骆驼走得就更快，蹄声也清脆起来。

朱七七道：“万丈高楼，深谷幽兰这两句话，想必就是快活王门下的密令，如此看来，这里只怕是快活王的老窝了。”

沈浪道：“听这蹄声似已走上了干燥的土地。”

话犹未了，只听得人声突然响了起来，还似乎夹杂着妇人女子们说话的声音，以及儿童的嘻笑。

朱七七奇道：“这里难道会有个村镇？”

沈浪沉吟道：“按道理说，是绝不会有的，听这蹄声，此间地质绝不可能建筑房屋，说不定……这里只不过是一些牧民的聚集之地，只有些帐篷围在附近。”

朱七七道：“但快活王又怎会住在这处地方？”

沈浪苦笑道：“这点我也猜不透。”

说话声、人声笑语又渐渐远了。

骆驼队竟似已走过这小小的“村镇”。接着，竟似在往下走，朱七七不觉更奇怪，皱眉道：“奇怪，这里已是平地，怎么还能往下面走？”

沈浪沉吟不语，这时蹄声却更加响，而且两旁还仿佛有回音，他们竟似已走入一个很窄的石头甬道。

只听方心骑道：“老三，王爷回来了么？”

急风第三骑的语声笑道：“自然回来了。王爷要你先将沈浪他们带去。”

骆驼缓缓停下，沈浪被移入一顶小小的软轿。

轿子继续往前走，沈浪忍不住唤道：“七七……”

回答他的却是方心骑带笑的语声，道：“朱七七在另一顶软轿。”

沈浪一笑，又道：“这里究竟是什么地方？难道是在地底？”

方心骑笑道：“公子见着王爷，自然就会知道了。”

沈浪只有住口不语，若说这真是在地底，沙漠土质松软，任何人都不可能在地底建造一座宫殿。

若说这里不是地底，却又是什么地方呢？

黑巾终于被解下了。

沈浪眼前骤然一变，便从黑暗的世界中，进入了个辉煌灿烂的天地，就仿佛是奇迹似的。

这里，是一座奇丽的殿堂，巨大的石柱上，雕着华美而古拙的图案，四壁都闪耀着奇光。

沈浪做梦也未想到沙漠中竟有如此堂皇伟大的建筑，假如这宫殿真是在地底，那当真是奇迹中的奇迹了。

鲜红的地毡，直铺上白玉长阶。

白玉长阶上传来了快活王得意的笑声，道："沈浪，你瞧本王这地方怎样？"

沈浪赞叹道："奇妙瑰丽，天下无双，就算在地上，已是人间少有，若是在地下……"

快活王大笑道："正是在地下。"

沈浪长叹道："你能在地下建造出这样的宫阙，我委实除了称赞之外，更无话可说，我若非亲眼得见，简直连相信都无法相信。"

快活王捋须笑道："此地虽经本王修整，但却非本王建造的。"

沈浪悚然道："若非你建造，那么建造此地之人，就更不可思议了。"

快活王笑道："以一人之力，又怎能建造出这样的地方……不过，你也不必太过惊异，这地方本是在地上的。"

沈浪大奇道："本在地上的，又怎会到了地下？"

快活王道："此地本来是个城市，在晋代之前便已废弃，日久遂被沙石掩埋，经本王发现之后，刻意经营十年，耗资千百万，才略为恢复了旧观。"

沈浪动容道："听你说来，这委实有如神话。"

快活王大笑道："神话……这并不是神话，古史之中，有关此地的记载并不少。"

沈浪道："在下愿闻其详。"

快活王道："楼兰，你可曾听过'楼兰'这两个字？"

沈浪闭起眼睛，喃喃道："楼兰……楼兰。"

突然大声道："不错，我记起来了。"

快活王笑道："你且道来。"

沈浪道："这'楼兰'本是汉时西域诸国之一，武帝时屡次使通大宛，楼兰当道，常攻击汉使，昭帝立，遣大将傅介子斩其王，更名鄯善……"

快活王赞道："不错，沈浪果然博闻强记。"

沈浪道："莫非这便是楼兰的王都所在之地？"

快活王道："这里正是楼兰的古城。"

他得意地大笑接道："这埋没多年的古城，正是本王第一个发现的，别人却只道此间乃是一片荒凉的沙漠，又有谁知道这里竟还有如此辉煌的历史遗迹。"

也难怪他笑声得意，这楼兰古城委实是历史上一个很重要的秘密，古往今来的学人，谁也不会想到这无边沙漠之中，竟掩埋着如此辉煌灿烂的中国古代文明。直到又过了千百年后，这地方第二次被人发现，成为轰动世界的大事，而发现它的瑞典国人"斯文赫定"，也从此得享大名——这件大事自然已与我这小小的故事不再有关系，我表过之后自然也不会再提。

沈浪凝目端注手持金杯的快活王，叹道："此地纵然非你所建，但发现它的困难，绝不会在建造它之下。"

快活王抚掌道："沈浪毕竟知我。"

沈浪微微一笑道："但我却不知熊猫儿此刻在哪里？"

快活王大笑道："你不问朱七七，先问熊猫儿，果然不是俗子可比，只是你只管放心，你若活着，他们也绝不会死的。"

沈浪微笑道："那么……那只手呢？"

快活王笑声突顿，拍案道："那'复仇使者'果然猾如狐狸，一击不成，立刻全身而退，虽然也算吃了个小亏，却还是被他跑了。"

语声微顿，突又大笑道："但他想必还是要来的……他若再来时，此间便是他毙命之地了，那时本王倒要瞧瞧他究竟是什么变的。"

一阵银铃般的笑声响起，白飞飞款步而来。

她已换了件薄如蝉翼的轻纱羽衣，珠光辉映下，看来更如同天宫中的仙子，再也不似地狱中的幽灵了。

她瞧着沈浪，娇笑道：“沈浪，你可愿听一件好的消息？”

沈浪笑道：“令人欢喜之事，我随时都愿意听的。”

白飞飞一字字道：“王爷与我已决定，七日之后，便是我们的婚期。”

沈浪悚然失色道：“你……你们真的……”

白飞飞娇笑接口道：“所以，你最少又可多活几日，吉期之中，是杀不得人的。”

沈浪目定口呆，讷讷道：“七日……七日之后……”

快活王捋须大笑道：“此间地远人僻，七日之后，本王少不得还要请你来做喜筵上的嘉宾。”

白飞飞咯咯笑道：“你临死前还能亲眼见到当代最伟大的英雄与最聪明的美人婚事，总算已不虚此生了。”

这是间石砌的屋子，石壁上也雕刻着奇异而古拙的图案，有的人身兽首，有的兽身人首，形状虽然丑恶，雕刻却极精细。

但室内的陈设，却是崭新而华丽的，梨花木的茶几，宽大而舒适的椅子，雕花的大床上，支着流苏锦帐。

这些当然是快活王发现此地才增加的东西，在晋代以前，人们还是席地而坐，根本不知椅子为何物。

于是新旧两代的艺术，便在这石室中形成了一种奇妙的融合，躺在崭新的床上，欣赏着古代文明的遗迹，这的确是一种难得的享受。

沈浪，此刻便躺在这床上。

但他的眼睛，却没有去瞧石壁上的图案，自从听了白飞飞那番话，他心情便始终不能平静。

“当代最伟大的结合，绝代英雄和绝世美人的婚事……”

沈浪也不知是该哭，还是该笑。

据他所知，这实在是当代最荒唐的悲剧，他眼看这悲剧立刻就要发生了，但他却不能阻止。

何况，他心里当然还有许多别的事要想。

他哪有心情去瞧那些图画。

四下静悄悄的，没有一丝声音，就像是坟墓——这本来就已是一座坟墓，但是，难道真要葬身在这坟墓中？

然后，他听见石门移动的声音。

他闻到了白飞飞身上那种淡淡的、鲜花般的香气。

白飞飞走到床头，俯身瞧着他。

一人托了盘食物送进来，又悄悄退下了。

白飞飞轻盈地在屋子里走了一圈，突然笑道："你可知道这屋子在楼兰王朝时是什么人住的？"

沈浪茫然道："是什么人住的？"

白飞飞道："太监……是太……"

她轻盈地转了个身，抚摸着石壁上的雕刻，又道："你知道这些图案象征着什么？"

沈浪道："我并不想去研究古史，我只问你……"

白飞飞打断了他的问话，道："你莫问我，是我先问你的……这些图案象征着什么？"

沈浪叹了口气，道："不知道。"

白飞飞道："这些图案乃是楼兰王朝宗教的一部分，它象征的是性欲，它象征着性欲不能得到满足的人。"

沈浪虽然听到许多人说过许多耸人听闻的话，但一个少女如此坦然地在他面前讨论这没有人讨论过的问题，他还是吃了一惊。

他只有苦笑道："你倒真渊博得很。"

白飞飞瞧见他的面色，银铃般娇笑起来。

她娇笑着道："你吃惊了么？……你认为我不该说这话的，是么？每个人都认为讨论这问题是件罪恶的事，却不知道正是人生最值得讨论的问题之一。"

沈浪道："咳……咳咳……"

白飞飞道："你莫要假装咳嗽，这本是很严肃的问题……"

她指着石壁上那些半人半兽的怪物，接道："一个人的欲念若是不能得到满足，他的外表看来也许是个人，但他的心，却已有一半变成了野兽。”

沈浪道：“是么？”

白飞飞道：“譬如说太监……太监的心理就一定是不正常的，往往会做出许多不正常的事，大多数太监，都以虐待别人为乐，这是为什么？”

沈浪苦笑道：“我没有做过太监。”

白飞飞道：“这只因他们的欲念不能得到正常的发泄，所以他们就以争权夺利、制造风波、虐待别人来作为发泄的途径……一个家庭正常，有妻有子的人，是绝不会做出他们那种残酷的事来的。”

她嫣然一笑，道：“你说是么？”

沈浪叹道：“这也不能说完全没有道理。”

白飞飞道：“你嘴里虽是不肯完全承认，但心里却必定已完全同意我的话了，我敢说能将这问题研究得像我这么透彻的人，世上并不多了。”

沈浪苦笑道：“的确不多。”

白飞飞又轻盈地兜了一个圈子，然后才面对沈浪，说道：“你可知道我为什么要你住在太监的屋子里？”

沈浪还是只有苦笑，道：“你的心思，谁能猜得到？”

白飞飞道：“这只因你的生活，实在也和太监差不多。”

沈浪愕然道：“我……我和太监差不多？我平生也听过不少种骂我的话，但你这句话我倒真是第一次听到。”

白飞飞道：“你不服气？……你难道不是像太监一样，拼命克制自己的欲念……你若说你根本没有欲念，你就是骗子。”

沈浪道：“我……我……”

白飞飞道：“所以你的心，实在也已接近了野兽，明明不该你做的事，你偏要做，明明不该你管的事，你偏要管，这种行为也和太监差不多。”

沈浪叹道：“这真是我平生所听过的最荒谬的言论。”

白飞飞道：“你不承认？那么，我问你，你为什么不敢亲近女人？”

沈浪道：“这只因我不是狗。”

白飞飞道："你若是狗的话，你的欲念能得到发泄，所以它们都很正常，你几时见过狗杀狗的？但人杀人的事却到处都可见到。"

沈浪说不出话来。

他明知白飞飞说的都是歪理，却偏偏不知该如何辩驳，白飞飞咯咯娇笑着，走到沈浪面前道："所以我说人真是一种最愚蠢的动物，他们饿了时敢吃敢喝，但他们有了欲念时，却连说也不敢说出来。"

沈浪道："我不懂你在我面前说这些话究竟是什么意思。"

白飞飞柔声笑道："你以后自然会懂的。"

她端起一盘食物，道："现在，你告诉我，你饿了么？这句话你想必敢说的。"

第四十三章

奇念实难言

那是盘很丰富的食物，沈浪吃了个干净，他需要补充体力，那么等到机会来时，他才能应付。

白飞飞也不说话，只是一口口地喂他。

沈浪吃完了，白飞飞就站起来，目光凝注着沈浪，道："现在你还需要什么？"

沈浪道："没有了。"

白飞飞笑道："你纵有需要，也不敢说的。"

于是她轻盈地走了出去。

沈浪目送着她的背影，等她走出了门，沈浪还是在思索着她的一切——这的确是个十分奇怪的女子。

屋子里又静得像坟墓，而"静寂"正是"寂寞"最好的朋友，寂寞……该死的寂寞，可怕的寂寞。

世上又有谁真的能忍受寂寞？

沈浪喃喃道："我当真没有需要了么？我为何不说……"

忽然，他觉得身子里有了种奇异的感觉，一种奇异的热力，渐渐在他身体里发散了开来。

他觉得自己像是要爆裂。

但他既不能运功抵抗，身子也不能动。

他只有忍受着——这在他来说，实在是一种新奇的痛苦，他的嘴渐渐干得发裂，但身上却被汗透。

就在这痛苦的煎熬中，也不知过了多久。

他忽然发现白飞飞又站在他床头。

她手里拿着杯水，笑道："你渴了么？"

沈浪哑声道："渴……渴极了。"

白飞飞嫣然道："这句话我知道你是敢说的。"

她扶起沈浪，一口口喂他喝水，沈浪身子虽不能动，但身体里每一个组织都在剧烈地颤抖着。

那香气……那柔软的手……那温暖的胴体。

白飞飞凝目瞧着他，一字字轻声道："现在，你还需要什么？"

沈浪望着她起伏的胸膛，道："我……我……"

白飞飞柔声道："你若有需要，只管说呀。"

沈浪嘶声道："你为何要如此折磨我？"

白飞飞轻笑道："我几时在折磨你？只要你说有什么需要，我都可以满足你，但是你不敢说，这是你自己在折磨自己。"

沈浪满头大汗涔涔而落，道："我……我没有。"

他不知花了多少力气，才挣扎说出"没有"这两个字。

白飞飞大笑道："我知道你不敢说的。"

她笑声中充满讥嘲之意，她又走了过去。

轻纱的长袍，终于飘落在地上。

灯光朦胧，她莹白的胴体在烛光下发着光，她洁白的胸膛在轻轻颤抖，她的腿，圆润而修长。

她俯身就向沈浪。

她梦呓地低语道："我知道你需要的是什么……"

现在，沈浪的穴道已被解开了。

但他却还是软绵绵地躺在床上，不能动。

这倒并不是因为兴奋后的疲惫，而是因为那迷药的余力，他目光空虚地望着帐顶浅紫色的流苏……

白飞飞就伏在他胸膛上，等着喘息平息。

然后，她轻轻搔了搔他的耳朵，柔声道："你在想什么？"

沈浪并没有立刻回答她的话，对这句最简单的话，他竟似也不知该如何回答。过了许久，他才叹了口气道："我本该想许多事，但现在，我什么也没有想。"

白飞飞娇笑道："方才我假如走了，你是不是要发狂？"

沈浪道："我只是想不出你为什么要这样做。"

白飞飞道："你真的想不出……你难道不知道我一直在爱着你？我一生都是空虚的，我需要你的生命来充实我。"

她嫣然一笑，轻轻接道："还有，我一心想为你生个孩子。"

沈浪失声道："你……你说什么？"

白飞飞笑道："生儿育女，这不是很普通的事么？你为什么要吃惊？"

沈浪道："但我们……我们……"

白飞飞道："不错，我们不能结合，因为你已快要死了，但是……生孩子却是另外一回事，你说是不是？"

沈浪苦笑道："我无法了解你的思想。"

白飞飞阖起眼帘，悠悠道："我一心想瞧瞧，我们生下来的孩子，是怎么样的一个人，我真是想得要发疯，想得要死……"

她吃吃地笑了起来道："天下最正直、最侠义、智慧最高的男人，和一个天下最邪恶、最毒辣、智慧也最高的女人，他们生下来的孩子，又会是怎么样一个人？"

她笑得更开心，手支着腮，接着道："连我都不敢想象，这孩子会是怎么样的一个人。他无疑会比天下任何人都聪明，但他是正直的呢，还是邪恶的呢？他心中是充满了自父亲处遗传来的仁爱，还是充满了自母亲处得来的仇恨？"

沈浪整个人都已愕然，讷讷道："这……这……"

这句话却叫他该如何回答。

白飞飞轻笑道："我想无论这孩子会是个怎么样的人，他必定都是个十分杰出的人，他若是女的，必定能令天下的男人都为她神魂颠倒，拜倒在她的足下；他若是男的，那么这世界就必将因他而改变，你说是么？"

沈浪叹了口气，这件事，实在令他不敢想象。

白飞飞道："有了这样的孩子，你开不开心？"

沈浪叹道："你叫我该说什么？"

白飞飞柔声道："你知道你将会有一个这样的孩子，你死也该瞑目了。而我呢……我有了他，你死了后也就不会寂寞……"

她又阖起眼帘，悠悠接道："我想起你的时候，只要瞧见他，也会觉得十分安慰了。"

沈浪苦笑道："听你这话，好像要我死的人并不是你……一个人既要怀念我、想我，却又要杀死我，这道理我实在想不通。"

白飞飞娇笑道："将来怀念你，我现在杀死你，这完全是两回事。"

沈浪叹道："世上除了你之外，只怕谁也不会认为这是两回事的。"

白飞飞笑道："你不是早已说过，我和别人不同么？"

沈浪道："不错，我的确早已说过，你的确和别人不同。"

白飞飞柔声道："你也和别人不同，你是我这一生中最最不能忘怀的男人，过两天，你参加我婚礼的时候，我说不定也会望你笑一笑。"

她常在说前两句话时，总是温柔得令人心神皆醉，但等她后面一句话出来，却又总是令人哭不出，笑更笑不得。

沈浪失声道："婚礼？……你还是要和快活王结婚？"

白飞飞道："当然。"

沈浪大声道："当然？……天下最荒谬、最不合情理的事，你却认为理所当然？"

白飞飞道："你认为不对？"

沈浪道："你……你将你的身子给了我，又要为我生个孩子，但你……你……你却要嫁给别人，这难道还没有什么不对？"

白飞飞娇笑道："生孩子和嫁人，更是两回事了。"

沈浪道："但你莫忘了，你是他的女儿。"

白飞飞一字字道："我若不是他的女儿，我又怎会嫁给他……"

沈浪道："这……这……这算是什么理由，我简直不懂你心里究竟在想着什么，我见过的疯子也有不少，但却没有一个比你更疯狂，更不可理喻的。"

白飞飞吃吃笑道："沈浪终于生气了，泰山崩于前而神色不变的沈浪，终于为我发了脾气，我实在应该觉得光荣得很。"

她轻抚着沈浪的胸膛，柔声道："但你也莫要生气，无论如何，我总是爱你的，天下我只爱你一个人，我爱你爱得发狂……"

她痴痴地瞧着沈浪，温柔地叙说着……也就在同时，她轻抚着沈浪的手，已点了沈浪七处穴道。

沈浪又完全不能动了。

白飞飞附在他耳旁，低语道："你还有什么话要对我说？"

沈浪长叹道："我还有什么话说？……一个女孩子能一面躺在我怀里，说她爱我，一面却又下手点我的穴道……"

他瞧着白飞飞，苦笑道："我遇见了这样的女孩子，我还有什么话好说的。"

白飞飞娇笑道："但这样的女孩子，也不是人人都能遇得到的，你说是么……你本该觉得幸运才是，是么……"

她娇笑着下了床，就站在床头，缓缓穿起了衣裳，她目光始终没有离开过沈浪，轻轻道："你好生睡一觉吧，我要走了。"

沈浪苦笑道："谢谢你的关心，我会睡的。"

白飞飞笑道："到了现在这种时候，还能像你这样说话的男人，天下除了你外，只怕再也不会有第二个了，也难怪我比谁都爱你。"

她突然俯下身，亲了亲沈浪的面颊，柔声道："我真的爱你，将来我杀死你的时候，会非常非常温柔的。"

朱七七、王怜花、熊猫儿他们的处境却没有沈浪那么浪漫、那么舒服了——自然，也没有沈浪那么痛苦。

他们三个人被囚禁在一间石室里。

头一天，他们不想说话。

第二天，他们想说，却不知该说什么。

然后，白飞飞来了。

她看来容光焕发，似乎比往昔更美丽。

朱七七立刻闭起了眼睛，不去瞧她。

白飞飞却偏偏要走到她面前，娇笑道："朱姑娘，朱小姐，你好么？"

朱七七大声道："白宫主，白王妃，我不好，一点也不好。"

白飞飞道："你为什么不开心？"

朱七七冷笑道："你难道就开心么？"

白飞飞笑道："我自然开心得很，我平生都没有这么样开心过，只因我现在已有了样东西，你却没有。"

朱七七道："你那狠毒的心肠，我的确没有。"

白飞飞也不理她，悠悠接道："这样东西，你虽然想得要死，但却是一辈子也休想得到了。"

朱七七大声道："你无论有什么，我都不稀罕。"

白飞飞笑道："你若知道了那是什么，只怕羡慕得眼泪都要流下来。"

朱七七终于忍不住道："是什么？你说是什么？"

白飞飞咯咯笑道："现在我还不能告诉你。"

朱七七真恨不得跳起来咬她一口，瞪着她瞧了半晌，突又大声道："沈浪呢？"

白飞飞笑道："他很好……我现在正是要来告诉你，他也开心得很。"

朱七七嘶声道："为什么？……为什么？"

白飞飞眼波流转，道："只因我有的这件东西，正是和他共有的。"

朱七七瞧着她发亮的眼睛，瞧着她那苍白中已透出嫣红的面颊，身子突然颤抖了起来，道："你和他……有……有了什么？"

白飞飞娇笑道："好妹子，你仔细去想想吧，但愿你莫要想出来，否则……"她拧了拧朱七七的脸，娇笑着走了出去。

朱七七呆在那，良久良久，突然痛哭起来。

熊猫儿道："七七，莫哭，你若哭，她就更得意了。"

朱七七道："但她……她和沈浪，莫非……莫非……"

熊猫儿道："她和沈浪会怎样，你难道还不相信沈浪？"

朱七七痛哭道："但她……这恶毒的女人，什么事都能做得出。"

熊猫儿柔声道："傻孩子，她这样说，只不过是故意要来气你的，你怎可真的相信……"

王怜花冷冷道："但说不定也是真的。"

朱七七嘶声道："不是真的……不会是真的。"

王怜花道："你若认为不会是真的，为何要哭？"

熊猫儿大喝道："王怜花，你为何要这样说？你为何要令她伤心？"

王怜花悠悠道："我只不过是在说真话而已。"

熊猫儿怒道："你们兄妹两人都是一样，时时刻刻，都希望别人伤心痛苦……你们只有瞧见别人痛苦，自己才会觉得快活。"

王怜花道："不错，我和她的确有许多相同之处，只除了一点。"

熊猫儿道："哪一点？"

王怜花冷冷道："她爱沈浪，而我却不。"

熊猫儿瞧了瞧仍在流泪的朱七七一眼，大声道："放屁，她若爱沈浪，又为何要杀他？"

王怜花道："只因她不得不杀。"

熊猫儿道："为什么？"

王怜花道："这有两点原因，第一，是为了快活王，她想复仇，就只有嫁给快活王，她嫁给快活王就不能嫁给沈浪……"

他一笑接道："我和她这样的人，若是得不到那件东西，就只有毁了它……她不能嫁给沈浪，就只有杀了他。"

熊猫儿冷笑道："这简直不是人的脾气。"

王怜花道："何况，就算她不嫁给快活王也复了仇，她还是得不到沈浪，只因她知道沈浪想娶的是朱七七，不是她。"

朱七七嘶声道："那么她为何不杀了……只要沈浪能活着，我死了也没关系。"

王怜花冷笑道："好伟大的爱情，当真令人可钦可羡，但伟大的朱姑娘，她就算先杀了你，也还是要杀沈浪。"

朱七七道："为什么？"

王怜花道："她杀了你后，就算能嫁给沈浪，但沈浪必定会更想你……沈浪愈想你，自然也就会愈恨她。"

熊猫儿道："这倒不错。"

王怜花接道："她就算得到了沈浪的人，还是得不到沈浪的心，她若得不到沈浪的心，最好只有杀死他。"

他叹了口气，接道："所以，说来说去，她都是非杀死沈浪不可，这是老天安排得太不凑巧了，她根本别无选择。"

朱七七流泪道："老天为什么要这样安排？……为什么？"

熊猫儿怒道："莫要听他胡说八道，白飞飞的心事，他知道个屁。"

王怜花悠悠笑道："白飞飞的心事，我怎会不知道？我们身子里流的是同样的血，她的心事我自然知道得比谁都清楚。"

熊猫儿咬牙道："我真不懂，老天为何要你们这两个人生出来。"

王怜花狂笑道："只因老天也想瞧瞧人间的这场好戏。"

这实在是场好戏。

只是，谁也不知道这是悲剧，还是喜剧。

人间的悲剧总是比喜剧多些……实在太多了些。

各式各样的织锦缎衫，都是崭新的，都有着鲜艳的色彩，现在，就都堆在这古老的石室里，堆在朱七七面前。

两个健壮的仆妇，将衣服一件件抖起，拿给他们看，这其中只有熊猫儿，简直连看都不想看一眼。

方心骑负手站在旁边，笑道："这些衣衫，俱都是在苏州'瑞蚨祥'采购的，但请三位各选一件，在下自当令人为三位换上。"

王怜花笑道："快活王为何如此客气？难道他要咱们换上新衣后，再杀咱们的头么？"

方心骑笑道："原来三位还不知道……"

王怜花道："不知道什么？"

方心骑道："明日便是王爷与白飞飞白姑娘的婚期，王爷请三位易了新装，也好去参加他老人家的婚礼。"

朱七七失声道："他们真的要成亲了？"

方心骑笑道："如此大事，焉能说笑。"

朱七七长长叹了口气，也不知是悲是喜，喃喃道："明天……他们好快……"

熊猫儿苦笑道："这倒当真是说打架就绕辫子。"

王怜花笑道："如此说来，我就选那件粉红的吧，也好和快活王添些喜气。"

方心骑道："多谢吉言……这位熊公子呢？"

熊猫儿大声道："我既非公子，一辈子也没穿过这种鸟衣服，我宁可光着屁股走出去，也不要穿这鸟衣服。"

方心骑微笑道："王爷既已有令，熊公子纵想不换，只怕也是不行的……熊公子既然不愿选择，就拿这件大红的给您换上吧。"

熊猫儿怪叫道："大红的？……你这不是要我的命。"

王怜花笑道："你杀头都不怕，还怕穿件红衣裳么？何况，这大红的颜色正象征着热情、豪爽，你本该欢喜才是。"

熊猫儿瞪了他一眼，道："哼！"咬住牙，不再说话。

方心骑道："那么，朱姑娘呢？"

朱七七眼波流转，悠悠道："沈浪选的是什么颜色？"

方心骑笑道："在下不知道。"

朱七七道："你怎会不知道？"

方心骑道："沈公子的事，一向由白姑娘亲自料理。"

朱七七咬了咬嘴唇，缓缓地道："明天，过了明天，她还能为他料理么？……过了明天，她又将如何？"

王怜花叹道："过了明天，你我又将如何？"

熊猫儿想到白飞飞与快活王的关系，想到他们成亲后种种悲惨可怕的结果，再想到自己的处境……

他也不禁为之心寒胆战，长叹道："明天，明天会是个怎么样的日子，我真想象不出。"

白飞飞斜倚在床头，瞧着沈浪，悠悠道："明天我就要成亲了。"

沈浪茫然道："是！"

白飞飞道："你心里有什么感觉？"

沈浪道："没有。"

白飞飞咬着嘴唇一笑道："你没有感觉？你可知道，明天之后，你将如何？"

沈浪道："这些事，我要留到明天以后再去想。"

白飞飞突然大笑起来，道："你可知道明天将是个多么伟大、多么令人兴奋的日子，在如此伟大的日子前夕，你竟然毫无感觉？"

沈浪道："我毫无感觉。"

白飞飞大声道："你已麻木了么？"

沈浪微笑道："麻木的人，就没有痛苦，麻木的人，是有福的。"

白飞飞瞧着他那该死的笑容，大声道："你心里是否又在打什么鬼主意？"

沈浪道："麻木了的人，哪里还有什么主意？"

白飞飞道："你莫要骗我，我知道你这种人是绝不会甘心等死的，在你还没有咽下最后一口气前，你绝不会放弃希望。"

沈浪道："也许……"

白飞飞一字字道："但你无论在打什么主意，都是没有用的。"

沈浪道："哦，是么？"

白飞飞突又疯狂般大笑起来，道："明天，千百年来最伟大也最奇怪，最欢乐也最悲惨的婚礼就要举行了，明天所要发生的事，必将在武林中传诵千古，明天，也必将是千百年来，江湖中最刺激、最紧张、最令人兴奋的一天。"

她激动地抓住沈浪的手，大声接道："这一切，都是我精密计划过的，正都在按照计划进行，我绝不许任何人破坏它，世上也绝没有任何人、任何事能破坏它。"

这"伟大"的日子终于来临了！

一切事，果然都按照严密的计划在进行着，绝没有丝毫紊乱、丝毫漏洞，所有悲惨可怕的结果，已能预见。

熊猫儿穿着件大红的衣衫，梳洗得干干净净，容光焕发，但他脸上却是满面怒容，眼珠子都似要凸出来。

王怜花含笑望着他，悠悠笑道："猫儿，我想不到你也会这么漂亮，我从未瞧见你如此漂亮过，你今天看起来，活脱脱就像是个新郎官。"

熊猫儿咬牙道："你看起来活脱脱就像我孙子。"

他实在气极了，最可笑的骂人话居然也说出口来，说完了，自己也不觉有些好笑，但此时此刻，又怎能笑得出。

他们此刻就像是个傀儡似的坐在椅子上，只听外面一阵爆竹之声响起，接着，几条大汉就将他们抬了出去。

宽大的殿堂，处处张灯结彩，这古老的殿堂蒙上了一层鲜艳的色彩后，看来就更是辉煌。

但人们走进来，仍不禁会感觉到一种阴森恐怖之意。

华丽的装饰，究竟还是不能尽掩去自远古时便留在这里的阴森痕迹，诡秘的图案，偶尔会从鲜艳的色彩中探出脸来，像是在冷笑窥人，宽大的殿堂里，似是到处都隐藏着不祥的预兆。

这里，本就是个不祥的地方。

辉煌一时的楼兰王朝，便覆没在这里。

玉石阶前，已铺起了红毡，尽头设着一座玉案，两张锦椅，这想必就是快活王和他的王妃的位子。

下面，左右两旁，各各也有一张长案，案上有四副杯筷，自然都是金盆玉盏，极致华贵。

殿堂中，人们来往，身上都穿着吉服，面上都带着笑容，但在笑容后，却也似带着种不祥的阴影。

他们似乎也预感有什么不幸的事要发生。

但究竟有什么事要发生？

到此刻为止，谁也不知道。

朱七七被抬进来时，沈浪已坐在左面的长案后。

她虽然已见过沈浪无数次了，但此刻一见着他，还是几乎连呼吸都完全停止，脸也像火般烧起来。

沈浪正含笑瞧着她。

谢天谢地，朱七七总算被放在沈浪身旁。

沈浪柔声道：“这些天，你日子过得好么？”

朱七七咬住嘴唇，不说话……唉，少女的心。

沈浪道：“你为什么不理我？”

朱七七眼圈儿红红的，像是要流眼泪。

沈浪道：“你……你为什么伤心？”

朱七七咬牙道：“我当然没有你那么开心。”

沈浪愕然道：“我开心？”

朱七七道：“有别人替你换衣服，有别人服侍你，你还不开心么？”

说着说着，泪珠已挂在长长的睫毛上。

沈浪一笑，道：“你又犯小心眼儿了。”

朱七七道：“我问你……别人说你和她已共同有了样东西，那是什么？”

沈浪笑道：“你为什么总是相信别人的话？”

朱七七无法正面瞧他，只有斜眼瞪着他，他嘴角居然还是带着那急死人，烦死人的微笑。

朱七七恨恨道：“你不开心，怎么能笑得出？”

沈浪轻轻道：“我的确有些开心，但却绝不是为了你所说的事。”

朱七七道：“那是为了什么？”

沈浪声音更低，道：“你现在莫要问，不久你就会知道的。”

他目中又闪动起那机智的、令人不可捉摸的光芒，朱七七瞧着他，终于幽幽叹息了一声，不再问了。

这时，殿堂下两列长案后，已坐满了锦衣大汉，他们看来都是快活王的属下，坐在锦墩上，都显得有些拘谨。

殿堂两旁的廊柱后，隔着纱帐，纱帐中人影幢幢，都是身材苗条的少女，自然就是这婚礼的乐手。

但这时乐声还未开始，殿堂中静得可以彼此听见对方的呼吸声。这里自然不热，非但不见燠热，反而十分阴凉。

这时，锦衣王冠的方心骑已自殿外大步走了进来，他腰下佩剑已解去，日光一转，笔直走向沈浪。

他神情看来颇为愉快，步履也十分轻松。

沈浪笑道：“今日想必忙坏你了。”

方心骑躬身笑道：“有事可忙，弟子反觉高兴。”

沈浪道：“外面情况如何？”

方心骑笑道：“碧空如洗，万里无云，天气好得令人全然不会想起争杀之事。”

沈浪微笑道：“真的不会有争杀之事么？”

方心骑笑道：“周围数百里外，俱都平静得很，绝无丝毫警兆，沈公子大可放心在这里吃酒，绝不会有人来打扰清兴。”

沈浪大笑道："看来我今日大可一醉了。"

方心骑道："沈公子与朱姑娘、王公子、熊公子，正是今日王爷婚礼的唯一嘉宾，四位若不尽欢，那就有些遗憾了。"

朱七七忍不住道："只有我们四个客人么？"

方心骑笑道："武林中除了四位外，还有谁配做王爷的嘉宾。"

朱七七冷笑道："如此说来，咱们倒该觉得荣幸得很了。"

突然，一个急风骑士匆匆走来，道："大哥请快准备，婚礼已将开始了。"

乐声奏起，节奏清悦而缓慢。

十六对童男童女，有的手捧花篮，有的手捧吉器，自红毡尽头处，踏着乐声的节奏走了过来。

这时，却有四个吉服少女悄悄走到沈浪等四人身后，手持银壶，俯身为他们各自倒了杯酒。

沈浪微笑道："多谢。"

那少女却在他耳畔轻轻道："娘娘有令，公子若是说出了半句杀风景的话，贱婢左手的尖刀，便要自公子背后的'神枢'穴刺进去了。"

沈浪斜眼一瞧，朱七七等人面上也微微变了颜色，显然他们每个人都听到这同样的一句话了。

冷凉的刀锋，已穿过椅背的雕花，抵在沈浪背脊上。

沈浪笑道："你家姑娘也未免太小心了，在下等像是杀风景的人么？"

那少女缓缓道："公子若是不说，那自然再好也没有。"

缓缓站直身子，但刀锋却仍然停留在那里。

白飞飞所怕的，自然是怕沈浪说出她和快活王的关系，她行事计划，当真是每一个细节都不会遗漏的。

沈浪面上虽仍带着笑容，心里却不禁叹息。

这时，童男童女都已走过。

接着，是十六对身穿五色纱衣的绝色少女。

乐声的节奏更缓。

殿堂之中，除了沈浪等四人外，别的人都已肃然立起。

于是，身穿紫缎长袍，头戴王者高冠的快活王，便在方心骑与另三个英俊少年的围拥下，走上红毡。

他颔下的长髯修整得就好像缎子似的，在灯下闪闪发光，他眉心那道疤痕，似乎也在发光。他大步而行，全未依照那乐声的节奏，目光顾盼之间，仍不脱一代武林雄主的桀骜之气。

熊猫儿轻笑道："快活王做了新郎官，还是像要找人打架似的……"

他语声说得本极轻，但才说了一句，快活王两道发亮的目光，已厉电般向他扫视了过来。

若是换了别人，早已骇得不敢出声。但熊猫儿却故作不见，反而大笑道："快活王，恭喜你呀！但今天是你大喜之日，你又何妨做得和气些，也免得骇坏了新娘子。"

他这样一叫一笑，满堂中人不禁都为之失色。

快活王眉心微皱，但瞬即也大笑道："你放心，本王那新娘子，是谁也骇不着她的。"

王怜花叹了口气，道："这倒是实话。"

大笑声中，快活王已步上石阶，在椅上坐了下来。

乐声继续着，大家都瞧着门口，等着新娘子出现，但直过了盏茶工夫，还是没有瞧见新娘子的人影。

满堂中人面上都不禁现出了诧异之色。

朱七七故意大声道："这是怎么回事，新娘子呢？"

熊猫儿大笑道："莫非临阵脱逃了么？"

他们虽然明知白飞飞决不会不来的，如此说来，只不过是故意气气快活王，他们此刻自然再也不怕快活王。

一个反正已要死的人，还怕谁。

快活王面色也沉了下来，沉声道："她到哪里去了？"

方心骑凑首过来，沉声道："半个时辰之前，弟子还曾见到娘娘在百花宫中上妆。"

快活王道："还有些什么人在那里？"

方心骑道："除了那两位老经验的喜娘，和关外最出名的兼卖花粉的梳头老师傅外，就是娘娘随身的丫环。"

快活王皱眉道："那梳头师傅……"

方心骑笑道："那张老头在关外一带做了五十年的生意，所有大户人家闺女出嫁，都是他承包的花粉，算得上是个老实人。"

快活王道："你可曾仔细调查过他？"

方心骑道："弟子非但仔细调查过他，也还仔细检查过他，断定他绝非别人易容改扮，也绝未夹带东西，才放他进来的。"

快活王微露笑容，道："这两天本王心中不免对今日之婚礼有所牵挂，是以别的事便都疏忽了，你却要分外出力才是。"

方心骑恭声道："王爷抬爱，弟子敢不全力以赴。"

快活王颔首道："好……很好……"

他笑容初露，忽又敛去，皱眉道："但她此刻怎地还不来呢？"

方心骑道："弟子方才已派人催驾了。"

快活王道："你再去瞧瞧，那边是否有什么……"

话犹未了，展颜笑道："来了！"

他们说话的声音极轻，别人也听不出他们说的究竟是什么，只见到快活王展颜一笑，大家就一齐扭头望向门外。

今日的新娘子，未来的快活王妃……

白飞飞果然已在门口出现了——

和悦的乐声中，她莲步姗姗，走了进来。

她穿着十色缤纷的纱衣，辉煌的彩带，远远拖在地上，拖过红毡，看来就像散花的天女。

她头戴着凤冠，垂着纤巧的珠帘，自银雾般的珠光间望过去，她娇笑的面靥更胜过仙子。

她虽然只是一步步走着，走过的虽然只不过是条红毡，但她每一步都像是走在彩云上，仪态万方，令人不可逼视。

殿堂中坐的都是男人，每一个男人都不禁在暗中发出了赞叹之声："谁娶着这样的女子，当真是前世修来的福气。"

只有沈浪等人知道，谁若能娶着她，那人必是倒霉了，尤其是此刻将做新郎的快活王……

他本来也许是快活的，但眼看就将变成世上最不幸、最悲惨的人，这一辈子也休想再有快活的一日。

殿堂中每个人都在羡慕着这婚礼的豪华庄严，只有沈浪等人知道这不过是一场最凄惨的悲剧序幕而已。

白飞飞姗姗地走上了石阶。

快活王捋须而笑，手上三枚戒指，竟亮得像明星。

熊猫儿突然大笑道："新娘子来了，新郎官也不站起相迎么？"

快活王大笑道："正该如此。"

喜娘将白飞飞扶了上去。

快活王果然站起相迎，挥手笑道："大家喝酒吧！只管尽兴。"

熊猫儿道："这样就算礼成了么？"

快活王仰首大笑道："本王难道也要像那些凡夫俗子，行那些繁文缛礼？"

他目光四扫一眼，接道："本王今日这婚礼，只求隆重，不求虚文，这只是要告诉你们，本王今日已娶得了一位绝世无双的妻子。"

白飞飞居然好似害起羞来，垂首万福，耳语般道："多谢王爷。"

于是快活王哈哈大笑，殿堂中欢声雷动。

快活王目光闪动，大笑道："这四位嘉宾，也不可无酒。"

熊猫儿大声道："你若要这些臭丫头喂我喝酒，我不吐在地上才怪。"

快活王微一沉吟，道："心骑，去解开他们左肩后'肩井'穴……今日庆典非常，谁也不可无酒。"

这"肩井"穴位于手阳明经之顶梢，此穴被制，整条手臂都无法动弹，但别的穴道若被点，解开此穴后，别的部位仍是无法动弹，真气也是无法流转，要想以这只手解开别的穴道，亦是绝无可能，熊猫儿等人这只手虽能动了，但除了夹菜喝酒外，还是别无他用。

于是他们就夹菜喝酒。

酒过三巡，快活王目光四顾，又不禁捋须大笑。

这正是他一生事业的巅峰，虽然，他的理想还未能完全实现，但有此佳境，跃马中原已指日可待。

他焉能不笑？

他的笑声焉能不得意？

酒，惊人地消耗着，欢乐的笑声更响。

快活王目光睥睨，笑道："沈浪，你瞧千百年来武林中人有谁能达到本王今日之地位，芸芸天下，又有谁能比本王更快活？"

沈浪微微一笑，道："巅峰之后，佳境必下，极乐之欢，必不长久……"

快活王面色一沉，怒道："沈浪，你莫忘了你此刻乃是本王阶下之囚。"

沈浪神色不动，微笑着缓缓接道："活命之药，必定苦口，忠言逆耳，你不听又何妨？"

快活王目光刀锋般凝注着他。

殿堂中的笑声突然沉寂下来，朱七七、熊猫儿业已沁出了冷汗，谁知快活王又纵声狂笑道："你嫉妒……沈浪，你在嫉妒，是么？你嫉妒本王的成就，又嫉妒本王能娶得个如意的妻子，所以你才会说这样的话。"

王怜花悠悠道："你不生气？"

快活王大笑道："能被沈浪这样的人嫉妒，正是应当得意的事，本王又怎会生气？"

他大笑着长身而起，高举双手，道："你们说该不该为本王这前无古人、后无来者的成就痛饮三杯。"

四下哄然欢呼道："该……"

于是群豪俱都站起，欢呼痛饮。

王怜花冷冷道："他们眼见已将进洞房了，咱们眼见已要被杀头，沈浪，你还是没法子么？"

沈浪苦笑道："时机还未到来，我又有什么法子可想？"

王怜花冷笑道："时机要等到什么时候才来？难道要等到咱们人头已落地的时候？"

沈浪道："纵是如此，也是无可奈何。"

熊猫儿大笑道："死就死吧，又有什么了不起，且待我先痛饮个三百杯再说。"

朱七七幽然道："我但愿现在就死，现在……沈浪总算还是在我身边。"

熊猫儿举杯笑道：“沈浪，我且敬你三杯……今生我能与你结交为友，总算此生不虚。”笑声虽然豪迈如昔，却难掩一种黯然悲怆之意。

他悲怆的并非自己，而是沈浪。

英雄们并不畏惧死亡，却难免伤心离别。

离别……这难道真是他们最后一次相聚了么？

满堂欢笑，唯独他们憔悴。

快活王目光斜睨着白飞飞，白飞飞的笑容在珠光里，珠光又怎及她笑容柔润？明珠又怎及她美？

那一阵阵淡淡的香气，仿佛是自迷梦中飘来的。

快活王突然放下酒杯，捋须笑道：“你们留在这里喝吧，醉死也无妨，本王……哈哈，本王却要逃席了。”他虽在和别人说话，眼睛还是瞧着白飞飞。

王怜花咯咯笑道：“不错，春宵一刻值千金，你的确该入洞房了。”

快活王哈哈大笑，道：“王怜花到底不愧为风流种子。”

笑声中，门外突有一人快步奔来。

他穿的虽也色彩鲜明，但却是急服劲装，他面上丝毫没有酒意，但背后却斜插着柄绿鞘长剑。

沈浪目光闪动，道：“这人只怕本是在宫外巡逻的。”

王怜花道：“不错。”

熊猫儿动容道：“瞧他的神色，莫非已有变？”

土怜花喃喃笑道：“但愿如此……但愿如此……”

只见方心骑快步迎了上去，两人附耳说了几句话，方心骑面上竟也已微微变了颜色。

快活王目光闪动，已坐了下来，又端起了酒杯，殿堂中人的眼睛，已全都盯在方心骑身上。

方心骑转身奔回快活王身侧，低声道：“外面有人，说是要为王爷贺喜。”

快活王皱眉道：“贺喜？……本王今日婚典，你们已传出去了么？”

方心骑道：“喜讯绝未走漏出去。”

快活王一拍桌子，怒道："既然绝未走漏，别人又怎会知道？"

方心骑垂首道："弟子愿领防护不严之罪。"

快活王面色稍和，缓缓道："人多口杂，这也不能怪你……只是，这些人既肯穿过重重险阻，冒险来到城外，想必来意不善。"

方心骑赔笑道："王爷今日之声威，别人纵然冒险，但能来为王爷贺喜，也是值得的。"

快活王展颜大笑，道："这话也不差……"笑容乍露，面色又沉下，沉声道："他们一共来了多少人？"

方心骑道："一行共有九人，还抬着两口箱子，是要送给王爷的贺礼。"

快活王道："这些人看来是何模样？"

方心骑道："据十四弟方才禀报，这九人为首的乃是哈密的瓜果巨子，'蓝田盗玉'卜公直，此人不但有瓜田千顷，家资巨万，轻功也算得是一流高手。"

快活王沉吟道："卜公直……本王倒也听过这名字，只是……他与本王素无交往，又怎会巴巴地赶来送礼？"

方心骑笑道："也许他只不过是想以此来作为晋身之阶，来投靠王爷门下，此刻天下武林中人，又有谁不想投靠王爷门下？"

快活王捋须大笑道："好，既是如此，就叫他们进来吧，反正他们只有九个人，除非是不想活了，否则谅他们也不敢玩什么花样。"

朱七七悄声道："沈浪，你瞧这卜公直是真的为了送礼来的么？"

沈浪微笑道："只怕未必。"

王怜花冷冷道："就凭卜公直这些人，岂非真的送礼来的人？"

熊猫儿道："这'蓝田盗玉'卜公直，我昔日也曾听到过他，在江湖中也可算是颇有名气，但若与快活王相比，那就不可同日而语了。"

沈浪面带微笑，缓缓道："这其中必定还有着一些你我想不通的古怪，绝不会如此单纯的，尤其令我奇怪的，是那两只箱子……"

王怜花冷笑道："箱子里难道还会装着吃人的妖怪不成，否则又能拿快活王怎样？"

沈浪笑道："那也说不定。"

这时，那两口箱子已先被抬了进来。

那是两口极为珍贵的上好樟木箱子，八只角上，都包着黄金，锁环自然也是黄金打造的。

抬箱子的八个人，衣着虽然华丽，相貌却极平凡，这种人走在路上，也没有人会多瞧他一眼。

但卜公直的相貌却极不平凡。

他发亮的眼睛是凹下去的，颧骨却高高耸起，他的头发黑中带黄，而且有些卷曲，眼睛却有些发绿。

他衣着极是华丽，但短袍束发，耳悬金环，看来却又显得甚为诡秘，但他面上的笑容，却是和善的。

熊猫儿悄声道："江湖传言，都说这卜公直的母亲乃是绝色的胡姬，而且身怀一种传自波斯的神秘武功，不知这卜公直，是否也学得了他母亲的本事？"

王怜花忍不住问道："什么神秘的武功？"

熊猫儿道："江湖中人言人殊，谁也说不清楚，但听来那像是一种巫术……"

他微微一笑，缓缓接着道："这巫术最大的用处就是逃走。"

王怜花皱眉道："逃走？"

熊猫儿微笑道："学会这种巫术的人，只要是逃走，谁也拦不住他，谁也追不着他，江湖传言卜公直轻功无双，只怕也与这种巫术有关。"

王怜花嘴角也不禁泛起一丝微笑，喃喃道："逃走，这倒有趣得很……"

箱子已抬到快活王面前的石阶下。

厅堂中，人人目光俱都被卜公直奇特的相貌所吸引，谁也没有去留意那八个抬箱子的大汉。

快活王的眼睛，也在瞪着卜公直。

但，在逼人目光注视下，卜公直还是走得安安详详，四平八稳，甚至连耳垂的金环都未摇荡一下。

乐声仍在继续着。

厅旁一个高亢嘹亮的声音喝道："南疆卜公直进见。"

卜公直脚步加快，前行几步，躬身道："南疆后辈卜公直拜见王爷，恭贺王爷大婚之喜。"

快活王在座上微微欠身，笑道："阁下远道而来，小王如何敢当。"

卜公直道："晚辈久慕王爷威名，只恨无缘拜见，今日冒昧而来，王爷如不见罪，已是晚辈之大幸。"

快活王哈哈笑道："卜官人说得太客气了，快请一旁宽坐。"

他一句话尚未说完，左右早已在阶前安排好锦墩低几，卜公直眼观鼻，鼻观心，垂首走到座前，却不坐下，躬身笑道："多谢王爷赐坐，但晚辈却要等到王爷将晚辈带来的区区微礼笑纳之后，才敢坐下。"

快活王捋须笑道："劳动大驾，已不敢当，怎敢再受阁下的厚礼？"

卜公直笑道："王爷富甲四海，世上再无能入王爷法眼之物，晚辈自也不敢将俗物送来，幸好机缘凑巧，使晚辈能略表心意，王爷如不肯笑纳，未免令晚辈太失望了。"

快活王大笑道："既然如此，小王只有生受了。"

笑声突顿，目光灼灼地盯着那箱子，沉声接道："卜官人既这么说，箱中之物，想必能令本王大开眼界，本王实已有些等不及想瞧上一瞧。"

卜公直躬身笑道："此物的确有些特别，晚辈的确是花了一番心机才到手的，如能博王爷一笑，也就不负晚辈的一番苦心了。"

他微一拍手，那八条大汉便已将箱子抬到石阶前。

这时殿堂中数百双眼睛，无一不是在盯着这箱子，都一心想瞧瞧箱子里装的究竟是什么奇怪的东西。

只有新娘子白飞飞，她那双隐藏在珠帘后的朦胧的眼波，却未去瞧这箱子，反而在瞧着快活王。

她看来似乎对这箱子里装的东西全不感兴趣，又似乎是根本早已知道这箱子里装的是什么。

箱子虽有锁，却未锁上。

卜公直碧眼中闪动着诡秘的光芒，缓缓打开了箱子，笑道："晚辈谨呈上活礼一份，请王爷过目。"

话声未了，殿堂中已发出一片惊呼。

这箱子里装着的竟是个活人。

一个几乎是完全赤裸着的女人！

第四十四章

情缠生死牵

那女子白羊般的身子蜷曲在箱子里，看来曲线是那么柔和，胴体是那么丰满，肌肤是那么晶莹。

她胸膛还在微微起伏着，但眼睛却是闭着的，美丽的脸上却带红晕，像是在沉睡中，又像是晕迷不醒。

沈浪、朱七七、王怜花、熊猫儿都差点儿骇了一大跳——他们赫然发现，这张美丽的脸，竟有几分像是王夫人，只是缺少了王夫人那种慑人的魅力。

只听快活王大笑道："这女子看来倒是不错，只是，阁下却不该在此时此刻送来，阁下难道就不怕本王的新娘子吃醋么？"

卜公直微笑道："王爷莫要误会了晚辈的用意，晚辈将这女子送来，并不是献给王爷作为姬妾，而是献给王爷与王妃作为今日婚礼的祭礼。"

快活王皱眉道："你此话怎讲？本王倒有些不懂。"

卜公直道："古来每逢重典，都以牲口作为祭礼，以谢天地，若以活人代替牲口，那自然要显得最为隆重。"

快活王接口道："你将她送来，莫非竟是要本王杀了她？"

卜公直微微笑道："晚辈将她送来正是此意。"

快活王"啪"地一拍桌子，厉声道："你这莫非是故意来和本王开玩笑么？"

卜公直躬身道："晚辈不敢。"

快活王怒道："今日乃本王吉期良辰，你却巴巴地送个人来叫本王杀死，这究竟为了什么？天下哪有这般荒唐的事。"

卜公直神色不变，缓缓道："只因晚辈在偶然中得知，这女子要来破坏王爷的婚礼，是以才设计将她拿下，王爷将之作为祭礼，正是大吉大利。”

快活王道：“你说这女子想来破坏本王的婚礼？”

卜公直道：“正是。”

快活王仰首狂笑道：“就凭这女子也能将本王的婚礼破坏得了么？”

卜公直道：“晚辈本也不相信，但听了她的话，却……有些……”

他吞吞吐吐，似乎有些话不便出口。

快活王厉声道：“她说了些什么？”

卜公直嗫嚅道：“她……这……”

快活王拍案道：“快说。”

卜公直道：“晚辈委实不敢说。”

快活王怒道：“你有何不敢说？”

卜公直道：“晚辈若是照直说出，王爷定难免怪罪……”

快活王道：“你只管说，本王绝不怪你。”

卜公直道：“既有王爷的金口玉言，晚辈就可放心说了。”

他长长呼出口气，道：“只因这女子说她有权阻止王爷的婚事……”

快活王大怒道：“她凭什么敢如此说？”

卜公直目光四下一望，一字字沉声道：“她说她本是王爷的妻子。”

这句话说出来，众人都不禁一惊。

快活王怒道：“她竟敢如此……”

他像是也突然发觉箱中这女子有几分像是王夫人，不觉为之怔住，语声也为之中断。

卜公直只如未见，缓缓接道：“晚辈自然绝不会相信她这番胡说八道，但这女子还说了些话，却更是不堪入耳。”

快活王呆呆地盯着箱中那女子，一时竟说不出话。

白飞飞却道：“她还说了些什么？”

卜公直道：“王妃如若不见罪，在下才敢说。”

白飞飞道：“你说吧，我怎会怪你。”

卜公直道："她还说，天下女子都可嫁给王爷，唯有王妃你不能。"

白飞飞道："为什么？"

卜公直道："她说，只因……只因王妃你本是王爷的女儿。"

这句话说出来，更是令人大惊。就连沈浪等人，也不禁变了颜色。

他们实在也不禁对这箱中的女子起了怀疑——她自然绝不会是王夫人，王夫人也绝不会落入卜公直手中。

那么，她究竟是谁？

她怎会知道这些惊人的秘密？

她模样又怎会和王夫人有些相似？

她和快活王之间，是否真的有某种神秘的关系？

白飞飞凤冠上的金花，已颤抖起来，覆面的珠帘，已起了一阵阵波动，终于霍然长身而起，冲到快活王面前，颤声道："他说的话你听见了么？"

快活王竟似还怔着，茫然道："听见了……自然听见了。"

白飞飞道："听见了，你还不杀了她？"

快活王道："杀谁？"

白飞飞道："自然是那箱中的女子。"

快活王道："哦，杀她么？"

白飞飞跌足道："你还不动手？你为何还不动手？"

快活王道："动手么？……此刻就动手么？"

他神情看来极为奇异，话声虽自他口中发出，却又似乎并不是他说出来的，这一代枭雄，此刻看来竟似神不守舍。

白飞飞全身都颤抖起来，道："你不肯动手，难道她真是你的妻子？"

快活王奇怪地笑了笑，道："她自然不是我的妻子。"

白飞飞嘶声道："既然不是，你就杀了她给我瞧瞧……"

快活王喃喃道："你要我杀她……好，好……"

卜公直面上也带着奇异的微笑，突然走上几步，解下腰畔的黄金弯刀，双手捧了上去。

白飞飞掠过去将刀抽了出来，"当"地抛在快活王面前，颤声道：

“你若不杀了她，我就死在你面前。”

快活王突然仰首大笑道：“你既然定要本王出手，本王只有出手了。”

笑声中，他已拾起了那柄弯刀，厉声道：“杀人，这岂非再也容易不过。”

刀光一闪，竟闪电般向白飞飞劈了过去。

刀光如闪电惊鸿，刀风如雷声轰耳，其势之急，令人防不胜防，其势之猛，更是无与伦比。

但谁也想不到这杀手一刀，竟是劈向新娘子白飞飞的，就连熊猫儿等人也梦想不到快活王会有此一招。

就算快活王已相信白飞飞就是他女儿，也不该向她出此杀手的，这一刀委实在任何情况下都不应劈向白飞飞。

但白飞飞却似早已想到有此一招。

刀光初展，众人惊呼之声尚未响起，白飞飞身子竟已斜斜飘了出去，那美丽的嫁衣飘飘飞舞，看来就像是凌云飞升的仙子。

快活王这势不可当的一刀，竟未砍着她。

众人惊呼之声，到现在才响了起来。

白飞飞身子似乎已黏在殿堂的梁柱上，道：“你不杀她反要杀我？你疯了么？”

快活王狂笑道：“你们这区区诡计，能瞒得过别人，还能瞒得过快活王么？”

白飞飞道：“诡计？什么诡计？”

快活王笑声戛然而住，厉声道：“守四门，莫要放一个出去。”

群豪到此刻虽然没有一个人能弄清这是怎么回事，但快活王有令，众人俱已奋然而起。

卜公直道：“但晚辈……”

快活王冷笑道：“尤其是你……今日你是来得去不得了。”

卜公直后退三步，突也大笑道：“好，快活王你果然是厉害人物，我卜公直佩服你了。”

笑声中身形突然滴溜溜一转，只听“嗤，嗤，嗤”一连串响声，他身上突然爆涌起一片紫色的烟雾。

快活王身形展动，大喝道："屏住呼吸，莫要放他两人逃走。"

就只这一句话工夫，那紫色的烟雾，已弥漫了整个殿堂。

就在这时，朱七七道："这究竟是怎么回事？"

熊猫儿道："这莫非就是卜公直的巫术遁法？"

王怜花道："有趣，果然有趣。"

也就在这时——

朱七七、熊猫儿、王怜花等只觉有一只手解开了他们的穴道，他们正在又惊又喜，但闻沈浪的语声道："屏住呼吸，随我冲出去。"

殿堂中已乱成一团，叱咤声中，还夹着一声声惨呼。

朱七七迷迷糊糊地拉着沈浪的衣襟，迷迷糊糊地往前冲，她也不知沈浪的穴道是如何解开的，更不知沈浪怎能冲出去，但沈浪竟冲出去了。

烟雾已弥漫到外面，外面的人都被呛得直咳嗽。

这些人瞧见沈浪冲出，惊呼着扑上，但沈浪手掌微挥，他们就被震得四散跌倒——世上又有几个人能拦得住沈浪。

朱七七手脚还是发麻，熊猫儿、王怜花踉踉跄跄跟在她身后，显见得手脚也不如平时灵便。

他们就算有不平凡的功力，但穴道被人禁闭了这么久，手脚自然难免麻痹，这原是谁也避免不了的现象。

而沈浪却偏偏没有这现象。

他身上还背着一个人，身手也还是那么灵活——他似乎有一种神奇的力量，无论任何人也猜不透。

更令人猜不透的是，他身上背着的竟是箱子里的那人，在这种危急的时候，他为什么还要将她救出来？

朱七七糊里糊涂地冲过一条石砌的甬道，冲上一条长长的石阶，冲出了这神秘的地底城阙。

若有人在事后问她是如何出来的，她必定回答不出。

她只知自己终于已走到地面上，终于已瞧见星光，她直到此刻才知道，星光竟是如此可爱。

满天星光灿烂，正是子时。

星光下，有一群人看守着一群马。

沈浪击倒了人，抢过了马，冲过一个小小的村落，然后又孤身回去，抢来几羊皮袋食水，几包干粮。

快活王虽有守卒，但措手不及，根本未曾防备，何况沈浪动作快如鬼魅，他们简直瞧不见他的影子。

熊猫儿等人气力虽未恢复，但打马的力气总还是有的，几个人全力打马，一口气便冲出了数十里。

前面，是一片无边无际的沼泽荒漠。

这无边无际的荒漠，在夜色中看来虽然充满了恐怖，但无论如何，总比那暗无天日的囚室可爱得多。

朱七七跃马狂奔，忍不住喜极而呼。

熊猫儿也忍不住大笑道："咱们还是没有死，咱们还是逃出来了。"

朱七七咯咯笑道："王怜花，你现在总该佩服沈浪了吧。"

王怜花叹道："沈浪呀沈浪，我委实不知道究竟有什么神秘的魔力，我真是再也想不通你是怎能逃出来的。"

朱七七道："这话倒不错，我虽然逃了出来，简直还像是在做梦似的。"

沈浪叹道："伙伴，这实在侥幸。"

朱七七大声道："咱们先歇歇好么，我有儿句话再不问你，实在要憋死了。"

几个人寻了个避风的所在，歇了下来——这原是个干涸的河床，自然有许多避风的凹地。

朱七七拉着沈浪，道："别的不说，我先问你，你穴道是怎么解开的？"

沈浪道："穴道么，这……"

这的确是个秘密，只有他自己知道的秘密。

白飞飞，他又想起了白飞飞……想起了在那神秘的石室中，那几天的悲惨的、狂欢的日子。

每一次，白飞飞来时都先将他穴道解开，临走时再点住，她以为沈浪已完全没有抵抗的能力。

她还是低估了沈浪。

沈浪永远是沈浪，无论在什么情况下，都有他那超人的能力，一次又一次，他慢慢地培养起自己的能力。

在最后一次，他终于完全闭住了自己的穴道——在那悲伤而又艳丽的奇妙时刻里，白飞飞终于被瞒过了一次。

所以，在那婚礼的前夕，沈浪便已可说是完全自由了，但他却还是装作不能动弹的模样，他要等待着时机。

这就是沈浪的秘密。

这秘密他自然不能，也不愿说出。

他只是微微一笑，道："你们不是说我有神秘的魔力么，那么就算这是神秘的魔力吧。"

朱七七叹了口气，又笑道："我知道，我们是永远无法了解你的，我也不想了解你，我只要……只要能够喜欢你就足够了，但……"

她瞧了那箱中的女子一眼，忍不住道："但你如此冒险将她救了出来，却又是为了什么？"

这女子犹在晕迷着，在星光下看来更是神秘。她那诱人的胴体已被沈浪用衣服裹住，只露出那张美丽而又神秘的脸。

沈浪凝目瞧着她的脸，忽然长长叹息了一声，道："你们只怕永远也想不到她是谁了。"

朱七七怔了怔，道："她是谁？究竟是谁？"

熊猫儿道："她莫非是王夫人？"

王怜花断然道："她虽然有些像，但绝不是。"

沈浪也不答话，却撕下块衣袂，蘸湿了水，在那女子的脸上轻轻擦着，擦得缓慢而仔细。

朱七七睁大了眼睛，瞧着他的手。

然后，奇迹突然出现了。

这张脸，赫然竟是白飞飞的。

朱七七、熊猫儿、王怜花三个人一齐呆住了。

这女子竟是白飞飞，他们委实连做梦也想不到这女子会是白飞飞，三个人一齐张大了嘴，合不拢来。

过了半晌，朱七七终于忍不住大叫道："老天呀老天，这究竟是怎么回事？白飞飞又怎会跑到箱子里去的？她不是明明在做新娘子么？"

熊猫儿摸着脑袋道："这里的若是白飞飞，那里的新娘子又是谁？"

朱七七拉着沈浪的手，道："求求你，快告诉我们吧，你若再不说个明白，我可真要活活被闷死了。"

沈浪微笑道："此事委实是既复杂，又离奇，非但事先谁也猜不到，就算事后……我若非对他们所说的每句话都未放过，也是猜不到的。"

熊猫儿道："我先问你……"

朱七七抢着道："我先问，我先问……"

此事委实是千头万绪，她委实也不知道该从什么地方开始问起，咬着嘴唇想了半天，终于大声道："好，我先问你，白飞飞既然在这里，那新娘子又是谁？"

沈浪长长叹了口气，道："我本来实在想不通那新娘子是谁，那明明一直是白飞飞，又怎会变作别人？那几乎是不可能的事。"

朱七七道："现在呢，现在你总该想通了吧？"

沈浪道："你不妨也想想，除了白飞飞外，还有谁知道那秘密，有谁一心想揭破那些秘密？又有谁有那么大本事？"

朱七七想了想，突然跳起来失声道："你说的莫非是王夫人？"

沈浪又长长叹了口气，一字字道："不错，正是王夫人。"

朱七七道："但白飞飞又怎会变成王夫人的？……不，我说那新娘子怎会变成王夫人的？而白飞飞又怎会跑进了箱子里？"

沈浪道："你记不记得，婚礼开始时，新娘子来迟了。"

朱七七道："我自然记得，但……"

沈浪接口道："你记不记得方心骑那时说了些什么？"

朱七七想了想道："他说，有两个老经验的喜娘，和一个卖花粉的梳头老师傅，在为新娘子上妆，还说那老头子做了五十年生意，是个老实人。”

沈浪微微一笑，道：“不错，你记得很清楚。”

朱七七道：“但这……这又有什么关系？”

沈浪道：“我本也未想到这其中的关系，后来仔细一想，才知道毛病就出在这里。”

朱七七跺脚道：“什么毛病，你快说呀。”

沈浪道：“老实人也有不老实的时候，那梳头的老师傅，虽非别人改扮，却早已被人买通了，而那两个喜娘其中就必定有一个是王夫人。”

朱七七拍手道：“呀！不错！”

沈浪道：“王夫人化装成喜娘，混了进来，乘着为白飞飞上装时，将白飞飞迷倒，白飞飞虽然千灵百巧，比起王夫人来却还是要差一招。”

王怜花冷笑道：“她还差得远哩。”

沈浪道：“于是王夫人就将白飞飞的模样弄得有几分像她自己，却将她自己扮成白飞飞的模样，王夫人易容的手段，不用我说，你们总也该知道。”

熊猫儿道：“何况她头上还戴着凤冠，脸前又挂着珍珠，那快活王就算眼睛再厉害，也是瞧不出来的了。”

朱七七道：“但白飞飞却又怎会跑到箱子里去的？”

熊猫儿道：“是呀，那箱子明明是卜公直从外面带来的呀。”

沈浪道：“王夫人行事是何等周密，那老头子带花粉进来，自然是有个箱子的，她将花粉腾出，将白飞飞装进箱子里。”

朱七七道：“但……卜公直……”

沈浪道：“王夫人自然也早已和卜公直约好，带一个同样的空箱子进来，然后便乘人不备，用空箱子换了那只装着白飞飞的箱子。”

熊猫儿拍掌道：“不错，她想必先就将装着白飞飞的箱子放在殿堂外，那时快活王的大婚盛典正在热闹时，自然谁也不会去留意到一口箱子。”

沈浪道：“这其中还有个关键，王夫人放下箱子的时候，就是新娘子走进去的时候，无论什么，新娘子自然都是大家注意的目标。”

朱七七道："她早已算定别人只顾着去瞧新娘子，绝不会去留意箱子。"

沈浪点头道："不错，但只此一点，还不足以显出王夫人行事之周到……"

朱七七抢着道："还有一点，卜公直换箱子的时候，也就是他自己走进去的时候，那时别人的目光全都被他那奇形怪状所吸引，只顾着去瞧他了，自然也不会留意到那八个抬箱子的大汉已经悄悄换了个箱子。"

熊猫儿击节道："妙极妙极，难怪王夫人要选卜公直，为的不但是卜公直有一手巫术遁法，还为的是他那奇怪的相貌，像他那样的人，无论走在哪里都要被人注意的，何况他又故意打扮得特别怪模怪样。"

沈浪微笑道："不错，这件事前前后后，每一个细节都在王夫人的计算之中。"

朱七七叹道："若论思虑之周密，天下只怕没有人能比得上她。"

熊猫儿道："女子的思虑，原本就比男人周密得多。"

他游侠江湖，平生以粗豪为事，近日行事虽仔细得多，但本性难改，是以这句话说出来，并没有什么称赞之意。

王怜花瞧了朱七七一眼，突然笑道："女子的思虑，也未必人人都是周密的。"

沈浪道："这件事功亏一篑，也只因为她是个女子。"

王怜花道："此话怎讲？"

沈浪道："女人的思虑虽然周密，但心胸却未免窄些……"

朱七七冷笑道："女子的心胸，也未必人人都窄的。"

沈浪笑道："话虽不错，但一般说来，女子的心眼儿总未免较为偏激毒辣，否则这件事也就不会功败垂成了。"

朱七七道："此话又怎讲？"

沈浪道："此事若换了男人来做，将白飞飞迷倒后，便已可动手杀了她，又何必再多费手脚，再将她装到箱子里，那么快活王也就不会发现其中的破绽。她若想杀死快活王，入了洞房，尽多机会动手，又何必多此一举画蛇添足。"

熊猫儿道："你这一提，我倒真不懂了，王夫人这样做，究竟是为了什么？”

沈浪道：“她这样做，只不过是为了要快活王亲手将白飞飞杀死。”

熊猫儿道：“不错。”

沈浪道：“虽然她恨快活王恨之入骨，但瞧到快活王要与别的女子成亲，还是忍不住生出了嫉妒之心，这嫉恨之心一生，行事便难免失却了理智。”

熊猫儿击掌道：“不错，这嫉妒两字，当真是天下女子的致命伤，就连王夫人这样的女子，竟也不能例外。”

朱七七狠狠瞪了他一眼，道：“你认为男人就不会嫉妒么？”

熊猫儿笑道：“男人总比较好些。”

朱七七冷笑道：“据我所知，男人若是嫉妒起来，比女子还要厉害得多。”

沈浪道：“王夫人之本意，原是要将快活王杀死复仇，但这嫉恨之心一生，她竟将此事置为次要，而变成一心要先将这婚事破坏，一心要先杀死白飞飞。”

熊猫儿道：“但她却又偏偏不肯痛痛快快地将白飞飞杀死，偏偏要画蛇添足……”

朱七七冷笑道：“你知道什么？她这样做法，不但是为了要折磨白飞飞，主要还是为了要折磨快活王，要快活王痛苦一辈子。”

熊猫儿苦笑道：“女子的心意，男人的确是弄不懂的。”

朱七七道：“你若懂得女子的心意，太阳只怕要从西边出了。”

沈浪道：“朱七七说得倒也不错，她此举委实是为了要使快活王痛苦，是以她先点破白飞飞是他女儿，然后再诱使快活王将白飞飞杀死。”

他叹息一声，接道：“这样，快活王若是真的出了手，她再将此中秘密揭穿，快活王纵然未必终生痛苦，又有何颜面再称雄江湖。”

朱七七道：“不错，一个人若是真的误杀了自己的女儿，那真是丢人丢到家了，日后传说出来，他还有什么脸在别人面前称雄。”

熊猫儿叹道：“这种又复杂，又毒辣的计谋，只怕也只有女子想得出。”

朱七七大声道："女人到底有什么对不起你，你再说这样的话，小心老天罚你一辈子做光棍，一辈子娶不着老婆。"

熊猫儿伸了伸舌头，笑道："那我倒真是求之不得。"

王怜花忽然道："这秘密此刻总算已完全揭破，但还有件事，我仍不解。"

朱七七道："我都懂了，你居然还有不懂的么？"

王怜花道："无论如何，这计划总可算是异常周密，绝无破绽，卜公直的神态说话，也没有什么漏洞，却不知那快活王怎会在当时就瞧破了？"

沈浪笑道："这计划并非绝无破绽，卜公直的说话也并非毫无漏洞。"

王怜花道："哦？"

沈浪道："这计划第一个破绽，便是王夫人不该将白飞飞扮得像她自己……"

朱七七道："对了，我正在不懂，她为什么要这样做？"

熊猫儿道："王夫人这样做法，莫非是要先使快活王吃一惊，分散他的注意力，再使他……"

朱七七抢着道："我知道了，她将白飞飞扮成自己的样子，自然是想要快活王疑心箱子里的真的就是王夫人自己，快活王一见了王夫人，自然是又惊又怕，说不定会不分青红皂白，先将她杀了再说，那么换人的计划就成功了。"

熊猫儿也抢着道："而且，快活王一瞧见王夫人已落在自己手里，必定高兴得很，心情必定大为松懈，对别的事都不会再加留意。"

沈浪微笑道："不错，这些正都是王夫人本来所打的主意，她智者千虑，必有一失，是以才造成了这致命的错误。"

朱七七道："我认为她这样做实在高明得很，你怎会说她错了呢？"

熊猫儿道："我也想不出她错在哪里。"

沈浪微微一笑，道："快活王与王夫人本来不但是夫妻，而且还可说是伙伴，他对王夫人的武功智谋，自然是了解得很，是么？"

朱七七道："当然是的。"

沈浪道："那么，我请问你，像王夫人这样的女子，又怎会随意将自己的机密漏泄，而被卜公直在'无意中'听到呢？"

朱七七失声道："呀，不错，这的确是个漏洞，卜公直委实不该这样说的。"

沈浪道："还有，我再问你，像王夫人这样的女人，又怎会落在卜公直手里？"

熊猫儿叹道："不错，这又是个漏洞，十个卜公直也休想摸着王夫人的一根手指。"

沈浪道："所以，快活王根本想也不必想，就可断定箱子里的绝不会是王夫人。"

朱七七道："不错。"

沈浪道："那么，他就会想，箱子里的若非王夫人，模样又怎会和王夫人如此相似呢？又怎会知道这些别人绝不会知道的秘密？"

朱七七、熊猫儿两人不住点头道："不错，不错……"

沈浪道："需知王夫人近年根本未在江湖走动，知道她容貌的人可说是少而又少，而且也没有人知道王夫人与快活王之间的关系。"

熊猫儿点头道："不错，至少那卜公直绝不会知道。"

沈浪道："所以，这绝不会是卜公直搞的鬼，也绝不会是别人，只因别人既不知道王夫人的容貌，又不知道王夫人与他的关系，更不知道这其中的秘密，又怎能扮成王夫人的样子，用这些秘密来骗他？"

朱七七笑道："这道理听来虽复杂，其实却简单得很，我怎会偏偏想不起。"

沈浪道："所以，归根结底一句话，就是快活王已断定，这件事绝不会是卜公直在捣鬼，也不可能是别人在搞鬼。"

朱七七叹道："像他那样的人，自然一想就想通这道理了。"

沈浪道："这件事既不可能是别人搞的鬼，那么是谁在搞鬼呢？"

朱七七道："那自然只有王夫人了。"

沈浪道："不错！他自然立刻就会想到王夫人。"

朱七七道："但还有……"

沈浪打断了她的话，接道："他想起了王夫人，立刻就又会想到，王夫人若是此事的主谋，那么她此刻又在哪里呢？"

朱七七道："难道他立刻就能猜出新娘子就是王夫人？"

沈浪道："他纵不能立刻猜出，但立刻就会联想起新娘子迟到的事，再想起那卖花粉的老师傅、那喜娘……"

他微微一笑，缓缓接道："想到这里，以快活王的智慧，还会再想不通么？"

王怜花长叹了一声，道："你这分析，当真是又仔细，又精辟，又合理，纵然令快活王自己来说，只怕也没有你说得如此周到详细。"

朱七七笑道："如此纠缠复杂，让人摸不着头绪的事，经他抽丝剥茧般一说，就说得人人都可明白了，这不是很奇怪么？"

熊猫儿忽然道："这一次，你看王夫人与卜公直还能逃得了么？"

沈浪道："你我既能逃出来，他们想必也可逃出来的。"

朱七七道："咱们能逃出来，那是因为有你，他们又怎能比得上你。"

王怜花叹道："何况，快活王全未留意到咱们，是以咱们才能乘虚而走，而他们……"

朱七七长长松了口气，道："无论他们能不能逃走，好在都与咱们没有关系了。"

王怜花默然半晌，突然长身而起，大声道："不错，无论他们能不能逃走，和咱们又有什么关系，咱们此刻只该去想如何才能走出这一片荒漠去。"

荒漠中夜间酷寒日间酷热，再加上烈日、风沙，食水之不足，路途之不熟，还得时刻留意着毒蛇、猛兽、流沙……这一段路途，自然是极为艰苦的。

这样走了两天，人马俱已疲乏，一片荒漠瞧来，仍是无边无际，这时就连沈浪都不禁在暗中担起了心事，他纵是超人，究竟也无法抵抗自然之力。

这些人中最舒服的，毋宁说是白飞飞。

只因她到此刻为止，仍然晕迷不醒。

这一日晚间，朱七七用布蘸了些食水，润着她的嘴唇，瞧着她那白皙憔悴的容貌，也不禁叹道："王夫人用的好厉害的迷药。"

熊猫儿与沈浪探路去了，只留下王怜花陪着她。

王怜花突然冷冷道："她只怕从此不会醒了，你又何必白白浪费了食水。"

朱七七怒道："你竟说这话，你还能算是人么？"

王怜花淡淡一笑，道："你这样对她，可记得她以前怎样对你？"

朱七七道："无论她怎样对我，她至少也是个人，是个女人，我绝不能就这样眼睁睁瞧着她死，就算将我份上的水都让给她，也没什么关系。"

王怜花笑道："你若干死了，而她还活着，这倒也妙得很，那时沈浪只怕……"

朱七七跳了起来，大声道："你这样的人，我真奇怪沈浪为什么不杀了你？"

王怜花冷冷道："沈浪不杀我，正是他最聪明之处，否则……"

突听一人道："否则怎样？"

熊猫儿大步走了回来，眼睛在黑暗中发光。

王怜花打了个哈哈，道："否则我岂非早就死了。"

熊猫儿瞪着他，他却转了个身，熊猫儿是真拿他没法子。这时沈浪也已回来，朱七七迎上去问道："前面有路么？"

沈浪叹息着摇了摇头，却又笑道："你放心，天下绝不会有走不出去的路的。"

这样又走了两天，就连沈浪的笑容再也不能令朱七七振奋起来，白飞飞更是奄奄一息，几乎变成了个活死人。

他们的食水用得愈节省，体力就愈不支，及早便歇下，他们现在唯一能享受的只有休息。

又是个星光灿烂的夜晚，但此时此刻，谁也不会再去赞美星光的美丽，朱七七躺在沈浪怀中，喃喃道："咱们莫非走错了路么？愈走愈走不出去了。"

夜是那么静，熊猫儿与王怜花都已睡了。

沈浪怜惜地轻抚着她的柔发，道："方向是绝不会错的，只是……"

朱七七突又嫣然一笑，道："走错了也没关系，只要在你身旁，就算走到天涯海角，我都愿意的。"

沈浪瞧着她温柔的笑容，再瞧瞧身旁那犹自晕迷着的白飞飞，一时心乱如麻，竟说不出话来。

又过了半晌，朱七七终于坐了起来，瞧着白飞飞昏迷的样子，叹道："再这样下去，我们还没关系，她只怕……"

沈浪突然道："你还恨她么？"

朱七七摇了摇头，柔声道："我怎么会还在恨她，她以前虽然可恨，但现……现在却是这么可怜，其实，她始终是个可怜的女孩子。"

沈浪长叹道："不错，她的确是个可怜的女孩子……"

朱七七突然搂着沈浪的脖子，哽咽着道："有时……有时我真想将你让给她，只因她一生充满了仇恨与寂寞，唯一能安慰她的，就是你。"

她哽咽已变作低泣，道："但我实在不能，我实在舍不得你，沈浪，沈浪……你会怪我么？"

沈浪也紧拥着她，柔声笑道："傻孩子，我怎会怪你，我又怎会怪你……"

他仰望苍天，似乎在问："这究竟该怪谁呢？"

他虽在笑着，但又有谁知道他心中是多么酸苦。

在如此静夜，如此星辰下，他几乎要将一切都说出来，他没有说，只因他实在不忍伤着朱七七。

他心中虽有千言万语，却只是说了句："时候不早了，咱们也睡吧。"

不错，睡吧，明天，又是另外一天了，说不定一切事都会改变，有什么话，也留着在明天说吧。

明天究竟发生什么事，世上又有谁能知道呢？

日光，终于又照射着大地。

熊猫儿一觉醒来，刚打了个哈欠，突然怔着。

他突然发觉，一切情况俱都变了。

王怜花大半截身子已被人埋在沙土里，头发蓬乱，脸上也被人涂了污泥，赤裸着的背上，被人抽得满是斑斑血迹。

他模样看来竟已变成了个活鬼，但居然还似在睡着的，这一切发生在他身上的事，他竟似全不知道。

再看沈浪与朱七七，两人竟被人背对着绑在一起，两人发髻也乱了，头发似乎被人截去了一段。

而熊猫儿自己……

他只觉头疼欲裂，身子也被捆着，动也不能动，烈日晒得他皮肤儿已裂开，他衣服已几乎被剥光了。

熊猫儿这一惊，当真是非同小可："这究竟是怎么回事？莫非真的是撞见了荒漠中的恶鬼？"

虽在光天化日之下，他胆子虽然大，但遇着这种不可思议的怪事，他还是忍不住全身都发起抖来。

熊猫儿在沙上挣扎着，扭曲着。他终于又发觉两件事，马已不见了，干粮与水袋也不见了。马、粮食、水，这就等于是他们的生命。是谁夺去了他们的生命？

他目光四下搜索，天色蔚蓝，白云片片，闷热得令人几乎窒息，四下百里内外，都绝不会有什么人迹。是快活王？不会，绝不会。若是快活王，绝不会就这样放过他们的。

熊猫儿忍不住大呼道："沈浪！快醒来，沈浪……"

他呼声突然在喉中哽住，他又赫然发现——

本在沈浪身旁，始终晕迷不醒的白飞飞，竟也已不见了。

沈浪也醒了。

他张开眼睛，只瞧见面前的地上，痕迹零乱，似乎有人用石头在地上写过字，又胡乱划去。

他自然也已感觉到头脑的疼痛，四肢的麻木，他面上的肌肉，不禁起了一阵阵的扭曲，喃喃道："沈浪呀沈浪，你又上了次大当。"

熊猫儿听见他的语声，大呼道："沈浪，你醒来了么？你可瞧得见这情况，水没有了，马没有了，粮食没有了，白飞飞也不见了。"

沈浪长叹道："白飞飞也走了么？"

熊猫儿道："这究竟是怎么回事？老天，这究竟是怎么回事？"

沈浪道："白飞飞，这自然是白飞飞，除了白飞飞还有谁？"

熊猫儿吃惊道："白飞飞？你说这一切又是白飞飞做的手脚？"

沈浪惨笑道："她人既已走了，难道你还看不出来？"

熊猫儿道："她人虽已走了，但难道不可能也是别人将她绑走的……她一直晕迷不醒，简直已奄奄一息，又怎能做这手脚？"

沈浪喃喃道："你我都未免太轻视了她，在经过那许多事后，你我竟还是不免轻视了她，这是为了什么？"

他苦笑接道："这只因她实在太善于做作，她作出的模样，永远是教人只有可怜她，同情她，而忘了本该提防着她的。"

熊猫儿道："你说……难道她根本早已醒了，但故意装作晕迷不醒，难道她……"

这时朱七七也醒了，颤声道："沈浪……沈浪，你在哪里？"

沈浪道："七七……七七……你可受了伤？"

朱七七道："好……好像没有……沈浪，你在我背后么？你也被绑起来了么？"

沈浪长叹道："嗯。"

朱七七道："这究竟是怎么回事？……呀，我面前还写的有字！"

沈浪急急道："写的是什么？"

朱七七道："我瞧瞧……这地上写的：点水之恩，涌泉以报，留你不死，任你双飞，生既不幸，绝情断恨，孤身远引，至死不见。"

她惊呼道："这……这难道是白飞飞写的？"

沈浪长叹道："正是她。"

朱七七道："她走了……她一个人走了，她虽然一心想得到你，但到最后，还是没有将你抢走，却留下我，让我和你……和你……"

她语声渐渐哽咽，终于痛哭失声，道："绝情断恨，至死不见……白飞飞呀白飞飞，你宁愿孤苦终老，也没有杀我，白飞飞呀白飞飞，我一直看错了你，你实在是个好人，我……我对不起你，我实在对不起你。"

熊猫儿道："她若真的是好心的人，为何又要将咱们害成这模样，为何又要偷走咱们的粮食和水，带走咱们的马？"

沈浪长叹道："她……她实在是个不可捉摸的女人，她的心意，真是谁也猜不透的，她究竟是善是恶，只怕也永远没有人知道。"

熊猫儿默然半晌，也长叹道："无论如何，她实在是个了不起的女人，她竟能始终装出晕迷不醒的样子，竟忍得住那要命的饿渴，连眼睛都不睁开，就只这一点，已是任何人都做不到的，白飞飞呀白飞飞，我实在不能不佩服你。”

沈浪苦笑道：“她这样做，只是要我们不再对她有防范之心。”

熊猫儿道：“但她既然已绝情断恨，万念俱灰，既然早已存心一走了之，为什么不好好地走，却要在临走前还将咱们害一下。”

沈浪黯然道：“这或者是她不愿在那种情况下与咱们相见，宁可咬紧牙关，忍受百般痛苦，也要挣回面子，要我们知道，她毕竟是强者。”

朱七七幽幽道：“这也或许是她不能当面和你别离，更不愿让你瞧不起她……一个女人，是宁愿吃任何苦，也不愿被她所爱的人瞧不起的，尤其是她这种女人。”

熊猫儿苦笑道：“有谁会瞧不起她，连沈浪都在她手里栽过几次筋斗，还有谁敢瞧不起她，普天之下，除了她之外，又有谁能令沈浪吃亏上当？”

朱七七突然大声道：“沈浪吃她的亏，上她的当，并不是不如她。”

熊猫儿道：“那是为了什么？”

朱七七道：“这只因沈浪始终在同情她，可怜她，一心只想救她，帮助她，而没有想害她，也没有想对付她，否则就算有十个白飞飞，又怎能害得到沈浪？”

熊猫儿叹道：“我本来以为你只是喜欢沈浪，并不了解他，如今我才知道，最了解沈浪的还是你，咱们都不如你。”

朱七七悠悠道：“这只因我全心全意都放在沈浪身上，自然比你们都了解他。”

熊猫儿大笑道：“沈浪呀沈浪，你有这样的红颜知己，这一辈子总算没有白活了。”

突听王怜花嗄声道：“此时此刻，你还笑得出，我总算佩服你。”他嘴里像是被塞了沙土，连话都说不清了。

熊猫儿道：“我为何笑不出，至少我没有被人活埋在地下。”

王怜花道：“我算什么？但咱们无所不知、无所不能的大英雄沈浪，怎知也被人像死猪般捆起来，我实在有点不懂了。”

沈浪也不着恼，淡淡道：“你若是稍微机警些，咱们也不至于变得如此模样。”

王怜花冷笑道：“这难道还能怪我不成？”

沈浪道：“你可知道咱们怎会被人捆住还毫无所觉？这只因白飞飞昨夜已在咱们所喝的水袋里下了迷药，你可知道她是什么时候下的迷药？那就是我叫你留守在这里的时候，你既然将水看得比别人性命都重要，又为何不睁开了眼睛瞧着？”

王怜花将嘴里的土咬得沙沙作响，却说不出话来。

熊猫儿道：“别的且不管，咱们此刻该怎么办呢？我手脚全没有半分力气，连这绳子也挣不开，再这样下去，只怕要被晒焦了。”

他干笑了一声，道：“烤焦了的猫，不知滋味如何，至少我自己是尝不到的了。”

王怜花冷笑道：“有趣，这话当真十分有趣。”

“呸”的一声，将嘴里一口沙子重重唾在地上。

日光，已愈来愈是强烈，晒得沙子都发了烫。

熊猫儿已被晒得头晕眼花，绑在他身上的绳子，也似在渐渐收缩，勒得他直疼入骨子里。

他嘴唇也已被晒得裂了开来，喃喃道：“白飞飞呀白飞飞，你没有杀死我，我并不感激你，这样岂非比一刀杀死我还狠毒百倍，你没有杀死我们，原来只是要折磨我们。”

王怜花叹道：“我虽然也自知这一生绝对不得好死，却也未想到会被太阳活活晒死，这样的死法当真比任何死法都难受得多。”

沈浪微微一笑，道：“无论怎么样死，都不会很舒服的。”

王怜花瞪大眼睛，道：“到了现在，你还笑得出？”

熊猫儿大声道：“能看到你这样的人被活活晒死，为何不可笑……我也要大笑……哈哈……哈哈……”

他用尽气力，大笑了几声，怎奈唇焦舌枯，又怎能笑得出，那笑声听来当真比哭声还要难听十倍。

王怜花道：“好，你笑吧，用力笑吧，拼命笑吧……你若再这样大笑几声，只怕就要让我瞧着你先死了。”

沈浪道：“他不会死的。”

王怜花道：“他不会死，难道只有我会死？”

沈浪道：“你若肯少说几句话，留些力气，也不会死的。”

王怜花那被晒得发黑发焦的脸上，又不禁发了光。

他虽然对沈浪又嫉又恨，但沈浪说的话，他却不能不听，不能不相信——一个怕死的人听到自己还能活下去时，那神情当真谁也形容不出。

王怜花连眼睛上的肉都颤抖了起来，道：“你……你说咱们还有救星？”

沈浪道：“自然有的。”

王怜花道：“黄沙万里，咱们这几人在沙漠中，简直就像只蚂蚁似的，纵然有十万人要来救咱们，也未必能找得着……何况，又有谁会来救咱们？又有谁知道咱们已遇难？这……这简直是毫无可能。”

他一面咳嗽，一面说，这番话说完了，已是全身脱力，只因他嘴里虽说不可能，心中却是充满希冀之情。

他就希望沈浪将他的话全部驳倒。

沈浪道：“自然有人知道咱们已遇难的。”

王怜花喘气着道：“谁……除非是那妖女。”

沈浪道：“正是白飞飞。”

王怜花怔了怔，拼命笑道：“她难道还会来救咱们……哈哈，原来沈浪也已疯了，原来沈浪也已疯了。”

这疯狂的笑声，听得朱七七、熊猫儿全身发冷。

他们实也不禁认为沈浪神智已不清，就算打死他们，他们也不会相信白飞飞会来救他们的。

沈浪叹道：“她的脾气，你们难道还不了解？她若要咱们死，又怎肯不在旁边亲眼瞧着咱们受尽折磨，到死为止？”

朱七七道：“她只怕还没有这么狠的心。”

王怜花却大喜道：“不错，她若要咱们的命，必定会在旁边瞧着咱们死的，如今既然走了，想必是算定咱们必有救星。”

熊猫儿忍不住叹道：“救星？哪里来的救星？”

沈浪道："她生长在沙漠中，对沙漠上的一切，都必定比我们熟悉得多，说不定早已瞧出有人要往这里来，也说不定还留下线索要别人找来。"

王怜花叹道："这次我若得救，看来真该做几件好事了。"

沈浪道："只要你莫忘了这句话，我担保你死不了的。"

这希望虽然渺茫，但渺茫的希望，总比没有希望好得多，于是大家再不说话，都希望留些精力，支持到救星来的时候。

这时每个人的眼皮都已愈来愈重了，都恨不能痛快地睡一觉，但每个人却也都知道，自己这一睡，便再也不会复醒。

也不知过了多久，突然间，沈浪大呼道："来了……来了……"

大家精神一振，顺着他目光瞧去，只见万里无云的碧空下，突然扬起了一片黄尘，几乎掩没了自己。

接着，蹄声骤响，如战鼓雷鸣，动地而来。

熊猫儿动容道："沙漠之中，哪里来的千军万马？"

沈浪微微一笑道："你莫非忘了龙卷风。"

话声未了，只见四匹健马首先急骤而至，马上人全身白衣白风氅，正是横行大漠的龙卷风属下。

这四人四骑想是已瞧见了沈浪等人，打了个呼哨，突又纵马驰去，王怜花忍不住焦虑之情失声道："喂……你们怎地又走了，难道见死不救么？"

沈浪笑道："你莫要着急，这不过是龙卷风的前哨探子，如今发现了我们，不敢自行定夺，是回去通知去了。"

王怜花一喜，突又一惊，道："龙卷风在大漠是个杀人不眨眼的强盗，咱们若是落在他手里，只怕也……"

沈浪道："龙卷风善恶我虽不知，但你莫忘了，他还有个神秘的军师。"

王怜花道："军师又怎样，难道你认得？"

沈浪微笑道："若我猜得不错，他实是我的故人。"

这时远处又有数骑驰来，当先一骑，黑衣黑马，黑巾蒙面，只露出一双充满了诡异厉光的眸子。

这黑衣骑士到了近前，突然飞身掠下，站在那里，眼眨也不眨地瞧着沈浪，竟像是吓呆了。

沈浪颤声笑道："金兄，金无望，是你么？"

黑衣骑士身子陡然一震，失声道："你……你怎知……"

沈浪大笑道："除了金无望外，还有谁能对快活王的一切了如指掌？除了金无望外，还有谁能令快活王连连失利？"

黑衣骑士突然扑过去，拥住了沈浪，两人又哭又笑，就连王怜花都不禁瞧得眼睛湿湿，朱七七与熊猫儿更是早已热泪盈眶。

过了半晌，金无望长叹道："沈浪呀沈浪，你怎地落得如此模样。"

沈浪笑道："先莫说我，先谈谈你。"

金无望默然半晌，笑道："不是我对快活王不仁，实是他对我不义，我残废归去后，他将我视为废物，竟要将我除去，幸好我早已知道他的恶毒，早已有了脱走之计，那时我已发誓，必定要让他知道，金无望不是废物……"

沈浪大笑道："如今你的确已证明了此点，那时他故意伪装一封书信，说是你留下的，我就知道那其中必定有诈。"

金无望亦自仰天而笑，得意的笑声中，竟有些萧索之意，仰天狂笑了半晌，缓缓顿住笑声，叹道："如今我虽已将他击倒，但又如何？人生百年，转瞬便过，无论胜败，到死了还不是只落得一抔黄土而已。"

熊猫儿忍不住道："你已杀了他？"

金无望道："上次我一击未成，这次又集中人马，再次挥军进攻，哪知快活王的巢穴，竟已变为一片瓦砾，尸首遍地，且俱已烧成枯骨，其中有两具尸骨，纠缠在一起，血肉虽已化为飞灰，但那三枚戒指却还在……"

他凄声大笑道："又有谁能想到，纵横一世的快活王，竟葬身于火窟之中。"

听到这里，大家都已知道和快活王纠缠在一起的尸骨，必是王夫人。

沈浪忍不住长叹一声，喃喃道："情孽纠缠不死不休，唉，这又何苦……何苦？"

话未说完，王怜花竟突然放声而痛哭，这一点父母儿女的天性，到了最后，终于还是发作了出来。

金无望厉声道："王怜花，我本已立心杀你，但瞧你这一场痛哭，可见你天良还未丧尽，就凭此点今日我再救你一次。"

当下他放出众人，突又瞧着沈浪，道："快活王看来已是必死无疑，你竟未能与他真个交手，你不觉有些遗憾么？何况，你虽不愿明言，我却知道你与他实有不共戴天之仇，当年令尊九州王沈天君不啻殒于他手……"

沈浪淡淡一笑，道："人性本愚，是人才难免相争，但上者斗心斗智，下者斗力，我与快活王虽然难以并立，彼此都一心想将对方除去，但也不知怎地，彼此竟似有几分相惜，你想我若与他真个抡拳动脚，厮杀一场，岂非太无趣了么？"

金无望大笑道："沈浪之洒脱，当真无人能及。"

朱七七道："却不知你是如何会来救咱们的？"

金无望道："这说来倒也不是什么奇事，我自快活王巢穴退军之后，本不经此，谁知昨夜竟突然接着一封书信，信上附着地图，叫咱们到这里来救你们，我将信将疑，又想来，又怕被骗……幸好我终于还是决定来了。"

朱七七幽幽叹道："最了解白飞飞的，毕竟还是沈浪。"她紧紧握着沈浪的手，像是生怕沈浪突又逃走了似的。

熊猫儿道："但她又怎知金兄便在左近？"

沈浪道："她一路来到这里，想必早已瞧见金兄行军时的尘头，那时我等纵然瞧见，也只当是沙漠中的风沙而已，但她对沙漠上的任何变化，却十分熟悉，是蹄尘，是风沙，她自然是一眼便可瞧出的。"

朱七七、熊猫儿、金无望、王怜花竟不约而同道："看来当真是什么事也瞒不过沈浪。"四人同时张口，同时闭口，不禁同时相视一笑。

沈浪苦笑道："你们平时说这话，我听来虽然受之有愧，还不至于脸红，但今天我这般模样，你们再说这话，岂非要叫我钻入地下么？"

众人忍不住大笑，只听远远有人大呼道："名震天下的沈浪在哪里，咱们能不能够见见？"

呼声一声接着一声，如浪潮卷来，响彻大漠。

金无望挽起沈浪的手，大笑道："你纵想钻入地下，别人也不会让你钻进去的，只是……”

他上下瞧了沈浪两眼，又道：“沈浪今日居然也败了一次，别人想必都要奇怪的。”

沈浪面上又泛起了他那潇洒、懒散、不可捉摸的笑容，淡淡笑道：“无论任何人，都有失败的时候，只要他们胜利时莫要太得意，纵然失败一次，也就算不了什么了……”

《武林外史》完